Virgo intacta

Tome I : Arianne

Louise Lévesque

Virgo intacta

Tome I : Arianne

Collection Le Treize noir

La Veuve noire, éditrice
145, rue Poincaré, Longueuil, Québec J4L 1B2
(450) 448-8869

Dépôt légal: 2004
Bibliothèque nationale du Canada
Bibliothèque nationale du Québec

Données de catalogage avant publication (Canada)

Lévesque, Louise

Virgo intacta, tome I : Arianne
(Collection Le Treize noir ; 5)

ISBN 2-9808096-4-0 (v. 1)

I. Titre. II. Titre : Arianne

PS8573.E962V572004   C843'.54   C2004-940373-7
PS9573.E962V572004

Illustration de la couverture :
Stéphane Poulin

Conception de la maquette :
Robert Dolbec

Distribution au Canada : Prologue

Remerciements

Je remercie, tout spécialement et du fond du cœur, ces collègues et ex-collègues du SPVM[1]:

S/D Richard Nardozza, des Homicides, pour la célérité et l'obligeance avec lesquelles il a répondu à toutes mes questions reliées aux procédures d'enquête, et pour l'exemple de rapport d'autopsie ;

S/D Jacques Viau (aujourd'hui retraité) et S/D Francesco Secondi, du module Crimes technologiques, pour les informations liées à la fouille d'ordinateurs et aux technologies informatiques ;

Lt Pierre Bélisle, de la Division du renseignement, pour les informations liées à la surveillance électronique ;

Sgt René Leroux, de l'Identité judiciaire, et **Chantal Boisvert**, employée y ayant déjà travaillé, pour les informations liées aux portraits-robots ;

Michelle Racicot, préposée au secrétariat, pour la brochure sur l'endométriose ;

Marie-Claude Desourdy, secrétaire, pour les informations liées aux actes de propriété ;

Lyse Prince, ex-agente de bureau, pour les mesures de « l'arme du crime » ;

1. L'action de ce roman se déroulant à l'été 2000, alors que le S.P.V.M. s'appelait encore le S.P.C.U.M., j'ai conservé l'appellation de l'époque dans mon récit (entièrement fictif).

Gilles Gagné, ex-sergent et agent double, pour m'avoir aidé à trouver un ordinateur fait sur mesure pour répondre à mes besoins.

Je remercie également **François Baril**, prêtre et pasteur de ma paroisse, pour les renseignements quant aux registres de baptême.

1

Nul autre cadavre ne s'était présenté à lui avec tant de grâce. Vêtue d'une longue chemise de nuit blanche, Arianne LeSieur reposait sur son lit. Une gerbe de roses rouges, glissée sous ses mains jointes, dissimulait la corolle de sang qui s'était épanouie autour de la blessure sous son sein gauche. Une ombre de sourire flottait sur ses lèvres, et le sergent-détective Daniel Asselin n'aurait pas été étonné qu'elle ouvre les yeux. Si forte, en fait, était l'apparence du sommeil qu'il murmura malgré lui :

— La Belle au Bois dormant.

Le sergent-détective Sylvie Grosbois, dont c'était la première enquête d'homicide, pointa du doigt les romans d'horreur qui occupaient presque toute l'étagère supérieure de la bibliothèque de la victime (elle en avait dans toutes les pièces, sauf la cuisine et la salle de bain) et commenta en souriant :

— Plutôt la fiancée de Dracula, je dirais.

Daniel plissa les yeux, mais cela ne lui fut d'aucun secours. Se reprochant sa réticence à porter des lunettes, il s'approcha du meuble, dont il examina le contenu avec intérêt. Plusieurs classiques en effet, mais davantage d'ouvrages contemporains de fiction, et Daniel s'amusa fort de voir Asimov et Audet, Dickens et Dutrizac, Rice et Rice Burroughs, Tolkien et Tremblay se frotter de la jaquette comme s'ils étaient intimes. Dans un registre plus académique ou autodidacte, des essais philosophiques et théologiques, des livres d'histoire dont certains passages surlignés trahissaient le penchant de la victime pour les héroïnes martyrisées, et trois Bibles, deux d'entre elles considérablement usées.

— Elle avait des goûts variés en tout cas, dit-il en feuilletant l'une des Bibles et grimaçant de frustration devant l'illisibilité des commentaires jonchant çà et là les marges.

— En lingerie aussi, remarqua Sylvie d'un ton acide, ce qui ne manqua pas d'éveiller la curiosité de son mentor.

Abandonnant le livre saint, Daniel rejoignit sa collègue en train d'inventorier la garde-robe intime de la morte. Outre les culottes, soutiens-gorges et bas de tous les jours, ils y trouvèrent un vaste assortiment de dessous en satin, de nuisettes et de combinés de soie d'une délicate sensualité... et d'une dizaine d'ensembles très franchement égrillards, presque vulgaires.

Daniel fronça les sourcils et tâcha de réconcilier ces derniers éléments avec la personne érudite et romantique qu'il avait cru découvrir plus tôt.

— Sans doute une façon d'arrondir ses fins de mois, présuma Sylvie.

Daniel se sentit irrité, non tant de l'hypothèse, car imaginer le pire des gens devenait vite une seconde nature chez les policiers, que du dégoût à peine dissimulé de sa jeune coéquipière. Comme si quelques vêtements d'un goût douteux invalidaient tout ce qui parlait en bien de la défunte. Aussi rétorqua-t-il, plus par esprit de contradiction que par conviction réelle :

— Ou de faire plaisir à son bon ami.

Une telle présomption révolta Sylvie, qui protesta :

— Un homme qui a du bon sens ne voudrait jamais voir sa blonde déguisée en « guidoune » !

— Penses-tu ? J'en suis un, moi. Et j'aimerais ça, avoua Daniel avec un sourire en coin.

Sylvie rougit. Sûrement, il se payait sa tête. Mais lorsqu'il reporta son regard sur la victime, Sylvie y lut quelque chose qui ressemblait fort à de l'envie.

L'équipe de détection en scènes de crime ayant envahi l'appartement, Daniel et Sylvie observèrent leur travail tout en poursuivant leur fouille, qui ne révéla rien d'utile pour l'instant. Après avoir examiné le corps, le

légiste en devoir leur dit que, selon toute apparence, il n'y avait pas eu agression sexuelle.
La victime était morte instantanément d'un
unique coup au cœur. L'appartement recelait
une multitude d'empreintes digitales, mais
aucune trace d'effraction. Une fois le corps
emporté et l'équipe de détection partie, les
enquêteurs scellèrent les lieux, puis allèrent
interroger les voisins. La tournée de l'immeuble – dix appartements à deux par palier
– ne leur apprit rien, sinon que la victime y
avait tout récemment emménagé. Personne
n'avait vu ou entendu quoi que ce soit de suspect, et personne ne connaissait la jeune femme
avant son arrivée, outre la voisine de palier
qui l'avait identifiée.

Cette dernière était la gérante de l'immeuble et elle fréquentait de façon régulière
un restaurant où Arianne avait été serveuse.
C'était elle qui, à la demande d'Arianne,
l'avait avisée lorsque l'appartement d'en face
s'était libéré. Arianne voulait un logis facilement accessible à une personne en fauteuil
roulant, car elle avait un ami handicapé. La
gérante ne l'avait encore jamais vu, mais elle
savait qu'il s'agissait d'un jeune homme. Elle
ignorait son nom. Elle était sortie souper avec
une amie et n'était rentrée que vers vingt-
deux heures. Quelques minutes après être
rentrée, elle avait entendu un bruit de roues
dans l'appartement de sa voisine.

— Mais pas des roues de fauteuil, précisa-t-elle en voyant l'expression alerte de
Daniel. Plutôt comme un chariot à emplettes.
J'ai pensé que c'était Arianne qui transportait
des trucs dans le sien. Elle n'avait pas encore
fini de s'installer. Ah oui ! j'ai vu quelqu'un
aussi. Mais pas à ce moment-là. C'est quand
je suis sortie. J'attendais l'ascenseur, et il est
arrivé par l'escalier. Un jeune homme. Je ne
l'avais jamais vu avant.

Daniel lui en demanda la description. Le
visiteur d'Arianne était, selon ce témoin, dans
la jeune trentaine, grand, bronzé, mince mais
athlétique. Il était sûrement en forme, car il
ne semblait même pas essoufflé après avoir
monté quatre étages. Il avait les cheveux
bruns et le sourire chaleureux. Il avait un sac-
cadeau à la main. Elle le reconnaîtrait peut-
être s'il souriait, mais elle ne pouvait le jurer,
car elle ne l'avait vu que brièvement ; l'ascenseur arrivait.

Les enquêteurs prirent ses coordonnées
et l'ancienne adresse d'Arianne, qui n'était
qu'à une rue au nord. Quelques journalistes
les entourèrent lorsqu'ils sortirent ; Daniel ne
leur donna que le strict minimum d'informations, les enjoignant à attendre le feu vert
de la section Communications avant de pu-
blier quoi que ce soit, puisque la famille n'avait
pas encore été avisée. Les détectives se
rendirent à l'ancienne adresse de leur vic-

time, mais n'apprirent pas grand-chose là non plus.

Arianne LeSieur avait été une fille réservée, qui se mêlait peu. Elle n'avait eu que quelques visiteurs : une jeune femme blonde et une autre, brune, souvent accompagnée d'une fillette, et, pendant quelques mois, un beau jeune homme de type latin, qu'Arianne appelait Esté, et que plusieurs voisines lui auraient chipé avec plaisir. Mais personne n'avait revu ce dernier depuis le printemps. Personne ne savait où il habitait, ni quelle était son occupation. Le voisin immédiat d'Arianne pourrait peut-être leur en dire un peu plus, car Arianne et lui semblaient être copains, mais il venait de partir en voyage pour un mois, et nul ne savait où il pouvait être rejoint.

Les détectives notèrent le nom du voisin en question, puis glissèrent sous sa porte un message demandant de les appeler dès son retour.

— C'est le même, tu crois ? demanda Sylvie à son collègue, comme ils réintégraient leur véhicule.

— Le beau Latin et le visiteur de ce soir ? Ça me surprendrait. Il n'a pas l'air d'avoir produit une impression monstre sur notre témoin, et toutes les femelles d'ici se tortillaient presque rien qu'à mentionner l'autre, ricana Daniel.

Puis, se souvenant tout à coup que sa partenaire était une femme, il eut l'air contrit. Sylvie s'esclaffa et déclara qu'elle avait remarqué aussi. Le beau Latin et l'handicapé pouvaient par contre être la même personne. S'il avait eu un grave accident, cela expliquerait que personne ne l'eût revu depuis le printemps. Daniel admit que c'était une possibilité.

De retour au bureau, ils rédigèrent leurs rapports, puis rentrèrent chez eux aux petites heures du matin.

Incapable de s'endormir, Sylvie se leva sur un coude et contempla son conjoint. Elle aimait son corps, ne se lassait pas de le regarder. Elle raffolait aussi du sexe net, amoureux, tendre, sans prétention, qu'il lui offrait. Et elle maudissait Daniel d'y avoir jeté l'ombre du doute.

« Tous les hommes sont des voyeurs. Tous, lui avait-il répondu lorsqu'elle lui avait demandé s'il pensait vraiment ce qu'il avait dit au sujet de la lingerie égrillarde. Pas tous au même degré, mais tous. Ton Alain, par exemple, tu ne me feras pas accroire qu'il ne se tape jamais un film de cul ou qu'il se ferme les yeux devant une belle paire. »

« Je n'ai pas dit ça. Mais il ne m'a jamais demandé de porter des trucs pareils ! »

« Qu'il ne te le demande pas ne veut pas dire qu'il ne t'a jamais imaginée dedans. Et puis, il y a des femmes que ça amuse de s'encanailler avec un complice amoureux. Ça leur procure le frisson sans le danger. »

« Comme le prouve ton Arianne, avait sèchement répondu Sylvie. »

Ça lui avait cloué le bec, au super-enquêteur. Non mais de quoi se mêlait-il ? N'empêche que son argument avait cheminé dans l'esprit de Sylvie qui, n'y tenant plus, secoua son amant.

— Alain ! Alain !

Ce dernier émergea avec difficulté des brumes du sommeil.

— Quoi ? Qu'est-ce qu'il y a ?

— Aimerais-tu ça que je parade devant toi, « attriquée » de dessous vulgaires ?

Alain la fixa, stupéfait.

— Tu plaisantes ! Tu m'as réveillé juste pour me demander ça ?

— S'il te plaît, Alain. Il faut que je sache.

— Bon, soupira ce dernier. Qu'entends-tu exactement par « vulgaires » ? Des trucs du genre femelle dominatrice ou fillette précoce ?

— Seigneur, non ! s'exclama Sylvie avec une grimace de dégoût. Je pensais plutôt à des déshabillés qui ne laissent rien deviner ou si peu, à des guêpières en filet avec quelques bouts pleins aux endroits stratégiques...

Sylvie s'interrompit devant l'érection éloquente d'Alain. Puis elle courut s'enfermer dans la salle de bain.

— Oh ! Sylvie ! Pour l'amour du ciel, tu ne vas pas faire un drame parce que je me suis excité à t'imaginer dans des tenues lubriques ? lui cria Alain de derrière la porte.

Sylvie ne répondit pas. Elle était furieuse. Mais pas tant contre Alain que contre Daniel, qui avait raison encore une fois.

2

Daniel arrivait toujours au bureau vers quatorze heures lorsqu'il travaillait le soir. Ainsi, il avait plus d'une demi-heure de paix relative pour se mettre en train et trier sa paperasse avant que ses collègues du quart finissant ne viennent clore leur journée et échanger avec ceux qui la commençaient. Un bourdonnement de voix, mêlé de stridentes sonneries téléphoniques, emplissait alors le bureau et rendait toute concentration impossible jusqu'à ce que les malheureux dont c'était le tour de soir soient abandonnés à leur triste sort.

Ces derniers ne s'en plaignaient d'ailleurs que pour la forme, car travailler en soirée avait de multiples avantages. On pouvait reculer sa chaise sans s'empêtrer dans celle d'un voisin de pupitre. On n'avait pas à courir les trop peu nombreux véhicules ou ordinateurs. Les téléphones étaient quasi muets et les patrons partis régner sur leur univers personnel. Non pas que Daniel en eût contre ses supérieurs... mais il s'accommodait fort bien de leur absence.

Ce jeudi 20 juillet 2000, lendemain de la découverte du corps d'Arianne LeSieur, Daniel se présenta au bureau à l'heure habituelle. Au milieu de sa pile de courrier, il trouva une télécopie en provenance du laboratoire médico-légal, laquelle lui annonçait que l'autopsie de la jeune femme aurait lieu le lundi suivant à neuf heures, soit dès le retour de vacances du Dr Richard Bélanger, le médecin légiste habituellement assigné aux dossiers du S.P.C.U.M. Suivait une liste des constatations préliminaires. Daniel les parcourut d'un œil rapide jusqu'à l'avant-dernière ligne, qu'il relut avec stupeur. Puis, ricanant tout bas, il attendit l'arrivée de Sylvie.

— Vierge ? s'exclama Sylvie. À 31 ans et après avoir sorti avec un beau Latino pendant des mois ? Impossible !

— C'est ce que dit le rapport, répondit Daniel en pointant la ligne attestant ce fait.

Sylvie considéra son confrère avec curiosité. Elle trouvait bizarre la satisfaction que, de toute évidence, il éprouvait. L'ennuyait-elle secrètement au point qu'il se réjouisse de tout ce qui pouvait contredire les théories qu'elle avançait ? Daniel croisa son regard, et Sylvie écarta aussitôt cette hypothèse. Il la défiait, mais sans la moindre hostilité.

— Pourquoi cela te fait-il autant plaisir ? lui demanda-t-elle.

Daniel se posait justement la même question. Cela ne lui ressemblait pas de s'attacher ainsi à une victime. Il était un homme sensible, mais pratique, qui réservait ses sentiments, manifestes ou non, à ceux capables de les apprécier, soit les vivants. Les morts, les enfants exceptés, n'avaient droit qu'à une pitié plus ou moins détachée. Alors pourquoi Arianne lui importait-elle autant ?

— La vraie raison ? Je ne sais pas, avoua-t-il enfin. Mais ça me soulage de pouvoir au moins confirmer aux parents qu'elle n'a pas été agressée.

Sylvie sourit. Elle savait que ce « au moins » se rapportait au fait qu'ils avaient dû laisser au détachement local de la S.Q. le soin d'annoncer le meurtre de leur fille aux LeSieur. Ces derniers habitaient un petit bled côtier non loin de Mont-Joli, où ils tenaient, durant la saison touristique, une auberge du passant. Or, Daniel était de la vieille école. Bien que cette tâche lui déplût, il préférait l'accomplir lui-même, par respect pour les proches. (Et aussi parce qu'un enquêteur perspicace pouvait parfois y déceler des expressions révélatrices.) Il abhorrait ce qu'il appelait « l'ère de la pingrerie », où le coût l'emportait sur toute autre considération. Sylvie jeta un coup d'œil à l'horloge. Les parents d'Arianne arriveraient bientôt. Revenant à la virginité de cette dernière, Sylvie insista, sceptique :

— Ça ne t'a pas surpris, toi ?

— Ça a été ma première réaction, admit Daniel avec franchise. Mais, comme on dit, tout se peut.

— Je ne vois pas du tout ce qu'une vierge faisait avec tous ces déshabillés.

— Des jeux érotiques avec son handicapé, peut-être. Qu'elle l'ait connu avant son handicap ou pas, si elle s'était entichée de lui, elle aurait pu vouloir épicer de cette façon le peu dont il était capable. Et puis, son meurtre n'a peut-être rien à voir avec sa vie sexuelle. En tout cas, ce serait une erreur de le prendre pour acquis.

— Oui, maître ! s'inclina Sylvie, un rien moqueuse.

Le téléphone sonna et, en voyant s'afficher le numéro des LeSieur, l'agacement de Daniel fit place à l'anticipation. Ils allaient faire plus ample connaissance avec Arianne.

Malgré son visage défait et ses yeux rougis par les larmes, Annette LeSieur paraissait beaucoup plus jeune que ses soixante et un ans. Aussi menue et gracile que son époux était grand et musclé sous son embonpoint, elle donnait néanmoins l'impression d'être plus solide que lui. Affaissé par la douleur, Ronald LeSieur faisait, quant à lui, pleinement ses soixante-six ans, mais il était encore très bel homme. Arianne lui avait ressemblé de façon frappante. Il fixait sur Daniel le regard éperdu de celui qui n'a pas encore absorbé le choc. Daniel fit les présentations.

— Puis-je vous offrir quelque chose ? Un café ? Un thé ? demanda Sylvie.

L'homme refusa d'un signe de la tête. Son épouse répondit qu'elle prendrait volontiers un verre d'eau.

— On ne s'attendrait pas à trouver des bureaux de la police dans un centre d'achat, dit-elle à Daniel, tandis qu'il les installait dans le bureau de son supérieur, libre à cette heure et plus accueillant qu'une salle d'interrogatoire.

Le cœur de Daniel se serra comme toujours devant la force morale des gens qui, frappés par le malheur, s'accrochent à de petits détails pour ne pas hurler. Monsieur LeSieur se racla la gorge et demanda s'ils devraient aller à la morgue.

— Non, ce ne sera pas nécessaire. Nous avons trouvé des pièces d'identité avec photo et une voisine a confirmé qu'il s'agissait bien d'elle.

— Quand pourrons-nous... avoir son corps ? voulut savoir la mère.

— Dès que les formalités seront complétées. Ça ne devrait pas être très long. Elle n'a pas été mutilée, ni agressée, et le décès est fort probablement dû à la seule blessure visible. C'est une opinion personnelle, mais

je ne crois pas qu'elle ait souffert, ajouta
Daniel devant la détresse des parents.

Le père lui jeta un regard furibond, comme
s'il avait voulu minimiser leur drame plutôt
que de leur offrir une mince consolation.
Madame LeSieur excusa son époux, disant
qu'Arianne et lui avaient été très proches.
D'un pâle sourire, elle remercia ensuite Sylvie,
qui venait de déposer devant elle un grand
verre d'eau fraîche. Sitôt sa collègue assise,
Daniel leur dit :

— Et maintenant, parlez-nous de votre
fille.

Arianne. Si un mot pouvait la résumer,
c'était « troublante ». Toute petite, déjà, elle
questionnait l'ordre établi. « Pourquoi c'est
jamais le prince qui est en danger et la princesse qui va le sauver ? Pourquoi tout le
monde trouve ça normal qu'un renard et un
corbeau se disputent un *fromage* quand il y a
plein de documentaires sur les animaux à la
télé ? Pourquoi les érables, ils donnent du
bon sirop, et pas les saules pleureurs ? » Elle
était d'une curiosité insatiable, impitoyable
même, et ses humbles parents s'étaient souvent sentis écrasés par sa supériorité intellectuelle.

Arianne lisait des phrases complètes dans
ses albums bien avant d'aller à l'école. Jaloux
du plat qu'on faisait de cette prouesse, son
frère Benoit, de six ans son aîné, prétendit un

jour qu'elle ne *lisait* pas, qu'elle répétait plutôt des mots mémorisés à force de lui être lus. Pour le démontrer, il inscrivit « noir » sur un petit tableau, mais en mélangeant les lettres. La bambine fixa un bon moment le mot ainsi formé, puis demanda, perplexe : « C'est quoi, un roni ? »

Leur père éclata de rire et répondit que c'était un petit malin pris à son propre piège. Enfants, Arianne et Benoit se chamaillaient continuellement. Mais cette rivalité féroce s'était muée, au fil des ans, en un duel affectueux et un rien moqueur.

Adolescente, Arianne cultivait amoureusement sa singularité. Elle se montrait affectueuse envers ses parents, envers son père surtout, *en public*. Elle s'habillait, *par choix*, de vêtements cousus par sa mère ! Elle préférait *l'étude* aux sorties ! Mais, malgré ces pratiques honnies par ses pairs, elle avait eu de nombreux amis, parce qu'elle possédait un don précieux : elle savait garder un secret.

Arianne avait le rire et la parole faciles, ce qui donnait à ceux qui la côtoyaient l'impression de tout savoir d'elle. Mais si on leur demandait de parler d'elle, ils découvraient avec stupeur qu'ils la connaissaient très peu. Car Arianne ne taisait pas que les secrets des autres, elle ne partageait ses pensées et émotions profondes avec personne. Sinon, peut-être, avec Simon.

À la connaissance de ses parents, Simon Pratte avait été l'unique amour d'Arianne. Malheureusement pour elle, il se destinait à la prêtrise, et même l'attention d'une aussi belle fille n'avait pu le détourner de sa voie.

Cette romance manquée était à l'origine de l'intérêt d'Arianne pour la philosophie et la théologie et, jusqu'à ce qu'il parte pour l'Amérique du Sud, Simon et elle avaient eu maints échanges fiévreux quant à la justice ou à l'injustice de certains passages bibliques. De son point de vue de femme, plusieurs étaient même carrément révoltants et, lorsqu'elle s'enflammait, seul Simon était capable de l'apaiser.

Arianne s'était inscrite à l'université avoisinant le séminaire où Simon poursuivait ses études religieuses, et lancée avec ardeur dans l'histoire et la sociologie. Elle était à mi-chemin entre la maîtrise et le doctorat lorsque Simon fut ordonné prêtre et accepta de s'initier à ses nouveaux devoirs par une mission de cinq à dix ans en Colombie.

Privée du stimulus de leurs débats et blessée de l'enthousiasme de son ami pour une assignation qui l'éloignait d'elle, Arianne avait abandonné ses études. Provisoirement, avait-elle dit. Le temps d'aller chercher dans le milieu du travail de quoi alimenter une thèse.

À la grande déception de ses parents, la quasi-docteure en socio avait dès lors occupé

une succession d'emplois sans envergure :
caissière dans une épicerie, ouvreuse dans
un cinéma, serveuse dans un restaurant. Celui
qu'elle venait tout juste d'obtenir semblait
toutefois relever plus de ses compétences.
Intéressé, Daniel leur demanda qui était ce
nouvel employeur.

— Nous ne savons pas au juste, admit
madame LeSieur. Comme d'habitude, elle
n'a pas donné beaucoup de détails. Une sorte
de groupe de thérapie qui rebâtit l'estime de
soi des handicapés, à ce que j'ai compris. Mais
c'était la première fois qu'elle semblait excitée
depuis qu'elle avait lâché ses études, nota-
t-elle avec chagrin, tandis que son époux se
renfrognait davantage.

— Quand vous l'a-t-elle annoncé ?

— Il y a presque deux semaines. Elle
téléphonait un jeudi sur deux, toujours à la
même heure. Et entre ça, elle envoyait plein
de trucs à Ronald sur sa machine.

Daniel tourna un regard interrogateur
vers l'homme assis face à Sylvie.

— Internet, expliqua de mauvaise grâce
ce dernier. Benoit s'est équipé d'un nouvel
ordi, et je lui ai acheté son vieux pour tenir
notre comptabilité. Alors, tant qu'à me « mo-
derniser », il m'a appris à naviguer aussi.

— Pourquoi pas ? Il n'est jamais trop tard
pour apprendre, dit Daniel. Et quel genre de
trucs vous envoyait-elle ?

— Oh ! Toutes sortes de petites choses. Son opinion des livres qu'elle lisait, ou des films et spectacles qu'elle voyait. Des recettes qu'elle voulait de sa mère, ou qu'elle m'envoyait pour elle. Des blagues qu'elle recevait... Des fois, quand je n'étais pas trop fatigué de ma journée, on jouait un *Scrabble*.

Ses yeux s'embuèrent, et il se racla la gorge. Sylvie en fut émue. Troublée aussi. Cette Arianne ne ressemblait guère au portrait qu'elle en avait ébauché.

— Votre fille sortait-elle beaucoup ? demanda-t-elle.

— Une ou deux fois par semaine peut-être.

— Seule ?

— La plupart du temps. Elle était plutôt solitaire. Parfois, quand elle allait voir un film pas trop intello et qu'il y avait un beau gars dedans, Laurie y allait avec elle. Mais c'était rare, parce qu'elles n'avaient pas tellement les mêmes goûts. Laurie, c'était une autre serveuse du restaurant où elle a travaillé, précisa-t-il en voyant Sylvie prendre des notes. Je ne sais pas son nom de famille.

— Vous a-t-elle parlé d'un certain Esté ? reprit Daniel.

— Jamais.

— Vous aurait-elle parlé de gars qu'elle trouvait de son goût ?

— Pas à moins d'un sentiment sérieux. Elle tenait beaucoup à son intimité.

— Il y avait Sébastien, lui rappela son épouse.

Monsieur LeSieur haussa les épaules.

— Sébastien ne compte pas. Il parlait d'un gars avec qui elle aurait pu sortir. Pas d'un « ti-cul » en chaise roulante.

Mais ce « ti-cul », s'il était celui pour lequel elle avait déménagé, avait dû compter beaucoup pour Arianne, songèrent les enquêteurs.

— Dites-nous quand même ce que vous savez de lui, insista Daniel.

— Pas grand-chose en fait, dit madame LeSieur. Il doit habiter le même quartier qu'elle, car ils se rencontraient souvent au parc. D'après ce qu'elle nous en a dit, il a juste quinze ans, mais il est très mature pour son âge. Brillant aussi.

— Il n'a que ça à faire, penser, grogna son époux.

— Ne faites pas attention à lui. Il est jaloux de tous les mâles qui tournent autour de sa fille.

Malgré la légèreté du reproche, Daniel et Sylvie sentirent que cette possessivité avait été source de conflit. Sylvie admira donc la fausse innocence avec laquelle son collègue leur demanda, après d'autres questions de routine, où ils se trouvaient le soir du crime. Monsieur LeSieur s'en offusqua malgré tout, et son épouse lui posa une main apaisante sur le bras en disant :

— Allons, Ronald, ils ne font que leur travail. Nous avons été chez nous toute la soirée, affirma-t-elle. C'est la haute saison pour notre auberge.

— Oui, bien sûr. Qui s'en occupe en ce moment ?

— Notre fils et sa copine.

— Je vois. Bon, nous ne vous retiendrons pas plus longtemps, dit Daniel en se levant.

Il leur remit sa carte, au cas où d'autres détails leur reviendraient à l'esprit. L'ascenseur tardant à venir, un lourd silence s'abattit. Lorsqu'il arriva enfin, monsieur LeSieur s'y engouffra comme s'il apportait la délivrance. Sa femme l'y suivit, puis tourna vers l'enquêteur un regard implorant.

— Vous allez nous aviser lorsque... lorsqu'ils auront fini ?

Daniel le lui promit d'un hochement de tête et regarda les portes se refermer sur son pauvre sourire.

— Pourquoi ne leur as-tu pas parlé de sa lingerie ? attaqua Sylvie lorsqu'il revint à son bureau.

Daniel la regarda, étonné.

— Parce que tu discutes de tes dessous avec tes parents, toi ?

— Bien sûr que non ! rétorqua Sylvie avec impatience. Mais c'est pas pareil !

— Tiens donc ! dit Daniel en croisant les doigts derrière la nuque et balançant sa chaise vers l'arrière. Alors, explique-moi en quoi.

Se maudissant d'avoir peut-être fourni à son mentor l'occasion de la tourner en ridicule, Sylvie tenta d'exprimer avec logique sa pensée confuse. Son père, à elle, n'était pas jaloux de son conjoint. Enfin, il s'était montré un brin méfiant envers ses deux ou trois premiers amoureux, mais comme un père normal se souciant du bien-être de sa fille, pas avec la possessivité manifeste de Ronald LeSieur.

— Il a l'air un peu excessif, en effet, admit son collègue. Raison de plus pour que sa fille lui cache tout ce qui peut toucher à sa sexualité.

— À moins qu'il n'en ait fait partie.

— Elle était vierge, Sylvie, lui rappela Daniel.

— Son hymen était intact, d'accord. Mais qu'est-ce qui dit qu'ils n'étaient pas intimes autrement ? suggéra-t-elle en rougissant.

— Bon point, la félicita Daniel. Mais qui ne s'applique pas seulement à LeSieur. D'ailleurs, si Arianne avait fui une relation incestueuse, pourquoi aurait-elle gardé un contact si étroit avec son père ? De l'aveu même de sa mère, Arianne était plus proche de lui que d'elle.

— Elle était peut-être consentante. Ça s'est déjà vu.

— Dans ce cas, pourquoi l'aurait-elle quitté ?

— Je ne sais pas, moi ! Peut-être que la mère a découvert le pot aux roses et l'a forcée à partir.

Daniel secoua la tête.

— Non. Même une mère n'aurait pas pardonné une chose pareille. Or, elles se parlaient régulièrement.

— N'empêche qu'elle en était jalouse. Elle devait bien avoir une raison pour ça et, si tu leur avais parlé de la lingerie, l'un ou l'autre aurait peut-être trahi quelque chose.

— Si c'est ce que tu penses, qu'est-ce qui t'empêchait d'en parler, toi ?

— Toi, avoua Sylvie avec embarras. J'ai l'impression de t'irriter chaque fois que je fais allusion au côté sombre de cette fille.

— Bon, mettons les choses au clair. Ce qui m'irrite, c'est que tu ne vois que ce côté-là au détriment du reste. Moi, j'ai toujours trouvé important d'avoir le portrait global d'une victime. Mais tu n'es pas obligée de t'incliner devant toutes mes lubies, tu as le droit d'avoir ton opinion.

— Et toi, celui de ne pas en tenir compte.

— Voilà ! Tu as tout compris, dit Daniel en souriant. Cela étant dit, je pense, moi aussi, qu'il y avait une zone trouble entre Arianne et ses parents. Mais le sexe ? Ça me surprendrait. Et il sera toujours temps de creuser la chose si leur alibi se révèle faux.

Il appela un confrère de Mont-Joli et lui promit une bouteille de rhum s'il vérifiait en douce pour lui ledit alibi, ainsi que l'emploi du temps du frère aux mêmes heures.

— Un copain à moi depuis l'Institut, expliqua-t-il à Sylvie en raccrochant. Un chic type, très compétent. Dommage qu'il ait tenu à rester dans son bled, mais pour une fois, ça me sert à autre chose que d'aller le rejoindre pour l'occasionnel voyage de pêche. Il devrait me rappeler demain.

— Et le rhum ? questionna Sylvie, doutant qu'un chic type eût besoin d'une telle incitation pour rendre service.

Daniel éclata de rire et expliqua que c'était une blague entre eux depuis leur virée ensemble à Cuba. Il eut une expression rêveuse à ce souvenir de jeunesse, et Sylvie le trouva soudain très séduisant.

— Et maintenant, que fait-on ? lui demanda-t-elle pour masquer cette pensée.

Daniel se tourna vers les baies vitrées. Sur les artères au-delà du stationnement, la circulation semblait fluide (il détestait les bouchons), il restait une bonne heure et demie de soleil, et une brise s'était levée.

— J'ai faim, déclara-t-il. Casser la croûte dans un parc, ça te dirait ?

Posté sous leur arbre préféré, Sébastien attendait Arianne. Elle était chouette, Arianne. Pas comme ces autres adultes qui le regardaient avec pitié ou condescendance. Quand il lui fallait tenir compte de son infirmité, elle le faisait avec naturel, comme s'il n'était que différent, et non diminué par rapport à elle. Elle le traitait en égal en tout, lui parlait comme à un homme.

Arianne et lui avaient fait connaissance quelques semaines après son emménagement face au parc. Craintive, sa mère avait d'abord refusé qu'il y vienne seul. Sébastien était fort beau garçon et sa mère, qui avait toujours vécu à la campagne et ne s'était résolue à s'installer à Montréal que pour faciliter à son fils l'accès aux soins et aux études, croyait la grande ville remplie de prédateurs prêts à abuser de lui. Mais l'autonomie de Sébastien et la quiétude du voisinage l'avaient bientôt rassurée, et elle lui avait permis de fréquenter le parc tant qu'il faisait encore jour. Arianne lui était apparue, telle une déesse, lors de sa deuxième sortie en solo.

« Que lis-tu ? » lui avait-elle demandé en s'asseyant sur l'herbe à ses côtés.

Sébastien avait levé les yeux de son livre, prêt à renvoyer poliment l'enquiquineuse, mais il avait eu le coup de foudre pour cette splendide fille, qui semblait réellement intri-

guée par son bouquin. Il le lui avait donc
tendu de bonne grâce.

« *La Chair disparue* ».

« Brrr, tu lis toujours des trucs aussi morbides ? » l'avait-elle questionné après exa-
men de la jaquette et lecture du résumé.

« C'est moins pire que ça en a l'air, avait
répondu Sébastien en souriant. J'aime les personnages pittoresques, et il y en a plein là-
dedans. Et l'auteur écrit vachement bien ! »

« Je ne le connais pas. Parle-m'en », avait-
elle dit en ramenant les genoux contre sa
poitrine et en les entourant de ses bras.

Ce soir-là, Sébastien était rentré chez lui
grisé par cette belle femme qui, menton sur
les genoux, avait bu ses paroles, sans flatterie
ni obligation, et l'avait quitté sur un simple :
« Merci. À bientôt ! » Pas de : « Quelqu'un
vient-il te chercher ? Veux-tu que je te recon-
duise ? » Pas même une allusion à ses jambes
coupées ou à son fauteuil roulant.

Dès lors, mine de rien, Sébastien avait guet-
té sa venue. Au début, leurs rencontres avaient
été brèves et épisodiques. Mais, depuis bientôt un mois, elle le rejoignait quotidiennement
et ne le quittait qu'avec réticence. De purement
intellectuelles, leurs conversations étaient devenues plus intimes. Leur relation aussi,
quoique le passage à l'acte fût encore à venir.

Mais ce serait pour bientôt, se promit
Sébastien. Il était fou d'amour et de désir, et

ce soir, il le lui dirait. Et puis non, il attendrait qu'elle l'emmène chez elle pour célébrer son seizième anniversaire. Elle lui avait promis une surprise pour l'occasion et, dans sa fièvre, Sébastien l'imaginait grimper nue sur lui, sans recul ni embarras devant ses moignons, et s'empaler avec délice sur son pénis dressé. Cela n'avait rien d'impossible. Il lui restait assez long de cuisses pour y tenir un gros bouquin... ou y asseoir une femme. Quant à son sexe, il était beau, jeune, fort, vibrant. Et Arianne le voulait, il l'avait bien vu la veille.

Tout à sa rêverie, le garçon ne vit pas le couple qui l'observait d'un banc, tout en mangeant des sandwichs.

— Beau bonhomme ! Et quelle carrure ! fit Sylvie, admirative. Plus vieux et avec des pattes, je pense que je le prendrais à la place d'Alain.

— Tu y gagnerais peut-être même dans l'état où il est. Si je me fie à la bosse qu'il vient de cacher sous son livre, il est bien monté, le jeune ! Et pas impotent du tout.

— Tu crois que c'est ce qui l'attirait réellement chez lui ? demanda Sylvie en parlant d'Arianne.

— Ça ne devait pas la laisser indifférente, admit Daniel en toute honnêteté.

Mais une pointe de jalousie le poussa à ajouter :

— Quoique l'intérêt des femmes pour les grosses queues est, paraît-il, très surestimé.

Sylvie haussa les épaules. Elle n'avait nulle envie de s'aventurer sur ce terrain glissant. Sébastien consulta sa montre, et son visage, que se disputaient l'anxiété et l'espoir, le révéla aux détectives pour ce qu'il était : un adolescent amoureux et ignorant du sort de son aimée. Se détestant tous les deux, ils s'approchèrent de lui. Le voyant se parer à l'attaque, ils s'identifièrent, et Daniel dit :

— Tu t'appelles Sébastien, n'est-ce pas ?

Le garçon hocha la tête et se raidit, fixant sur le policier des yeux quasi incolores, dont l'intensité troublante était rehaussée par une épaisse frange de cils noirs. « Des diamants sur un écrin de velours », se surprit à penser Daniel, tout en poursuivant sa tâche désagréable.

— Et tu connais bien Arianne LeSieur ?

Sébastien comprit aussitôt et poussa un hurlement de bête blessée.

— NON! Pas elle ! Elle ne peut pas être morte ! Pas elle !

Sylvie en fut toute chavirée. Daniel tenta de réconforter l'adolescent, mais ce dernier le repoussa avec force, fit pivoter son fauteuil et s'éloigna en sanglotant. Sylvie voulut le rattraper, mais Daniel la retint.

— Non, laisse-le aller. On le reverra plus tard.

Ils le suivirent à distance jusque chez lui et avisèrent sa mère de son état de choc.

— Essayez de lui donner quelque chose pour le faire dormir, conseilla Daniel en lui remettant sa carte. Appelez-moi si vous avez des problèmes.

— Il ne m'a jamais parlé de cette Arianne, dit-elle, à la fois blessée et méfiante.

— Madame, croyez-en mon expérience, ne le questionnez pas. Laissez-lui savoir que vous êtes là pour lui et attendez qu'il en parle de lui-même, sinon il risque de se renfermer encore plus. Je vous appellerai demain pour prendre de ses nouvelles.

En chemin vers le bureau, pour alléger un peu l'atmosphère, Daniel dit d'un ton badin que bien des femmes tueraient pour des yeux comme ceux de Sébastien.

— Moi la première ! avoua sans honte Sylvie, qui avait toujours déploré la banalité de ses yeux bruns. Devant un regard comme celui-là, je doute que celui d'Arianne se soit même rendu en bas de la ceinture.

— Et moi, je doute que votre intérêt pour les yeux des hommes soit aussi chaste que vous le prétendez, la taquina Daniel.

— Macho ! commenta Sylvie en lui rendant son sourire.

Puis, toujours bouleversée de la réaction de Sébastien, elle ajouta :

— J'espère qu'il ne fera pas de conneries.

— Je suis sûr que non.

Sylvie allait lui demander d'où lui venait cette certitude, lorsqu'elle nota l'expression lointaine et vaguement douloureuse de son collègue. Le laissant à ses fantômes, elle conduisit en silence jusqu'au bureau.

3

Daniel raccrochait tout juste lorsque Sylvie arriva, vers 15 h 30. Bien que sa collègue ne partageât pas son habitude de se pointer au boulot une heure à l'avance, elle n'avait jamais été en retard auparavant, et Daniel jeta malgré lui un coup d'œil à sa montre.

— Désolée. Un petit problème de dernière minute, s'excusa-t-elle sans donner plus de détails.

Daniel sourit. Sylvie n'offrait jamais une explication qu'on ne lui demandait pas.

— Bob, le copain que j'ai rejoint hier, vient de me rappeler, informa-t-il sa collègue.

— Ah ? A-t-il découvert quelque chose d'intéressant ?

— Oui et non, répondit Daniel. Madame LeSieur n'a pas quitté l'auberge, et son époux est allé faire quelques courses à Mont-Joli au cours de l'après-midi, fait confirmé par les commerçants qui le connaissaient bien. Il a ensuite passé la soirée chez lui, à l'exception d'environ une heure, où personne ne l'a vu. Mais cela n'a rien de bizarre, car il allait chaque soir fumer une pipe dans un coin rocheux trop rempli d'algues puantes pour attirer les touristes. Et cette absence a été trop courte pour lui donner le temps de venir en ville, même en avion. Il aurait d'abord fallu qu'il retourne à Mont-Joli, puisque c'était l'aéroport le plus proche. Or son véhicule était dans l'allée à ce moment-là. Le frère était en vacances, mais il a passé tout l'après-midi à préparer un *party* barbecue pour l'anniversaire de sa conjointe. Ils ont fêté jusqu'aux petites heures du matin ; donc, lui aussi est exclu.

Par contre, mon ami étant de la région, les gens lui ont parlé avec confiance. Or, si Arianne y avait eu autant d'amis que ses parents l'ont dit, ils ont dû faire comme elle et quitter le bled, car ceux qui restent ne l'aiment guère. Elle était perçue comme hautaine et cela agaçait les gens. Ils se sentaient plus à l'aise avec son frère, « qui ne se prenait pas pour un autre, lui », comme ils l'ont dit à Bob. Mais ils en rejettent en grande partie la faute sur le père, qui a toujours traité sa fille en princesse et encouragé ses idées de grandeur. Même que, s'il n'était pas si peu porté sur la chose, ils croiraient que...

— Stop ! s'exclama Sylvie. Qu'est-ce que tu viens de dire ?

— Ce n'est pas moi qui le dis, c'est le monde de la place, ceux qui l'ont toujours connu. Apparemment, ce Ronald, c'est de la glace, sexuellement parlant. Toutes les filles se l'arrachaient, parce que c'était le plus beau gars de tout le comté, mais elles ont vite déchanté quand elles se sont rendu compte que la « couchette », c'était loin d'être son truc.

— Pauvre femme ! sympathisa Sylvie en songeant à Annette. Mais alors, pourquoi était-il si jaloux des *chums* de sa fille ?

Daniel haussa les épaules.

— Pure possessivité, avança-t-il. Elle était son bijou, sa fierté, et il voulait la garder pour lui tout seul. D'ailleurs, toujours d'après les cancans, Arianne était comme lui. À peu près tous les gars du village bandaient sur elle, et elle ne les regardait même pas. Elle n'avait d'yeux que pour cet idiot qui voulait devenir prêtre. Du gaspillage, de l'avis des mâles snobés. Mais ça faisait l'affaire des femmes.

— Qui ne l'aimaient quand même pas, remarqua Sylvie.

Daniel sourit.

— Bah ! Nomme-moi une seule femme sur qui tous les hommes se retournent et que les autres femmes aiment.

— Euh... Marilyn Monroe.

— Parce qu'elle relève de la légende et n'est plus une menace depuis longtemps.

— Arianne non plus n'en est plus une.

Non, en effet, songea Daniel. Mais, récemment morte, Arianne habitait encore trop le monde des vivants pour que ne s'estompât de leur mémoire ce qui, chez elle, les avait dérangés. Bientôt leur souvenir d'elle deviendrait moins lucide, plus feutré par la permanence de son absence. La pensée de cette seconde mort attrista Daniel, et, pour se secouer, il se leva, disant à sa collègue :

— Viens. Allons voir ce que sa copine Laurie peut nous apprendre.

Laurie était en congé, mais elle accepta de recevoir les enquêteurs chez elle. En temps normal, ils ne l'y auraient pas trouvée un vendredi soir, car elle aimait bien sortir. Mais ils jouaient de chance ; elle gardait le bébé de sa sœur.

— Du café ? leur offrit-elle en les conduisant au salon.

Ils acceptèrent avec plaisir. Laurie confia le nourrisson à Sylvie le temps de les servir. Puis, elle le reprit et se cala, face à eux, dans un fauteuil berçant. Daniel la contempla avec une secrète envie. Avec curiosité aussi, se demandant comment cette fille, aux traits agréables mais ordinaires, avait pu se sentir aux côtés de la splendide Arianne.

— Je ne fais pas le poids, hein ? devina la jeune femme. Eh bien ! croyez-le ou non, je ramassais deux fois plus de pourboires qu'elle !

Séduit par l'espièglerie et la rayonnante joie de vivre de ce sourire, Daniel répondit sans mentir qu'il le croyait volontiers.

— Vous vous entendiez bien ?

— Oh oui ! Dans son genre, c'était une chic fille. Mais elle n'était pas dans son élément. Elle se débrouillait bien, mais on voyait bien qu'elle ne serait pas serveuse toute sa vie. Elle aurait été assez belle pour être actrice.

— Avait-elle des idées en ce sens ?

— Arianne ? Jamais de la vie ! Elle trouvait ça trop superficiel. Elle avait un petit côté snob. Enfin, non, pas vraiment, car elle ne m'a jamais regardée de haut, même si elle était bien plus belle et instruite que moi. Seulement, elle était un peu trop intello pour moi. Quand elle parlait, il m'arrivait d'en perdre des bouts.

— Elle parlait beaucoup ?

— Tout le temps, mais rarement de sa vie privée. Elle était comme ça.

Le bébé réclama son biberon, mais Laurie, prévoyante, l'avait déjà préparé.

— Je présume que plusieurs clients la flirtaient, remarqua Daniel, souriant de l'avidité avec laquelle l'enfant suçait la tétine.

— À peu près tous, lui confirma Laurie. Et elle était polie avec tout le monde, mais elle n'a, à ma connaissance, jamais accepté les avances de personne. Elle avait bien ses préférés parmi les clients réguliers, mais deux d'entre eux étaient un couple homo, et l'autre, un vieux « schnoque » qui la regardait comme si elle était une œuvre d'art. Arianne l'aimait bien parce qu'elle trouvait poétique le surnom qu'il lui donnait. Il l'appelait « mon violon-celle ».

— Quel âge a-t-il, ce poète ?

— Au moins quatre-vingts ans ! répon-dit Laurie, comme si afficher un si grand nom-bre d'années avait quelque chose d'obscène.

Daniel sourit. Vingt-cinq ans plus tôt, les octogénaires lui avaient aussi paru indécem-ment vieux.

— Hormis les clients, vous a-t-elle parlé d'hommes avec qui elle aurait pu se tenir ?

— Elle parlait souvent de son père. Il habite Saint-Meu-Meu, mais il venait de dé-couvrir Internet et son enthousiasme amu-sait beaucoup Arianne. Elle l'adorait, c'était évident.

— D'autres ? insista Daniel.

— Pas que je me souvienne. À part ce jeune qu'elle trouvait donc fin et brillant. Sébastien, qu'il s'appelait. Elle l'a emmené au restaurant il y a peut-être trois semaines. Fichu de beau mec ! Et un regard à en faire plier les genoux ! Mais les deux jambes cou-pées, le pauvre ! Je suppose que c'est de lui que venait son intérêt pour les handicapés. Elle me l'a présenté comme étant son « fiancé ». Ça m'a fâchée parce que ce jeune-là en était amoureux, ça se voyait comme le nez au milieu de la figure, et je ne trouvais pas correct de l'encourager là-dedans. C'est bien beau de vouloir remonter l'estime des handicapés, mais là, je trouvais qu'elle charriait.

— Le lui avez-vous dit ?

— Pas devant lui. Mais à la première occasion, je lui ai dit ce que j'en pensais. Et elle m'a répondu qu'elle avait réellement l'intention de l'épouser dès qu'il serait majeur, et qu'elle allait le lui annoncer pas plus tard qu'à son seizième anniversaire !

Les enquêteurs imaginèrent sans peine la réaction produite par cette révélation.

— Je lui ai dit qu'elle était complètement folle, leur confirma Laurie. Elle n'allait pas se marier avec un gars deux fois plus jeune qu'elle, infirme en plus, quand elle pouvait avoir n'importe quel mâle adulte et tout d'un morceau !

— Comment a-t-elle pris ça ?

— Elle était furieuse ! Pas tellement de mon opinion, elle s'en fichait comme de l'an quarante. Mais que j'aie traité son copain d'infirme, oh là là ! dit-elle avec un geste éloquent de la main. J'ai pris tout un savon ! Mais quand l'orage a passé et qu'elle s'est mise à pleurer, j'ai compris que, folle ou non, elle aimait réellement ce garçon. Alors, pour m'excuser, je lui ai dit que, s'ils en venaient là et qu'elle le voulait, je serais sa demoiselle d'honneur. Elle m'a embrassée, puis elle est partie. Et c'est la dernière fois que je l'ai vue, conclut-elle en reniflant.

Daniel lui approcha la boîte de mouchoirs de papier, tandis que Sylvie demandait :

— Vous arrivait-il d'aller magasiner ensemble ?

— Souvent, oui. Elle se fichait de la mode, mais elle avait tout un sens des couleurs ! Je me fiais beaucoup à son œil.

— Visitait-elle les boutiques de lingerie intime ?

— Pas avec moi, en tout cas.

— Saviez-vous qu'elle était encore vierge ? demanda Daniel à brûle-pourpoint.

— Sans blague ! À son âge ? s'exclama Laurie avec un étonnement non feint. Et avec tous les beaux gars qui lui tournaient autour ?

— Parlant de beaux gars qui lui tournaient autour, ses anciens voisins nous ont mentionné un Latino qu'elle appelait Esté. Ça vous dit quelque chose ?

— Oui, c'est le plus jeune du couple homo dont je vous parlais tantôt. Mais ça fait au moins deux mois qu'ils ne sont pas venus. Ils ont peut-être déménagé.

Daniel et Sylvie échangèrent un regard. Voilà qui expliquait qu'Arianne fût toujours vierge après avoir fréquenté le Latino en question.

— Ils venaient souvent ?

— Au moins une fois par semaine.

— Toujours ensemble ?

— Non, Esté était souvent seul. Hugo, son copain, est photographe et il voyage beaucoup. Je savais quand il était parti parce qu'Esté venait plus souvent dans ce temps-là.

— Arianne s'en occupait-elle plus lorsqu'il était en solo ?

— Ils échangeaient quelques phrases de plus, c'est tout. Au resto, en tout cas. Mais c'est vrai qu'il y avait un courant entre eux. Une sorte de complicité. Ça paraissait même quand ils ne se disaient rien.

— Même quand son copain était là ?

— Oui.

— Ça ne le dérangeait pas ?

— Non.

— Esté, il fait quoi, lui, dans la vie ?

— Je ne sais pas. Il avait l'air pas mal libre. Il se faisait gâter par son vieux, je suppose.

— Ah ? Son copain est âgé ?

— Ben, de votre âge à peu près, répondit Laurie en rougissant. Grisonnant pas mal, mais beaucoup de cheveux, et le visage pas encore trop ridé.

— Je vois, dit Daniel en souriant. Et Esté, vous lui donnez quel âge ?

— Vingt-cinq, je dirais.

Daniel eut un léger rictus. Il voyait le genre. Un bellâtre qui avait mis le grappin sur une poire et qui se faisait entretenir.

— Savez-vous où habitait ce couple ?

— Non, je ne les ai jamais vus ailleurs qu'au restaurant. Je ne savais même pas qu'Arianne les fréquentait en dehors.

— Donc, elle ne vous parlait pas de lui ?

— Non, mais ce serait bien elle de s'être amourachée d'un homosexuel. Elle avait le chic de s'embarquer dans des relations impossibles. Elle a déjà aimé un prêtre aussi, vous savez. Quoique, s'il était aussi beau que les deux autres, je peux la comprendre.

— Êtes-vous déjà allée à son nouveau logis ?

— Oui. Je l'ai aidée à transporter des boîtes.

— Vous n'avez pas d'objection à ce que je prenne vos empreintes digitales ? lui demanda Daniel. Ça nous aiderait à trier celles trouvées dans l'appartement d'Arianne.

Laurie accepta de bonne grâce. Afin de lui éviter le déplacement, Daniel tira de sa mallette un tampon d'encre et un formulaire conçus spécialement à cet effet, et les prit sur place. Il lui remit ensuite sa carte et la remercia pour l'excellent café.

— Au fait, dit-il, comme Sylvie et lui atteignaient la porte, vous n'auriez pas les coordonnées de son nouvel employeur, par hasard ?

Laurie secoua la tête. Elle n'en savait pas plus que les parents d'Arianne à ce sujet.

Daniel et Sylvie rentrèrent au bureau, rédigèrent leur rapport d'entrevue et se quittèrent en se souhaitant une bonne fin de semaine.

Assise sur la véranda de son chalet, Sylvie laissait errer son regard sur le lac. Ses pensées, tout comme celles de Daniel, qui vaquait chez lui à des travaux de rénovation, tournaient autour de Sébastien et d'Arianne.

— Hou ! hou ! lui dit Alain, en promenant devant ses yeux une bouteille suintante de fraîcheur. Tu en veux une ?

Sylvie acquiesça en souriant. Elle adorait la bière allemande. Alain la lui versa dans une chope et la lui tendit en demandant :

— À quoi pensais-tu ?

Sylvie lui parla de l'étrange Arianne et de sa sexualité sans sexe ; de Sébastien, le bel adolescent sans jambes ; de ce que Laurie leur avait appris ; et de combien l'idée d'une telle union l'avait secrètement choquée.

— Pourquoi ? demanda Alain, intéressé. À cause de la différence d'âge ou à cause du handicap ?

— L'âge, répondit Sylvie. Ou peut-être le handicap aussi, ajouta-t-elle après réflexion. Pour être franche, j'ai la désagréable impression qu'elle se jouait de lui.

Alain finit sa bière et s'adossa au mur du chalet.

— Tu ne l'aimes pas, constata-t-il.

— Pas jusqu'ici, admit-elle, heureuse de pouvoir exprimer librement un antagonisme dont elle se sentait vaguement honteuse.

Alain ne lui opposa même pas un murmure, et elle ne l'en aima que plus. Tout était si simple, si naturel avec lui. Elle se leva. Sans un mot, il l'imita, et ils regagnèrent leur chambre.

4

Daniel ne demanda pas à sa collègue quelle sorte de fin de semaine elle avait eue ; un seul coup d'œil à sa mine radieuse suffit à le renseigner.

— Ça va, Daniel ? s'inquiéta par contre Sylvie, en voyant sa pâleur et ses traits tirés.

L'enquêteur força un sourire et hocha la tête. Il n'allait pas lui dire que lui-même avait passé une partie de son congé à se disputer avec sa femme parce qu'il avait pris trois fois des nouvelles de Sébastien et que Johanne croyait cet intérêt un prétexte pour approcher la mère. Il prétendit donc avoir mal dormi à cause d'une indigestion. Sylvie, convoquée à témoigner ce matin-là, regretta tout haut de ne pouvoir accompagner son collègue à l'autopsie.

— Tu es presque convaincante, s'esclaffa Daniel. Mais tu ne t'en sauveras pas tout le temps. Si ça ne te dérange pas d'y être de bonne heure, je peux te déposer à la cour.

Sylvie accepta l'offre et, sentant que Daniel n'avait pas envie d'en parler, elle évita toute mention de l'affaire qui les occupait, l'entretenant plutôt d'un spectacle de blues auquel elle avait assisté avec Alain. Elle lui en chantonna un bout, et Daniel, fervent de ce style de musique, découvrit avec ravissement qu'elle avait une très jolie voix, et qu'elle partageait sa passion. Ils se promirent de se prêter des disques, et c'est presque heureux que Daniel la laissa devant le Palais de justice, pour se rendre lui-même au laboratoire médicolégal, rue Parthenais. Sylvie l'y rejoindrait à la fin de son témoignage si l'autopsie n'était pas encore terminée.

— Un peu plus et je commençais sans toi, fit le médecin légiste.

Daniel n'était pas en retard, mais il arrivait habituellement plus tôt et lui offrait un café. Il ne s'était toutefois jamais tapé le trajet en compagnie d'une passagère fleurant bon le parfum et chantant bien le blues. Le médecin s'esclaffa et remarqua que cela devait le changer d'un coéquipier qui puait le vieux cigare et pestait contre tout ce qui bougeait.

— Parlant de Rodge, il ne s'ennuie pas trop à la retraite ?

— Pas jusqu'ici en tout cas. Je devrais le voir à la cour demain, si notre cause n'est pas encore reportée à la dernière minute, répondit Daniel en enfilant le sarrau réglementaire.

Nu sur la table, le corps parfait d'Arianne attendait sereinement l'assaut blasphématoire du scalpel. Daniel sortit son calepin de notes et signala de la tête qu'il était prêt. Le médecin légiste mit l'enregistreuse en marche et commença la dictée de ses constatations.

— Lundi, 24 juillet 2000, 8 h 33. Dr Richard Bélanger. Enquêteur présent : S/D Daniel Asselin, Homicides, S.P.C.U.M. Sujet : femme de race blanche, identifiée au nom de Arianne LeSieur, née le 11 mai 1969, mesurant 1,72 mètres et pesant 66,7 kilos. La victime a les cheveux bruns-roux, longs et raides ; ses yeux sont pers et ses dents, naturelles.

Le pro du scalpel examina et décrivit ainsi chaque partie externe du corps, et Daniel fut, comme toujours, fasciné de voir que l'absence de marques et de tares qui, dans la vie, définissait la beauté, se traduisait dans la mort par une normalité indigne d'intérêt. Outre quelques grains de beauté non distinctifs, la seule marque présentée par ce corps était la perforation causée par un instrument à lame très mince et pointue, 1,25 cm sous le sein gauche.

La dissection révéla quant à elle que le cerveau et les organes d'Arianne avaient tous été sains et normalement constitués, la seule exception étant dans son système reproductif. Arianne souffrait d'endométriose.

— Ce qui veut dire ? demanda Daniel.

— Qu'elle avait de la muqueuse utérine dans les trompes.

— Et ça fait quoi ?

— Ça rend la grossesse difficile et, souvent aussi, les relations sexuelles douloureuses.

— Ah oui ? fit Daniel, intéressé. Elle le savait, tu crois ?

— Difficile à dire. Comme elle était vierge, elle n'aurait pu s'en rendre compte de cette manière. Mais je suppose qu'un gynécologue aurait pu le déceler si elle avait consulté pour des règles très douloureuses.

— Si elle le savait, elle craignait probablement le sexe. Ça expliquerait sa virginité tardive.

Et son faible pour les romances platoniques, songea l'enquêteur.

— Ça *pourrait* l'expliquer, oui.

Daniel sourit. Richard n'affirmait jamais que ce qui était scientifiquement prouvable.

La cause du décès, nota Daniel dans son calepin, était la plaie située sous le sein gauche. L'instrument à lame pointue s'était enfoncé en suivant une trajectoire verticale sur une profondeur de 9,2 cm, transperçant le cœur et provoquant une mort instantanée. Un seul coup avait été porté.

— Peux-tu me préciser l'heure du décès ? demanda-t-il à Richard, lorsque ce dernier eut terminé la dictée de ce qui précédait avec un plus grand luxe de détails et dans un jargon plus scientifique.

— D'après ce qu'il lui restait dans l'estomac, environ trois à quatre heures après le souper, soit aux alentours de 22 h 00, plus ou moins une demi-heure.

Daniel hocha la tête. Cela confirmait les premières constatations.

— Et elle ne s'est pas débattue, continua Richard. Ou elle avait confiance en l'assassin, et il l'a eue par surprise, ou elle dormait au moment de l'attaque. Peut-être aussi qu'elle était droguée. Mais ça, je ne pourrai pas te le dire avant les tests de toxico.

— Tu peux m'en dire plus sur l'arme ?

— D'après moi, ce serait quelque chose ressemblant à un coupe-papier à lame très mince, mais assez solide pour ne pas plier sous l'impact.

— Ça prenait une grande force physique ?

— Pas nécessairement. L'instrument était pénétrant, aucun os n'a dévié le coup, et la victime n'a opposé aucune défense. Dans ces conditions, c'était à la portée d'à peu près n'importe qui.

— Même d'une personne en fauteuil roulant ?

— Mon avis expert ? Ce serait pratiquement impossible de porter un coup aussi droit en étant assis. D'après moi, le scénario le plus probable est ceci.

Richard Bélanger se positionna tout contre la table d'autopsie, étendit les bras au-

dessus de la victime, les deux mains refer-
mées sur une arme imaginaire, et plongea
ladite arme à angle droit vers le corps. Pour
effectuer une ponction aussi nette, une personne en fauteuil roulant aurait dû, selon le
médecin légiste, se tenir parallèlement à et
très près de la victime. Elle n'aurait alors disposé que d'une main. Or, porter un tel coup
d'une seule main sans dévier d'un poil aurait
exigé une main très sûre et une force immense.
Surtout pour une personne assise qui aurait
été privée de l'élan de la distance.

    — À quel degré d'improbabilité mets-tu
ça ?

    — Très haut. Tu as l'air soulagé.

    Daniel lui parla du jeune ami de la vic-
time et de combien il aurait détesté avoir à
le considérer comme suspect. Il soupira et
jeta un regard désolé sur ce qui avait été
Arianne. Elle avait été si belle, même dans la
mort ! Après lui avoir rendu un dernier hom-
mage, il salua le médecin légiste et sortit
respirer le bitume.

    Sylvie n'étant revenue qu'à la fin de
l'après-midi, Daniel passa le reste de sa journée
à préparer son dossier pour la cause du lendemain. En route vers chez lui, il opta pour un
détour par le parc que fréquentait Arianne.
Il avait envie de jaser « entre hommes » avec
Sébastien, et avait l'intuition que ce dernier

s'y trouverait. Dès qu'il le vit arriver, l'adolescent dissimula un grand cahier derrière son dos et mitrailla l'enquêteur du regard. Gaucher, constata avec plaisir ce dernier, ce détail ajoutant encore à l'innocence probable du garçon.

— Je ne l'ai pas tuée, Sébastien, dit Daniel en réponse à son regard hostile. C'est juste mon sale boulot d'apporter les mauvaises nouvelles.

Sébastien baissa la tête et marmonna des excuses. Daniel s'affala à ses côtés et sortit son paquet de cigarettes, notant avec satisfaction qu'il en avait fumé trois de moins que la veille à pareille heure.

— Je peux en avoir une ? lui demanda Sébastien.

— Tu fumes ?

— Non. Mais j'ai envie d'essayer.

Daniel secoua la tête et lui tendit le paquet.

— Arianne te disait pourtant intelligent.

Sébastien fixa sur lui un regard avide.

— Vous la connaissiez ?

— Je n'ai pas eu ce plaisir, non. Je tiens ça de ses parents.

— Elle leur a parlé de moi ? s'étonna le garçon, oubliant toute envie de cigarette.

Daniel alluma la sienne et rempocha son paquet en répondant d'un ton négligent :

— Assez pour rendre son père jaloux, en tout cas.

Un sourire heureux éclaira brièvement le visage de Sébastien.

— Moi, je n'en ai pas encore parlé à M'man, avoua-t-il en se rembrunissant. Je suis sûr qu'elle ne comprendra pas. Je la connais, ma mère, elle voit des maniaques partout. Arianne n'était pas une croqueuse de petits gars. Elle m'aimait pour de vrai, malgré mon handicap.

— C'est de naissance ? demanda Daniel, curieux.

— Naturellement. L'âge ne l'est-il pas toujours ? répondit Sébastien.

Après un moment de stupéfaction, Daniel éclata de rire. Arianne avait raison ; il avait l'esprit vif, ce petit.

— Je parlais de celui-là, précisa-t-il en tapotant le fauteuil.

— Accident d'auto. Mon père est mort dedans. J'avais dix ans, l'informa Sébastien, laconique.

De toute évidence, il n'aimait pas s'étendre sur le sujet. Daniel n'insista pas. Il se sentait bien en compagnie de ce garçon étrange, et il ne voulait pas gâcher le moment. Après un silence, Sébastien reprit :

— C'est vrai ce qu'ils ont dit dans les journaux ? Qu'elle n'a pas été molestée ?

— Oui, c'est vrai, confirma l'enquêteur. Même qu'elle était encore vierge. Tu le savais ?

— Oui, elle me l'avait dit.

— Elle t'a confié pourquoi ? demanda Daniel, espérant une confirmation de son hypothèse.

— Non, mentit Sébastien.

— Ceux qui me connaissent bien me surnomment « Polygraphe », plaisanta Daniel.

Sébastien lui rendit son sourire et avoua :

— Elle m'a parlé d'un truc qu'elle avait et qui pouvait rendre le sexe douloureux. Mais elle disait que ça ne l'empêcherait pas de se donner à quelqu'un qu'elle aimerait sérieusement. Il y en a déjà eu un, mais il a préféré devenir prêtre. Faut-il être con !

— Ah oui ! Simon Pratte. Ses parents m'en ont parlé aussi. Il prêche quelque part en Amérique du Sud.

— Oh non ! il est revenu.

— Quoi ? Quand ça ?

— Il y a un peu plus d'un mois. Je m'en souviens parce qu'elle était surprise de ne pas en être plus contente que ça.

— C'est là qu'elle a découvert qu'elle te préférait, toi ?

— Ça a l'air, répondit Sébastien en rougissant. Mais ce n'était pas sale, c'était...

— Je te crois, l'apaisa Daniel. T'a-t-elle dit où il habitait ?

— Non. Mais sûrement pas loin, car elle l'a vu encore récemment.

— Bizarre qu'elle n'ait pas annoncé ce retour à ses parents.

— Pas vraiment. Son père ne pouvait pas le blairer. Elle s'est probablement dit que ce qu'il ne savait pas ne lui faisait pas de mal.

— Elle lui avait pourtant parlé de toi.

Sébastien eut un rictus amer.

— Un infirme ne représente pas une menace pour grand-monde.

Daniel repensa à la scène qu'avait subie Laurie pour avoir usé de ce mot.

— Tu es injuste, mon gars. Ton amie n'aurait jamais parlé de toi en ces termes-là, et tu le sais très bien.

L'adolescent haussa les épaules. Le nom utilisé ne changeait rien à la réalité de son amputation. Daniel avança que le fait de qualifier une femme de dame ou de pute ne changeait rien à la nature de son sexe non plus. Les mots utilisés avaient donc leur importance, n'était-ce que pour le respect ou le mépris qu'ils révélaient. Sébastien considéra l'enquêteur un moment, puis il tira le cahier de sa cachette et le lui tendit.

— J'ai fait quelques dessins d'Ari, si vous voulez les voir, offrit-il, hésitant.

Touché de cette marque de confiance, Daniel accepta avec plaisir. Le talent du garçon lui coupa le souffle. Sébastien avait représenté Arianne dans une grande variété de décors, de poses, d'époques, de costumes, avec le luxe de détails d'une bande dessinée, sans pour autant diluer l'essence même de sa muse. Il se dégageait d'elle un mélange si troublant d'innocence et de sensualité que Daniel en eût presque mal à la regarder.

— Elle est très belle, ton Arianne, dit-il en rendant le cahier à son auteur.

L'adolescent le gratifia d'un sourire lumineux. Daniel se leva en disant :

— Bon, il faut que j'y aille. Si je tarde plus longtemps, ma femme va s'imaginer que j'ai eu un rendez-vous galant.

— Elle n'aurait pas tout à fait tort, remarqua Sébastien.

Surpris, Daniel se tourna vers lui et vit une lueur malicieuse danser dans ses yeux brillants de larmes. Ce diable de gamin l'avait démasqué ! réalisa-t-il, admiratif. Quelques minutes lui avaient suffi pour comprendre que sa fascination pour Arianne dépassait le cadre de l'enquête.

— Je suis si transparent que ça ? s'inquiéta-t-il.

— Non, le rassura Sébastien. Je ne l'aurais pas vu si je ne vous avais pas montré mes dessins.

— Ah bon ! Tu me soulages. Dans mon métier, être un livre ouvert n'est pas un atout.

— Ça va rester entre nous, promit Sébastien. Votre femme, elle va être jalouse si je vous en donne un ?

Daniel soupira. Johanne était si possessive que seule la crainte de mal paraître aux

yeux des collègues de son époux l'amenait à
tolérer Sylvie. Mais elle s'en méfiait et ne ratait
pas une occasion de rappeler à Daniel qu'elle
l'avait à l'œil. Ces dessins valant le risque
d'une scène, Daniel accepta malgré tout l'offre. Sébastien lui remit la plus déshabillée de
ses œuvres et regarda, amusé, le désir s'allumer dans les yeux de l'enquêteur.

— Tu aimes semer la pagaille, hein ? en
déduisit Daniel.

— Arianne disait que l'art devait provoquer pour faire réfléchir, plaida Sébastien.

— Ah ! Elle les a vus alors ?

— Oui. Je les lui envoyais quand j'avais
fini de les retravailler à l'ordi. Elle m'en-
courageait à me former en techniques d'animation. Ça se peut que je le fasse... si je vis
jusque-là.

La froide tranquillité de cet ajout glaça
Daniel. L'idée que ce garçon puisse mettre
fin à ses jours lui fut si insupportable qu'il en
oublia toute sa réserve de policier. Agrippant
les bras du fauteuil, il plongea son regard
dans celui de l'adolescent et lui dit avec intensité :

— Mais tu le dois, Sébastien ! Pour elle,
sinon pour toi. Ça fait des années que je côtoie
la mort, tu sais. Que je voie des enfants
mutilés par des déviants, des femmes tués
par leur « ex », des petits commerçants abat-
tus pour quelques piastres. Je vis tout le temps

dans le sordide, et tu sais ce qui me rend ça supportable ?

Le garçon secoua la tête, captivé.

— Les gens comme toi, mon gars. Ceux qui restent et permettent à ceux qu'ils ont perdus de survivre à travers eux. Parce que personne n'est vraiment mort tant qu'il reste quelqu'un pour s'en rappeler, Sébastien. Et par ta jeunesse, ton amour, ton talent, Arianne pourra vivre encore très longtemps. Elle va vivre dans toutes les femmes que tu vas imaginer, dans toutes celles que tu vas créer. Tu ne vas pas la priver de cette chance-là, dis ?

Sébastien éclata en sanglots. Au même moment, Daniel sentit vibrer son téléavertisseur. Johanne, sut-il sans même en consulter le cadran. Il n'avait pas appelé, il n'avait donc aucune raison d'être en retard. Tant pis, il n'en était pas à une scène près, se dit-il, philosophe. Serrant Sébastien contre lui, il s'abandonna à la douceur de consoler le fils qu'il n'avait pas.

5

— Tu avais raison, il est impressionnant, ton Rodge ! dit Sylvie, admirative, lorsque Daniel et elle quittèrent le Palais de justice.

Il lui avait parlé de Roger, son ex-coéquipier, comme d'un artiste de la cour, le modèle vers lequel devrait tendre tout policier appelé à la barre. En effet, bien que gueulard et brouillon partout ailleurs, Roger maîtrisait avec une efficacité rare l'art du témoignage. Il connaissait ses dossiers par cœur, mais répondait aux questions avec juste assez de spontanéité pour qu'on trouve naturelle la précision de ses souvenirs. Il se montrait ferme et assuré, mais sans trace d'arrogance. De plus, possesseur d'une mémoire auditive redoutable, il était impossible à coincer en usant de ses propres déclarations. Bref, Roger était une perle pour les procureurs et une peste pour les avocats de la défense. Sylvie s'était si amusée à l'observer qu'il lui fallut quelques minutes pour se rendre compte que Daniel n'empruntait pas un chemin familier.

— Où va-t-on ? demanda-t-elle, intriguée.

— Voir Simon Pratte, l'informa Daniel.

— Le prêtre ?

— Oui. Sébastien m'a dit hier qu'il était revenu.

— Tu es allé l'interroger sans moi ?

Décelant une note de déception dans sa voix, Daniel gratifia sa collègue d'un sourire malicieux.

— Je suis passé au parc après le boulot pour une « jasette » officieuse. Mais ne t'inquiète pas, tu vas le revoir, ton beau « brummel », je l'ai invité à venir au bureau demain pour une entrevue plus en règle.

Sylvie lui répondit d'une bourrade, et Daniel éclata de rire.

— Franchement ! s'indigna-t-elle. On aurait pu le rencontrer chez lui. Pourquoi l'obliger à se déplacer dans son état ?

— Tiens, tu vois comment tu raisonnes ? C'est justement ce qu'il ne peut pas supporter chez les gens. Et c'est justement pour ça que je lui ai demandé de venir.

Et surtout parce qu'il voulait montrer à Sébastien où il travaillait. Mais cela, il n'allait pas le dire à Sylvie. Il l'informa plutôt de ce qui était ressorti de l'autopsie, et ils en discutèrent jusqu'à ce que Daniel se gare devant un duplex de l'avenue d'Orléans. Sylvie, qui avait faim, consulta sa montre.

— Ma mère m'a toujours dit que c'était impoli d'arriver chez les gens à l'heure des repas, remarqua-t-elle. Pas la tienne ?

Daniel soupira et remit l'auto en marche.

La place était toujours libre lorsqu'ils revinrent une heure et demie plus tard. Simon mit si longtemps à répondre à leurs coups de sonnette qu'ils s'apprêtaient à rebrousser chemin. Lorsqu'ils s'identifièrent, il se confondit en excuses et les fit entrer.

— Je vous avais pris pour des Témoins de Jéhovah, expliqua-t-il en désignant la mallette de cuir souple que Daniel tenait à la main.

— Dans cette tenue ? s'étonna Daniel avec un regard irrité vers le jean que leurs moyens de pression syndicaux le forçaient, à son extrême ennui, à porter.

Simon haussa les épaules. Ils auraient pu s'émanciper en son absence. Sylvie pouffa de rire. Vexé, mais trop orgueilleux pour le laisser paraître, Daniel se força à sourire.

— J'aurais pensé qu'un prêtre leur répondrait quand même, ne serait-ce que par courtoisie.

— En temps normal, oui. Mais aujourd'hui, je ne suis pas dans le *mood*, admit Simon, un brin honteux.

Les enquêteurs notèrent alors sa mine défaite et ses yeux rougis par les larmes. Rien du prêtre ne se laissait deviner sous ses mocassins, jean et chandail en coton ouaté. Ses traits étaient quelconques, mais leur expressivité et l'intelligence de son regard séduisaient. Et il avait une voix très chaude. Ses ouailles devaient prendre plaisir à écouter ses sermons.

— Excusez le fouillis, leur dit-il en les pilotant entre malles et valises jusqu'au salon, mais je ne suis ici qu'en transit.

Il expliqua aux enquêteurs que l'appartement était à sa marraine, partie aider sa fille qui venait d'accoucher de jumeaux. Il en avait fait sa base temporaire, le temps de redevenir un citoyen d'ici en bonne et due forme avant de s'établir dans sa nouvelle paroisse sur la côte Nord. À moins qu'ils ne décident de le retenir. Daniel haussa les sourcils.

— Pourquoi le devrait-on ?

Les traits de Simon se contractèrent. Fixant l'enquêteur dans les yeux, il répondit :

— Parce que je n'ai pas d'alibi pour le soir où... on a tué Arianne. Et que je suis probablement une des dernières personnes à l'avoir vue en vie.

Les enquêteurs échangèrent un regard. C'était donc lui, le visiteur. De fait, la description correspondait.

— Vous l'avez vue le jour de sa mort ?

Simon hocha la tête.

— Pourquoi ne nous avez-vous pas contacté alors ?

— Je ne l'ai su qu'hier soir, expliqua Simon. Je suis parti tôt le lendemain matin pour aller visiter ma future paroisse et faire connaissance avec les gens là-bas. Je n'ai pas lu les journaux et j'ai écouté des disques compacts durant tout le trajet, alors c'est seulement en revenant hier soir que j'ai appris...

— Comment ? demanda Sylvie.

Simon se racla la gorge et répondit :

— Ma tante m'avait laissé un message de condoléances sur le répondeur. Naturellement, je l'ai rappelée pour savoir de quoi elle parlait et c'est là qu'elle m'a dit, pour Arianne.

— Ça a dû vous donner tout un choc.

Simon s'excusa et courut presque à la salle de bain. L'entendant vomir, les enquêteurs échangèrent un long regard. Ou cet homme était extraordinairement sensible, ou la mort d'Arianne l'affectait vraiment beaucoup. Trop ? L'eau du robinet coula, et Simon reparut peu après, pâle mais soulagé.

— Désolé, s'excusa-t-il avec un pauvre sourire. Je n'aurais pas dû me forcer à manger. Vous pouvez y aller, ça va mieux maintenant.

Daniel lui demanda à quelle heure il était arrivé chez la victime. Simon répondit qu'Arianne l'ayant invité à souper, il s'était rendu chez elle vers 17 h 00. Pressé par l'enquêteur, il précisa que le repas, qui avait débuté vers 17 h 30, s'était composé principalement de pâtes et de saumon. Quant au sac-cadeau, il avait contenu un sac à main en peau de chèvre qu'il avait acheté pour elle avant son départ de la Colombie. Daniel nota ces détails avec satisfaction. Tout ceci corroborait ce qu'avait révélé l'autopsie, ainsi que le témoignage de la voisine.

— De quelle humeur était Arianne ?

— Oh ! très gaie. Pendant tout le souper, je l'ai sentie excitée comme une petite fille qui garde une grande nouvelle pour le dessert.

— Et vous, de quelle humeur étiez-vous ? glissa Sylvie, détournant Simon de ce qu'Arianne avait voulu lui annoncer.

Daniel sourit dans sa barbe. Sa collègue assimilait parfaitement sa technique d'interrogatoire préférée : désarçonner le témoin en l'empêchant d'orienter, sciemment ou non, la conversation comme il l'entendait.

Simon prit le temps d'y songer avant de répondre. Au début, confessa-t-il, il était juste bien. Content d'être de retour et d'être avec elle. Elle lui avait tellement manqué ! Ils s'étaient bien revus deux fois avant ce souper, mais seulement dans des endroits publics, et ce n'était pas pareil. À moins d'avoir quelqu'un de précis à choquer, Arianne était toujours plus restreinte devant le monde. Tandis que, seule avec lui, elle était totalement elle-même. Et Dieu qu'il était content de la retrouver ! Tellement, qu'au bout d'un moment, il s'en était senti coupable. Puis, elle l'avait gâté de son mets favori, et cela avait chassé ses scrupules. Jusqu'à ce qu'elle lui serve le vin pétillant et lui annonce qu'elle était amoureuse. Qu'elle allait se fiancer le 29 juillet. Toute à son bonheur, elle lui avait parlé de Sébastien sans se rendre compte que Simon, lui, était bouleversé.

— Je ne me comprenais plus, avoua ce dernier. Tout le temps que j'ai été là-bas, pratiquement dans la jungle, j'ai prié pour qu'elle se trouve quelqu'un et m'oublie, « romantiquement » parlant. Je l'encourageais à le faire chaque fois que je lui écrivais ou presque. Et maintenant que ça me tombait sur le nez, je m'apercevais que j'étais jaloux. Sentiment que je n'avais pas le droit d'éprouver, et encore moins de lui montrer. Pas après tout ce que je lui avais fait endurer en la repoussant pendant toutes ces années. C'était rien que juste qu'elle eût enfin ce que je lui avais toujours refusé. Alors, je lui ai dit que j'étais heureux pour elle, et je le pensais réellement. Mais quand elle a voulu m'emmener avec elle pour me présenter mon rival, ça a été trop pour moi. Je lui ai dit que je devais me préparer pour la visite de ma future paroisse et que je les verrais à mon retour. En vérité, je n'étais pas obligé d'y aller avant mon installation permanente. Je me suis sauvé pour retrouver mes esprits et me faire à l'idée. Si j'avais

71

eu le courage de rester, elle serait peut-être encore en vie, se reprocha-t-il.

— Qu'est-ce qui vous fait croire ça ?

— Ma tante m'a dit qu'elle avait été tuée avant minuit. Si j'étais resté ce soir-là, si j'avais été assez fort pour en supporter l'épreuve, je serais allé rencontrer l'homme qu'elle aimait. Et après, on serait retournés chez elle ensemble, et on aurait continué de jaser jusqu'aux petites heures du matin. Et alors, son assassin ne l'aurait pas trouvée toute seule.

Daniel secoua la tête.

— S'il avait l'idée de la tuer, il serait revenu, dit-il avec douceur. Ça ne ressemble pas à un crime commis au hasard. Mais vous venez de parler de *l'homme* qu'elle aimait. Que vous en a-t-elle dit ?

— Si vous croyez que ça pourrait être lui, vous faites fausse route, il est pratiquement invalide !

Daniel tiqua, mais lui demanda d'une voix égale :

— Elle vous a dit qu'il était invalide ?

Simon eut un sourire d'excuse.

— Non, ce n'est pas exactement ce qu'a dit Arianne. Sébastien est handicapé du bas, mais il peut bouger du haut, puisqu'il œuvre dans le dessin. Arianne l'appelait son Mozart du fusain. Elle a aussi dit qu'il est beau, fin et brillant, mais elle a pensé la même chose de moi, alors il ne faut pas trop vous fier à cette description. En ce qui a trait à la beauté du moins.

— Vous a-t-elle dit son âge ?

— Possible, mais j'étais tellement à l'envers que j'en ai perdu des bouts. Pourquoi ? C'est important ?

— Il aura seize ans samedi, répondit Daniel, guettant la réaction de Simon.

Le visage du jeune prêtre devint un masque de douleur. Il inspira profondément et ferma les yeux. Lorsqu'il les rouvrit, seule la résignation pouvait s'y lire.

— Je vois, dit-il. Juste l'âge où ils pouvaient légalement...

— L'âge légal est maintenant quatorze ans, l'informa Daniel sans merci. Mais, vu son âge, à elle, je suppose qu'il semblait plus décent à Arianne d'attendre qu'il ait au moins seize ans.

Simon admit qu'Arianne aurait certainement eu l'impression d'abuser en le prenant plus jeune. Il se leva alors et alla à sa chambre chercher une photo encadrée.

— Arianne et moi, au même âge, dit-il en la tendant aux détectives.

Deux adolescents, enlacés et en maillot de bain, souriaient de toutes leurs dents au photographe. Nonobstant la croix qui pendait au cou du garçon, nul n'aurait deviné, à ce cliché, qu'il se destinait à la prêtrise.

— Très belle photo, admira Daniel. Qui l'a prise ?

— Mon père. Il était très doué. Il faisait tous les mariages de la région. Il aurait bien aimé faire le nôtre aussi. Il adorait Arianne. Souvent, je l'entendais lui dire : « T'en fais pas, fille. Ça va lui passer, ces "folleries"-là ». Et elle lui répondait : « Oh ! mais je ne veux pas l'empêcher de suivre sa voie. Je voudrais juste qu'il puisse m'épouser quand même. Comme un prêtre anglican ». Ça a fait l'objet de beaucoup de nos discussions, la possessivité du catholicisme. Elle disait qu'un Dieu qui commandait d'aimer son prochain, mais considérait comme une tare d'aimer sa « prochaine » ne méritait pas qu'on Lui sacrifie toute sa vie.

— Je serais plutôt d'accord avec elle, se surprit à approuver Sylvie.

— Peut-être. Je ne suis plus certain de rien, soupira Simon en caressant, sur la photo, la joue d'Arianne. Mais, en ce temps-là, j'étais convaincu qu'elle m'aimait *pour* ma chasteté, et non pas *malgré*.

— Parce qu'elle avait peur du sexe ? demanda Daniel.

— De la douleur, corrigea Simon. Sa mère en faisait aussi, de l'endométriose, et elle n'arrêtait pas de lui dire que c'était encore pire en vieillissant. Si ça n'avait pas été de ça, je ne pense pas que le sexe en lui-même l'aurait effrayée.

— Qu'en savez-vous ?

Un doux sourire éclaira le visage de Simon.

— Oh ! vous savez, ce n'est qu'une fois rendu au séminaire que j'ai refusé qu'elle me touche autrement que socialement. Avant ça, je la laissais libre de « tester ma vocation ». On n'a jamais dépassé le stade des baisers et des caresses, mais on s'est... explorés pas mal. On s'est même souvent arrêtés juste au bord du gouffre. Je revois encore l'air à la fois déçu et soulagé qu'elle avait à ces moments-là.

Sa voix s'étrangla. Après un silence, Simon confia aux enquêteurs que, tandis qu'il était sur la côte Nord, il lui était venu à l'idée qu'Arianne lui avait menti. Qu'elle avait prétendu aimer cet artiste handicapé seulement pour le rendre jaloux et le ramener à elle. Elle lui en avait tellement voulu lorsqu'il était parti.

— Dans ce cas, pourquoi se servir d'un handicapé ? demanda Daniel. Un gars de son âge et sur ses pattes aurait fait un rival bien plus crédible, non ?

— Parce qu'elle voulait que je me batte, expliqua Simon. En me plaçant devant un homme qui avait des limites physiques, elle m'obligeait à me rappeler que moi, je n'en avais pas, que je pourrais tout lui donner.

Sylvie songea qu'il n'était peut-être pas si loin de la vérité. Qu'Arianne se soit servie de Sébastien pour reconquérir Simon lui semblait tout à fait plausible. Quoique moins beau, Simon était, dans son genre, aussi séduisant que l'adolescent. Et c'était un homme. Un homme à qui il ne manque rien, compléta-t-elle pour aussitôt s'en sentir coupable.

— Et que vous en aviez envie ? s'acharnait entre-temps Daniel.

— Oui, murmura Simon. Oui ! répéta-t-il plus fort en regardant le plafond avec défiance. Oui, j'aurais défroqué pour elle si elle avait encore voulu de moi, Tu m'entends ?

Daniel et Sylvie se regardèrent, mal à l'aise. Percevant leur embarras, Simon leur sourit et dit :

— Excusez-nous. Une petite chicane de famille.

En plus d'être crétin, il est cinglé ! se dit Daniel, tandis que Sylvie demandait à Simon de leur brosser un portrait d'Arianne.

Elle était, selon lui, vive, intelligente. Prodigue de ses biens, mais avare d'elle-même. Elle questionnait tout sur le plan intellectuel, mais elle gobait tout ce que lui disaient les quelques personnes en qui elle avait confiance. Elle était opiniâtre et rancunière, mais d'une loyauté à toute épreuve. Elle ne connaissait pas les nuances. Tout était blanc ou noir pour elle, comme pour une enfant. Elle en avait aussi la même innocence roublarde. Bref, on l'aimait ou on la détestait, mais elle laissait peu de gens indifférents.

— Aurait-elle volontiers fréquenté des homosexuels ? continua Sylvie.

— Certainement. Elle aimait faire jaser et elle se serait sentie en sécurité avec eux. Et puis, elle avait de la sympathie pour les marginaux. Du moins, ceux qu'elle considérait comme sans malice.

— Vous a-t-elle déjà parlé d'amis de ce type ?

— Pas spécifiquement, non. Mais je savais qu'il en gravitait autour d'elle. Je la connaissais depuis assez longtemps pour voir les pots autour desquels elle tournait, leur confia Simon avec un sourire d'une douloureuse tendresse.

— Hugo ou Esté, ça vous dit quelque chose ?

— Non.

Daniel prit le relais.

— Vous a-t-elle parlé de son nouvel emploi ?

— Pas ce soir-là, mais la fois d'avant, oui. Un groupe de thérapie pour handicapés, si je me rappelle bien. Tiens, c'est peut-être là qu'elle a rencontré son Sébastien.

— Non, elle l'a rencontré au parc, dit Daniel, plus sèchement qu'il ne l'aurait voulu. Elle vous a dit où était cet emploi ? demanda-t-il d'un ton radouci.

— Sur un site Internet.

— Un site Internet ? s'étonna Daniel.

— Oui, mais pas accessible à tous, juste aux membres.

— Qu'y faisait-elle ?

— Elle y incarnait divers personnages pour stimuler leur créativité. Des personnages parfois très *sexy*, à ce qu'elle m'a dit. Je suppose qu'elle cherchait à me provoquer, mais même à ça, je n'aimais pas tellement l'idée. Je veux dire, qu'elle s'exhibe sans savoir si c'était vraiment juste des handicapés qui la regardaient. Je lui en ai fait la remarque et lui ai dit de se méfier, que l'Internet était plein de pièges. Elle m'a embrassé et a dit que j'étais resté dans la jungle trop longtemps. Puis elle a changé de sujet, alors je n'en sais pas plus.

— À quelle heure avez-vous quitté Arianne mercredi dernier ?

Simon pâlit à ce rappel de la soirée fatale.

— Aux alentours de 19 h 00. Elle voulait que nous allions au parc, tandis qu'il faisait encore jour, car Sébastien devait rentrer avant la noirceur.

— Ça ne vous a pas mis la puce à l'oreille ?

— Mon Dieu, non ! Comment aurais-je pu imaginer qu'elle parlait d'un ado ? En connaissez-vous beaucoup qui rentrent à cette heure-là ?

Force fut à Daniel de s'avouer qu'il n'en connaissait aucun autre que Sébastien. Et que même lui se rebellerait sans doute contre cette contrainte s'il n'achetait, par sa soumission nocturne, sa liberté diurne.

— Au contraire, continua Simon, ça m'a donné à penser qu'il s'agissait d'un invalide soumis aux règles rigides de l'établissement où il était soigné.

— Qu'avez-vous fait après l'avoir quittée ?

Simon déclara qu'il était revenu chez lui et avait pris ses arrangements pour visiter sa future paroisse. Puis il s'était senti honteux de sa couardise et avait voulu s'en excuser à Arianne, mais il avait craint que cette dernière ne le persuade de revenir, ou ne perçoive ses émotions s'il lui parlait directement. Alors, il avait appelé chez elle vers 20 h 30, sachant qu'elle serait encore sortie, afin de lui laisser un message sur son répondeur. Mais, dans sa hâte d'aller rejoindre Sébastien, elle avait dû oublier de le mettre en fonction. Il s'était donc rendu chez un fleuriste et lui avait fait livrer un bouquet, accompagné d'une note d'excuse écrite de sa main.

— À quelle heure ?

— J'ai demandé à ce qu'il soit livré entre 21 h 00 et 21 h 30. Puisque Sébastien devait rentrer avant la noirceur, je savais qu'Arianne serait de retour chez elle à cette heure-là.

— C'était quel fleuriste ?

— Le D'Alcantara, rue Sherbrooke, un peu à l'ouest d'ici.

— Avez-vous payé avec une carte de crédit ?

— Non, je n'en ai pas. J'ai payé comptant. Ça me surprendrait qu'on se souvienne de moi, si c'est là où vous voulez en venir. Je n'ai rien de particulièrement remarquable, et les roses rouges non plus.

— Vous lui avez envoyé des roses rouges ?

— Une douzaine, avoua Simon en baissant les yeux vers le parquet.

— Plutôt équivoque comme message, non ? Vous la félicitez de s'être trouvé quelqu'un d'autre, mais vous lui envoyez les fleurs de l'amour.

— Bof ! Tout le monde donne des roses rouges à tout le monde, maintenant, se défendit faiblement Simon.

— Elle l'aurait perçu comme ça, croyez-vous ?

— Elle aurait trouvé plus banal d'offrir des roses que de faire composer un bouquet original. Ce que j'aurais fait si j'avais voulu que les fleurs elles-mêmes soient le message. Pour moi, c'était la carte qui importait. Mais oui, j'espérais qu'elle comprendrait aussi que je l'aimais, même si je n'en avais pas le droit.

— Que disait-elle, cette carte ?

— « *Pardonne-moi, ma douce. Je ne pouvais pas. Mais je serai prêt le 29, promis. S.* »

— Juste « S » ?

— Plus deux « X ». Il n'y avait plus de place pour autre chose. C'était juste un bristol. De toute façon, elle n'avait pas besoin de ma signature, elle connaissait mon écriture.

— Elle ne vous a pas appelé pour vous remercier ? s'étonna Sylvie.

Simon eut un sourire triste.

— Arianne me connaissait mieux que personne. Elle savait que si je lui envoyais des excuses écrites plutôt que de l'appeler, c'était parce que je ne me sentais pas le courage de lui parler tout de suite. Et elle a respecté mon sentiment, comme toujours. Surtout qu'elle savait, par mon message, qu'elle aurait ce qu'elle voulait.

Daniel haussa les sourcils.

— C'est-à-dire ?

— Que j'irais bénir leurs fiançailles, comme elle me l'avait demandé.

— Et vous l'auriez fait, même en voyant le jeune âge de Sébastien ?

— Je ne sais pas. Pas sans leur conseiller d'être bien sûrs de leur coup avant de passer au mariage, en tout cas. Mais je ne connaissais pas son âge à ce moment-là. À la réflexion, elle ne l'avait probablement pas mentionné. En me plaçant devant le fait accompli, je n'aurais pu refuser ma bénédiction sans le blesser. Et elle savait que j'aurais répugné à lui faire du mal.

Simon informa ensuite les enquêteurs qu'il s'était préparé pour son voyage et était parti à l'aube. Mais il n'avait personne pour confirmer ses allégations.

Avec son consentement, Daniel prit ses empreintes, puis il remercia le jeune prêtre et lui demanda courtoisement de laisser sa nouvelle adresse lorsqu'il partirait. Sur le point de sortir, Sylvie se retourna vers Simon et lui demanda, curieuse :

— Allez-vous officier à son service ?

Simon eut un sourire triste.

— Si notre différend s'est réglé d'ici là, lui répondit-il avec un bref regard vers le plafond.

— Qu'en penses-tu ? demanda Daniel à Sylvie lorsqu'ils eurent réintégré leur véhicule.

— Quel gâchis ! s'exclama-t-elle. Bon sang, ça se soigne l'endométriose ! Il y a sûrement un moyen de contrôler la douleur. J'ai une amie qui en fait, et elle a deux enfants et une vie sexuelle normale. Si ça n'avait pas été des peurs que lui contait sa mère, Arianne serait vraiment allée le chercher, son Simon, elle ne se serait pas arrêtée juste sur le bord. Et aujourd'hui, ils seraient mariés et heureux ensemble, au lieu qu'elle soit à la morgue.

— En tout cas, dit Daniel, prêtre ou pas prêtre, moi, je ne l'exclus pas comme suspect. Il avait le motif, l'opportunité, et il n'a pas d'alibi. Et on n'a que sa parole qu'il n'est pas retourné lui-même porter ces roses. On ne l'a pas trouvé, son bristol ; il pourrait l'avoir inventé pour se disculper et nous faire accroire que quelqu'un d'autre était passé après lui. Et même s'il dit la vérité quant à la livraison, on n'a encore que sa parole qu'Arianne ne l'a pas rappelé et convaincu de revenir. Elle semble avoir été tuée par quelqu'un qu'elle connaissait et en qui elle avait confiance. Si elle était si sélective que ça, ils ne doivent pas être légion.

Sylvie ne le contredit pas, mais n'en pensa pas moins que cet argument valait aussi pour Sébastien. En dépit des raisonnements du médecin légiste et de Daniel, elle ne l'écartait pas encore complètement. Après tout, il avait une forte carrure, se mouvait très bien sans aide, et sa maison n'était sûrement pas truffée de caméras et d'alarmes pour avertir sa mère s'il sortait une fois la nuit tombée. Il aurait pu le faire après qu'elle soit endormie. Or, comment aurait réagi l'adolescent s'il s'était aperçu qu'Arianne se servait de lui pour reconquérir Simon ? Mal, sans doute. Et Arianne était allé le voir juste après son souper avec le prêtre. Elle lui avait peut-être dit quelque chose qui l'avait tellement blessé, qu'il l'avait tuée dans une sorte d'état second, pour oublier ensuite son crime. Et quand ils lui avaient annoncé sa mort...

Sylvie frissonna. Elle n'oublierait jamais le hurlement de Sébastien. Sa douleur était indubitable. Mais était-elle due à la mort d'Arianne, ou au rappel de l'avoir tuée ? Sylvie regarda en biais son collègue. Elle ignorait ce qui s'était passé entre eux, mais elle était consciente de la partialité de Daniel envers le garçon. Soupirant, elle se dit qu'elle devrait y aller très prudemment le lendemain.

Le fleuriste ne gardait pas de registre des achats faits sur place avec livraison le jour même, mais Joël, l'étudiant qui livrait pour eux le mercredi soir, s'en souviendrait peut-être. Les enquêteurs prirent ses coordonnées et se rendirent chez lui. Il venait tout juste de rentrer de ses cours. Il les écouta, impressionné, décliner leurs noms et fonctions, puis s'effaça pour les laisser entrer. Daniel lui donna l'adresse d'Arianne et lui demanda s'il se souvenait y avoir livré des roses le mercredi précédent.

— Je suis passé dans ce coin-là, oui. De là à vous dire l'adresse précise...

Daniel ouvrit son porte-documents et produisit une photo d'Arianne. Le jeune homme la reconnut aussitôt. Il lui avait livré ses fleurs vers 21 h 45, ayant débarqué en pleine scène de ménage à sa livraison précédente, et éprouvé quelque difficulté à s'en extirper. Donc, Arianne vivait encore à cette heure, notèrent les détectives. Elle devait en être aux dernières minutes de sa vie.

— Avez-vous vu quelqu'un d'autre chez elle ?

Joël secoua la tête. Mais il avait, en arrivant, eu l'impression qu'elle n'était pas seule, car il avait entendu des voix en approchant de l'appartement. Une voix si rauque d'émotion qu'il n'aurait su dire si elle était féminine ou masculine et qui lui avait semblé supplier. Et une voix féminine qui avait répondu d'un ton à la fois cajoleur et impatient : « Tu ne comprends pas. Je me suis engagée envers lui ». Mais lorsqu'il avait frappé à la porte, tout s'était subitement tu et il s'était dit, en voyant la déesse souriante qui lui avait ouvert, qu'elle regardait sans doute la télé et avait éteint en croyant son visiteur arrivé.

— Ah ? Elle avait l'air d'attendre quelqu'un ?

Le jeune livreur rougit. Elle lui avait ouvert dans une tenue plutôt suggestive, un truc long qui couvrait tout et ne laissait rien voir de façon claire, mais sous lequel il avait perçu qu'elle était nue. En l'apercevant, elle avait eu un sourire gêné et s'était excusée en disant qu'elle avait cru qu'il s'agissait d'une autre personne. Elle lui avait donné un généreux pourboire, et il était reparti.

— Elle n'a pas prononcé de nom en ouvrant la porte ?

— Non.

— Vous n'avez croisé personne ?

— Non plus.

— Lorsqu'elle vous a ouvert, pouviez-vous voir dans son appartement ?

— Pas tellement. Elle était aussi grande que moi, et je ne garderais pas ma *job* longtemps si je m'étirais pour fouiner chez les clients.

— Donc, il aurait pu s'y trouver quelqu'un d'autre qu'elle sans que vous l'ayez vu ?

— Oui, mais comme elle avait l'air d'attendre son petit ami, ça me surprendrait.

Les enquêteurs le remercièrent et s'en allèrent. Une fois dans l'auto, Sylvie remarqua que la version de Simon Pratte se trouvait donc confirmée.

— En partie, répondit prudemment Daniel. On n'a encore que sa parole pour ce qui était écrit sur le mot. On ne l'a pas trouvé, lui rappela-t-il. Il a pu contenir plutôt une supplique de lui accorder une seconde chance. Simon lui a fait livrer des roses rouges. Banale ou pas, une douzaine de roses rouges venant de son ex-amoureux avait de fortes chances d'être perçue par Arianne comme une déclaration de ses sentiments envers elle. Il a pu donner cette balise d'heures de livraison, justement parce qu'il avait l'intention de poursuivre en personne l'ouverture faite par les fleurs. Mais le livreur a été retardé, et Simon est arrivé avant son envoi. Il a plaidé sa cause, et Arianne l'a repoussé. Alors, il l'a tuée, puis est parti sur la côte Nord.

Sylvie le considéra avec amusement.

— Que devient dans tout cela cet autre qu'Arianne a attendu et pour qui elle s'est vêtue de façon si suggestive ?

— Elle peut l'avoir inventé pour dissimuler le fait qu'il se trouvait déjà avec elle et qu'elle en avait oublié sa tenue.

— Voyons, Dan, si Simon était celui qu'Arianne cherchait à séduire, il n'aurait pas eu à plaider une cause déjà gagnée pour lui, et donc aucun motif pour la tuer.

— J'admets que mon hypothèse comporte des trous. Mais elle n'est pas impossible, loin de là. Tu ne devrais pas écarter Simon comme suspect sur la seule foi de ce qu'il *dit* avoir écrit.

— J'ai bien hâte de voir si tu feras preuve de la même circonspection envers les déclarations de Sébastien…

6

Tandis qu'ils attendaient Sébastien, Sylvie fit remarquer à Daniel qu'ils auraient peut-être dû récupérer l'ordinateur d'Arianne pour le faire fouiller par un enquêteur des Crimes technologiques. Daniel, qui dissimulait à grand-peine sa fébrilité, répondit qu'il serait toujours temps d'appeler les Crimes technologiques après l'entrevue, si Sébastien ne pouvait les aider avec le site en question. Il avait vérifié la veille en s'en retournant chez lui, et les sceaux étaient toujours intacts. Toute information que pouvait contenir l'ordinateur s'y trouverait donc encore. Le téléphone interrompit leur échange. Sébastien était à la réception.

— Je prépare la salle, dit Sylvie avec empressement.

Daniel, qui préférait accueillir seul l'adolescent, apprécia la délicatesse de sa collègue. Une fois au sixième, il fut déçu de voir que la mère accompagnait le fils. Légalement, il ne pouvait l'en empêcher, mais il savait que Sébastien parlerait moins librement devant elle. Heureusement, Sébastien n'avait pas non plus envie de sa présence. Il sourit à sa mère et l'invita à aller magasiner en bas en l'attendant. Mais cette dernière, réticente à laisser passer l'occasion d'en savoir plus sur ce qu'il lui cachait, s'entêta.

— Tu as droit à la présence d'une personne adulte, tu sais. Je me suis informée.

— M'man, s'il te plaît ! Ils ne m'arrêtent pas, ils veulent juste me poser des questions. Arrête de me traiter en bébé ! dit Sébastien, agacé.

Daniel renchérit. Madame Boyer n'avait pas à s'inquiéter. Son fils aurait droit à tous les égards. Et il y avait une excellente vente trottoir en bas. Sébastien saisit la perche tendue et déclara avoir justement besoin de chandails en molleton. Soucieuse de ne pas déplaire à son fils, madame Boyer s'inclina, quoique de mauvaise grâce. Daniel lui donna le numéro de la réceptionniste afin qu'elle puisse vérifier épisodiquement si Sébastien était de retour. Mais pas avant au moins deux heures. Il aurait à noter les réponses du garçon et il n'écrivait pas très vite, l'avertit-il avec un clin d'œil vers l'adolescent. Sébastien sourit. Il allait si rarement ailleurs qu'à l'école et au parc !

Prétextant quelque papier à y ramasser, Daniel mena Sébastien à son pupitre. L'adolescent regardait partout avec curiosité.

Agréablement surpris de la luminosité de l'endroit, il s'exclama :

— *Wow*! Il fait clair ici ! À la télé, les bureaux de police sont toujours gris et sombres.

Cette appréciation emplit Daniel d'une fierté puérile. Le regard de Sébastien parcourut les photos épinglées devant l'enquêteur, montrant Daniel et des amis à la pêche ou au golf, et s'arrêta sur l'unique portrait féminin, un agrandissement trônant au milieu des autres et duquel une femme dans la mitrentaine, aux cheveux courts et aux yeux bruns, leur adressait un sourire mutin.

— Votre femme ? demanda Sébastien, échangeant avec l'enquêteur un regard complice.

— Oui, répondit ce dernier.

— Elle est très jolie, commenta Sébastien.

Daniel sentit sa perplexité, mais choisit de l'ignorer pour l'instant, l'endroit n'étant pas propice à lui expliquer que l'insécurité et la jalousie n'étaient pas l'apanage des gens moches ou insignifiants.

— Pas d'enfants ? s'étonna Sébastien en achevant son inspection.

Daniel secoua la tête. Un autre regard chargé de non-dit passa entre eux. Sylvie, qui, à quelque distance, observait leur échange, souhaita que Sébastien n'eût vraiment rien à voir avec le crime, car sa tâche serait alors plus ardue qu'elle ne le croyait. L'étroitesse de la salle d'entrevue obligea le garçon à des manœuvres qui contribuèrent toutefois à estomper ses soupçons ; ses limitations y étaient aussi évidentes que sa dextérité.

— Désolée. C'est tout ce qu'il y avait de libre, mentit-elle.

Daniel, sachant qu'elle aurait pu emprunter le bureau du commandant, en vacances à cette période, la regarda avec reproche, mais contourna la table sans mot dire et s'assit près d'elle. Sylvie s'en voulait de son stratagème, mais elle savait que, dans un espace plus grand, il aurait pris place à côté de Sébastien, et elle avait voulu prévenir cette alliance muette. Suspect ou non, il était un témoin important et devait être traité comme tel.

— Aimerais-tu quelque chose à boire ? Une boisson gazeuse ? Un jus ? lui offrit Sylvie.

— Non, merci.

— Et moi, qu'est-ce que je suis ? Un coton ? ronchonna Daniel. Tu pourrais me demander si je veux un café.

Sylvie le gratifia de son plus charmant sourire.

— Si tu en veux un, tu peux aller te le chercher, mon cher. Tu es plus près de la porte que moi.

Daniel rougit sous le regard moqueur de l'adolescent et sortit en marmonnant qu'il revenait tout de suite.

— Il est toujours aussi macho ? demanda Sébastien.

Sylvie rit de bon cœur.

— Ça lui arrive, de temps à autre. Mais il est correct. Je l'aime bien.

— Moi aussi, dit Sébastien.

Cet aveu, qui, en principe, aurait dû les unir, frustra Sylvie, car elle y percevait tout un monde dont elle était exclue. Et, bien que mourant d'envie d'y pénétrer, elle sentait qu'en forcer la porte serait une erreur.

— Il manque la lampe qui aveugle le suspect, remarqua Sébastien après avoir examiné la pièce.

— On la sort juste pour les détenus, plaisanta Sylvie. Pas pour les entrevues de témoins.

— Je vois, dit Sébastien avec amertume. Un regard à mon fauteuil et je suis rayé comme suspect.

— Pour qui nous prends-tu ? Nous sommes des pros, tu sauras. Si ton fauteuil te sauve techniquement la mise, tu devrais t'en réjouir au lieu de t'en plaindre. Être suspecté de meurtre n'a rien d'une partie de plaisir.

— Ah ? De quel point technique parle-t-on ? l'interrogea Sébastien, ignorant le reproche de son interlocutrice.

Sylvie lui jeta un regard admiratif. Il était vraiment spécial, ce gamin. Elle commençait à comprendre l'attrait qu'il avait eu pour Arianne. Il était à des années-lumière de ces ados qui ne s'exprimaient que par grogne-ments et monosyllabes. Lorsqu'elle lui en fit la remarque, Sébastien riposta que la plupart des adultes ne méritaient rien de plus. Et puis, elle éludait sa question.

— Désolée, lui répondit-elle. Je ne peux pas t'en parler.

— S'il vous plaît. J'ai besoin de savoir ce qui m'innocente. Je sais garder un secret.

Voyant qu'il ne s'agissait pas d'un caprice, Sylvie céda.

— L'angle du coup, lui confia-t-elle. Il aurait été différent venant de toi.

— Ari n'aurait jamais reçu un seul coup de moi, répondit le garçon d'une voix rauque.

Daniel revint avec un café fumant et une cannette de jus de pommes, qu'il déposa devant Sylvie.

— Si tu as besoin de quoi que ce soit, ou si ça devient trop dur, tu nous le dis et on fait une pause, d'accord ? dit-il à l'adolescent, qui hocha la tête.

L'entrevue proprement dite commença. En réponse aux questions des enquêteurs, Sébastien leur apprit quand et comment il avait fait connaissance avec Arianne, et quelle sorte de relation ils avaient eue.

— La trouvais-tu...

Sylvie chercha soigneusement un terme qui exprimerait sa pensée, sans heurter les sentiments de Sébastien.

— ... Aguichante ?

— Non.

— Elle ne te plaisait pas ?

— J'en étais fou, admit l'adolescent. Mais ce n'est pas ça que vous avez demandé. Vous avez demandé si elle cherchait à me séduire par la provocation.

Daniel réprima un sourire. Sylvie devrait se lever de bonne heure pour battre ce garçon sur le vocabulaire.

— Et elle ne l'a jamais fait ? insista-t-elle.

— Non. Elle n'en avait pas besoin, précisa-t-il à voix basse.

Sylvie posa sur lui un regard empreint de sympathie.

— Connaissait-elle ton sentiment envers elle ?

Sébastien haussa les épaules et répondit qu'Arianne n'était pas folle.

— Mais tu ne lui en as jamais parlé ?

— Pas de façon directe.

— Pourquoi ?

— C'est évident, non ? grogna Sébastien.

— D'après sa copine Laurie, Arianne s'en fichait, de ton handicap, insista Sylvie avec douceur.

— Elle, oui, mais pas moi !

Laissant couler librement ses larmes, Sébastien leur avoua qu'il avait désiré Arianne avec une intensité d'autant plus féroce qu'il l'avait sentie réciproque. Qu'il n'aurait eu qu'un mot à dire pour l'avoir, mais qu'il n'avait pu se résoudre à le prononcer, parce qu'il était trop conscient de tout ce qu'il n'aurait pu lui donner : une danse, une randonnée en vélo, ou même une simple promenade à pied, enlacés comme ces amoureux qui passaient devant eux sans les voir. Ils n'auraient eu une vie à peu près normale qu'au lit, et il aimait trop Arianne pour ne lui offrir que cela.

Sylvie en resta sans voix. Tous ces petits plaisirs simples dont elle jouissait avec Alain et qu'elle tenait pour acquis, il ne lui était jamais venu à l'esprit qu'ils pouvaient être hors de portée pour d'autres. Et que dire face à la souffrance de l'un d'eux ? Daniel, quant à lui, se faisait violence pour ne pas le toucher. Il se racla la gorge et demanda :

— Savait-elle que tu pensais tout ça ?

— Oui, je lui en avais parlé, répondit Sébastien en s'essuyant les joues du revers de la main. Indirectement, comme d'habitude : je ne pourrais pas donner ci et ça à la fille que j'aime… Sans lui dire que c'était d'elle dont je parlais.

— Et comment a-t-elle réagi ?

— En embarquant dans le jeu. Elle a dit : « Oui, mais peut-être que la fille que tu aimes danse très bien toute seule. Peut-être qu'elle a peur en vélo. Et peut-être qu'elle serait tout aussi heureuse que tu lui serres la taille en la promenant assise sur toi dans ton fauteuil roulant ».

— Assez invitant, je dirais. Ça devait te brûler la langue, non ?

— Entre autres, fit Sébastien avec un bref sourire. Mais à part la peur qu'elle finisse par en souffrir, j'avais une autre raison de ne pas parler.

— Ta mère ? devina Daniel.

Sébastien hocha la tête.

— Si M'man m'avait su en amour avec une femme juste sept ans plus jeune qu'elle, elle m'aurait enterré si loin en campagne que je n'aurais plus jamais revu Arianne ! Je préférais jouer de prudence jusqu'à ma majorité... si Arianne était prête à m'attendre jusque-là. Mais j'avoue qu'elle ne me rendait pas ça facile, surtout ces derniers temps.

— Depuis le retour de Simon ?

Sylvie dressa l'oreille. Voilà qui devenait intéressant.

— Oui. On était déjà proches avant, mais quand Simon est revenu, on dirait que ça l'a comme... libérée. Non, ce n'est pas le mot exact. Désinhibée, c'est ça.

— En quel sens ?

— Le contact surtout. Avant, à part un bec sur la joue quand elle arrivait et repartait, ou une caresse sur la main ou le bras quand personne ne nous regardait, elle ne m'avait jamais touché. Souvent, je sentais qu'elle en avait envie, mais elle se retenait. Mais quand Simon est revenu, c'est comme si elle s'était dit : « Ah ! *pis* au diable, tout le monde ! » Elle m'embrassait sur la bouche au lieu de sur la joue, elle posait sa tête sur mon épaule ou mes cuisses, elle me laissait lui jouer dans les cheveux. Et elle me regardait comme... comme je la regardais, elle, depuis le début. En plus, elle m'a emmené au restaurant, ce qu'elle n'avait jamais fait avant.

— Et t'y a présenté comme son fiancé.

— Oui, mais ne le prenez pas trop au sérieux. Arianne était comme ça. Elle paraissait plus jeune que son âge réel, encore plus de caractère que physiquement. Sur bien des côtés, elle était plus ado que moi. L'idée de choquer les gens l'amusait beaucoup. Mais elle était plus audacieuse en fantasme qu'en réalité.

— Je vois. Grande parleuse, « p'tite » faiseuse.

— Personne n'est parfait.

— Elle a pourtant affirmé à Laurie et à Simon qu'elle voulait te fiancer le jour de ton anniversaire.

Pendant un instant, le visage de l'adolescent rayonna d'une joie fulgurante. Puis son sourire redevint triste et il secoua la tête.

— Je sais qu'elle me réservait une surprise, elle me l'avait dit. Mais je ne pense pas
que ce soit ça. Je suis à peu près sûr que
c'était une bravade. Je parie que vous n'avez
rien trouvé chez elle qui ait le moindre rapport avec des fiançailles.

— Eh bien ! à vrai dire... commença
Sylvie.

L'espoir embrasa le regard de Sébastien,
et Sylvie s'interrompit. Elle répugnait à le
blesser et se demandait s'il était sage de lui
parler de la lingerie d'Arianne. D'un autre
côté, il était sans doute le mieux placé pour
les éclairer à ce sujet. Elle se tourna vers
Daniel, sans vraiment attendre son aide. Elle
fut donc agréablement surprise de le voir
répondre à l'appel.

— Pas de bagues ou de gâteau, non, dit-
il à Sébastien. Mais il y a d'autres façons de
s'engager l'un envers l'autre, si tu vois ce que
je veux dire. Vu le temps qu'elle a mis à s'y
décider, on peut raisonnablement supposer
qu'elle aurait voulu entourer cette première
fois d'un rituel spécial.

— Oui, admit Sébastien, les joues en feu.

— Lui as-tu déjà donné à entendre que
tu aimais la lingerie érotique ?

Après un moment de stupéfaction,
Sébastien les gratifia d'un sourire ravi.

— Vous voulez dire qu'elle en avait acheté
pour de vrai ?

— Elle en avait même un bon éventail, je te dirais. Quand lui as-tu parlé de ça ?

— L'hiver passé. La deuxième ou la troisième fois qu'elle est venue poser pour moi. Ma mère n'a jamais voulu toucher à l'argent de l'assurance pour autre chose que mes besoins, alors elle fait parfois des démonstrations de lingerie à domicile pour se payer de petites gâteries. Elle trouve ça plus amusant à vendre que des plats *Tupperware*. Elle reçoit trois ou quatre catalogues par année et, quand ils sont échus, je les ramasse parce qu'ils me donnent souvent des idées de costumes pour mes dessins.

Sébastien eut un rire bref devant l'air sceptique des enquêteurs.

— Arianne a eu exactement la même réaction que vous quand je lui ai dit pourquoi j'avais ça dans ma chambre, leur confia-t-il. Je vous jure que c'est ma principale raison de les ramasser ! Mais c'est sûr que ça me donne d'autres idées... Comme Arianne avait le tour de me faire parler, elle a fini par me les faire dire et, avec le temps, on s'est mis à fantasmer ensemble.

— Excuse, recule, dit Daniel. J'ai bien compris ? Elle allait poser pour toi *dans ta chambre*?

— Oui. Pourquoi ? Ça vous choque ? s'étonna sincèrement Sébastien.

— Excuse-le, dit Sylvie d'un ton amusé. Dans son temps, les gars emmenaient des filles dans leur chambre juste pour coucher avec elles. Arrive en ville, Dan ! De nos jours, les jeunes vivent pratiquement dans leur chambre. Ils y ont tout et nous autres, les adultes, on est juste des satellites plus ou moins emmerdants qui gravitent autour de temps en temps.

— Qu'est-ce que tu en sais, toi ? Tu n'as pas d'enfants non plus à ce que je sache ! bougonna Daniel.

— Non, mais Alain en a deux, lui. Et il a la garde partagée.

— Ne la chicanez pas, elle a raison. Je ne l'avais pas vu comme ça, mais c'est une bonne image, je trouve. En tout cas, moi, c'est vrai que j'ai tout dans ma chambre : mes livres, ma musique, mon ordi, mon gymnase, ma table à dessin...

— Quelle sorte de dessin fais-tu ? l'interrompit Sylvie.

Une fois encore, elle vit passer entre son collègue et l'adolescent le courant complice observé plus tôt. Sébastien semblait lancer à Daniel un défi muet. Voyant que ce dernier n'entendait pas le relever, Sébastien sourit et dégrafa une pochette du côté de son fauteuil.

— J'en ai apporté quelques-uns, dit-il en la glissant vers Sylvie. J'ai pensé que ça viendrait sur le tapis.

Et que vous ne voudriez pas lui montrer le vôtre, lut Daniel dans le regard de Sébastien, qui lui dit tout haut que, maintenant, il prendrait volontiers une boisson. Sylvie, plongée dans la contemplation des dessins, n'entendit même pas son collègue sortir. Ce n'est qu'en relevant la tête qu'elle constata son absence.

— Parti me chercher un Coke, expliqua Sébastien.

— Tu as tout un talent ! s'exclama Sylvie. Moi aussi, je poserais pour toi.

— Nue ? la taquina Daniel, qui revenait justement.

— Non. En Diane chasseresse, répondit Sylvie après y avoir songé un moment.

— Bon choix, approuva Sébastien. Vous avez les jambes pour ça.

Sylvie s'empourpra, sous le regard amusé de son collègue.

— Arianne aussi aimait beaucoup la mythologie, poursuivit entre-temps Sébastien. C'était ce qu'elle aimait le plus, après le gothique. Mais elle était très versatile. Tous les rôles lui plaisaient, tant qu'elle pouvait y garder sa séduction. En passant, oui, elle posait nue, elle. Je l'habillais et j'ajoutais le décor après. Premièrement, parce que je n'ai pas une panoplie de costumes chez moi ; et deuxièmement, parce qu'elle ne pouvait pas rester trop longtemps. S'il avait fallu que ma mère nous surprenne !

— Elle ne t'a jamais emmené chez elle ?

— Non. Elle aurait bien voulu, mais là où elle habitait, ç'aurait été trop difficile pour moi, vu qu'il n'y avait pas de rampe, ni d'ascenseur.

— Elle ne t'a pas emmené visiter sa nouvelle place ?

— Elle voulait finir de s'installer avant, pour ne pas que je m'accroche partout. Mais je devais y aller pour ma fête.

Sylvie laissa redescendre l'émotion de Sébastien, cherchant un moyen d'exprimer ses soupçons sans trop le blesser. Elle trouvait louche qu'Arianne eût parlé à Simon de jeux de rôles pour stimuler la créativité d'handicapés... et joué divers rôles pour Sébastien, un handicapé créateur. Il devait exister un rapport ; la coïncidence était par trop forte pour en être une.

— Comment en est-elle venue à poser pour toi ? demanda-t-elle en lui rendant ses dessins. C'est elle qui te l'a proposé, ou c'est toi qui le lui as offert ?

— Un peu des deux. Elle me l'a proposé après avoir vu des esquisses que je faisais dans le parc. Elle les trouvait belles, alors quand je lui ai dit que j'aimerais faire un nu, mais que je n'avais pas de modèle, elle m'a dit qu'elle viendrait si je voulais.

— Quand avez-vous commencé ?

— Fin novembre, début décembre. Je ne me souviens pas de la date précise.

— Non ? s'étonna Daniel.

— O.K., « Polygraphe », oui, je m'en rappelle, avoua Sébastien. Je me rappelle même l'heure et comment elle était habillée. Mais je préférerais garder ça pour moi si ça ne vous dérange pas. C'est...

La voix lui manqua et il se racla la gorge avant d'achever :

— ... un moment précieux pour moi.

— Mais c'était vraiment dans ces alentours-là ? insista Sylvie.

— Oui. Ma mère a préparé les décorations de Noël quelques jours après et elle le fait toujours de bonne heure.

— Elle a souvent posé pour toi ?

— Cinq ou six fois peut-être. Juste assez pour me permettre de la saisir sous divers angles. Quand on a bien capté l'anatomie d'un sujet, c'est facile de l'habiller n'importe comment après, parce qu'on sait comment les vêtements vont tomber dessus ou réagir à ses mouvements.

Du coup, Sylvie se sentit nue sous le regard que Sébastien posait sur elle. Mais elle n'en éprouva aucune gêne car, contrairement aux maints regards qui l'avaient déshabillée au cours de sa carrière, celui de l'adolescent était dépourvu de lubricité. Il la contemplait du seul point de vue artistique, et Sylvie se surprit à en être un peu dépitée. Voyant, à son léger sourire, que Sébastien avait perçu cette réaction toute féminine, Sylvie comprit pourquoi ses dessins étaient si troublants. Ce garçon avait la faculté, rare et un peu effrayante, de dénuder l'âme aussi bien que le corps. Elle frissonna et reprit :

— Qui choisissait les costumes et les décors ? Elle ou toi ?

— Moi. Mais je le faisais la plupart du temps en fonction du personnage qu'elle avait envie d'être à ce moment-là.

Sébastien expliqua aux enquêteurs qu'Arianne avait adoré s'identifier à des héroïnes réelles ou fictives. Cela faisait partie de ce côté infantile qu'elle avait. Puisque la nuit tombait tôt l'hiver, et qu'il allait à l'école le jour, il voyait plus rarement Arianne, alors il échangeait avec elle par courriel. Comme ils avaient de multiples sujets de conversation, les occasions ne manquaient pas à Arianne d'y trouver un personnage sur lequel s'enthousiasmer. Lui prêtant le corps et la personnalité d'Arianne, Sébastien lui donnait alors vie dans ses dessins, dessins qui étaient en fait autant d'écrins dans lesquels étincelait, tel un joyau, la beauté de sa muse. Arianne lui avait donné pleine licence artistique dans la conception de ces écrins, et il s'était bientôt pris au plaisir de l'émerveiller, de l'étonner, de la séduire. Arianne l'avait encouragé à s'exprimer entièrement dans son art, l'avait invité à la choquer même.

Sylvie demanda alors à Sébastien s'il offrait ses œuvres à Arianne, ou s'il se contentait de les lui montrer. L'adolescent répondit qu'il ne lui avait donné que deux ou trois de ses esquisses originales, mais qu'elle avait une copie numérisée de tout ce qu'il avait dessiné d'elle.

— Donc, elle aurait pu, si elle avait voulu, les partager avec d'autres ?

Sébastien la pulvérisa du regard, et Sylvie, encore une fois, quémanda de façon muette l'aide de Daniel. Ce dernier, voyant la logique du rapport qu'elle cherchait à établir, soupira et prit la relève.

— Sébastien, dit-il avec douceur, que sais-tu du dernier emploi d'Arianne ?

— Pas grand-chose. Je sais qu'elle travaillait avec des handicapés, mais je ne sais pas ce qu'elle faisait au juste, elle ne m'en disait à peu près rien. Elle avait peur que ça me rappelle ma condition par rapport à elle, je suppose. Oh oui ! et qu'elle avait trouvé cette place par le biais d'Estéban.

Un frisson d'excitation traversa les enquêteurs. Esté. Estéban. C'était forcément le même.

— Que sais-tu de lui ?

— Pas grand-chose non plus. C'était un copain avec qui elle *chattait* sur le Net.

— Sais-tu si elle le connaissait en personne ?

— Sûrement, puiqu'elle était au restaurant quand il lui a offert son emploi.

— Elle faisait ça souvent, *chatter* sur le Net ?

— Pas mal moins depuis notre rencontre, mais il y a eu une période après le départ de Simon où elle passait à peu près tout son temps libre là-dessus. Elle courait tous les forums qui touchaient de près ou de loin à des choses dont elle aurait pu discuter avec lui. Elle m'a dit que si elle n'avait pas eu ça à l'époque, elle se serait probablement suicidée.

— Ah ? Le départ de Simon l'avait affecté à ce point-là ?

— Elle exagérait peut-être un peu, mais oui, ça l'avait beaucoup affectée. Et il n'était même pas mort, lui, murmura Sébastien.

— Des fois, c'est pire, lui dit Daniel.

— Peut-être.

— Cet Estéban, il est arrivé quand dans le paysage ?

— Dans le temps qu'elle était accro à l'ordi, mais quand au juste, je ne pourrais pas dire. Estéban était un régulier d'un forum qu'elle fréquentait souvent aussi. Elle le trouvait amusant, alors elle a gardé le contact avec lui, même quand elle a recommencé à avoir une vie en dehors de l'Internet.

— Y en avait-il d'autres ?

— C'est possible, mais elle ne m'en a pas parlé. Elle n'aimait pas s'étendre sur ce qu'elle

appelait sa « phase noire ». Un peu comme
moi avec l'accident. On se l'est conté une fois,
pour sceller notre amitié, puis on n'en a plus
jamais reparlé. Si Estéban est revenu sur le
sujet, c'est juste à cause de son rapport avec
son nouvel emploi.

— Quand le lui a-t-il offert ?

— À peu près dans le même temps que
le retour de Simon, il me semble.

— Et tu n'en sais pas plus que ça, ni sur
lui ni sur l'emploi en question ?

Sébastien secoua la tête, luttant de nouveau contre son chagrin. Se détestant d'avoir
à y ajouter, Daniel lâcha la bombe aussi délicatement qu'il le pouvait.

— Elle a parlé à Simon de son nouveau
travail. Elle lui a dit que c'était sur un site
Internet, et qu'elle y jouait des rôles pour
stimuler la créativité d'handicapés.

La réaction ne se fit pas attendre. Pâle
comme la mort et tremblant de rage, Sébastien
s'écria :

— Non ! Elle ne se servait pas de moi,
ni de mes dessins, c'est pas vrai !

Daniel tendit la main et en couvrit le
poing serré de l'adolescent.

— Je ne dis pas qu'elle l'a fait. Elle peut
les avoir partagés sans penser à mal. Elle a pu
les montrer à Estéban juste par fierté de te les
avoir inspirés, et ça lui a donné, à lui, l'idée
de l'employer dans le même type d'activité.

Ou le lien est peut-être moins innocent. Mais il y en a un, Sébastien, dit-il en accentuant la pression de sa main. Tu es trop intelligent pour ne pas le voir, ta seule réaction le prouve. Et tu veux qu'on le retrouve, son assassin, n'est-ce pas ?

La couleur revint lentement au visage du garçon, qui renifla et hocha la tête. Le voyant plus calme, Daniel voulut retirer sa main, mais Sébastien s'y accrocha comme à une bouée. Daniel jeta un regard impuissant vers Sylvie, mais cette dernière ne fut pas dupe ; elle le savait ravi de cette excuse pour ne pas rompre le contact. Mais cela ne la dérangeait plus maintenant. Le garçon avait déjà vidé la majeure partie de son sac.

— Comment avez-vous trouvé Simon ? les questionna avidement Sébastien lorsqu'il se ressaisit.

— Sympa, avoua volontiers Sylvie.

— Dingue, répondit en même temps Daniel.

Sébastien eut un sourire à la fois triste et lumineux.

— C'est comme ça qu'elle me le décrivait, elle aussi. Sympa et dingue.

De sa main libre, il tira alors de sous son T-shirt une croix pendue à un cordon de cuir. La même croix qu'ils avaient vue au cou de Simon sur la photo qu'il leur avait montrée.

— Arianne m'a donné ça, le lendemain du restaurant. J'étais déprimé parce que j'avais revu dans le regard de Laurie tout ce qu'Arianne avait réussi à me faire oublier. Alors, pour me prouver qu'elle tenait réellement à moi, elle m'a embrassé et m'a passé cette croix autour du cou. C'était à Simon, il la lui avait donnée avant de partir en mission. Pour commencer, je ne voulais pas la prendre. Je savais combien elle y tenait ; elle la portait tout le temps. Elle ne l'enlevait même pas pour poser ! Mais elle m'a dit que si je l'aimais, je devais l'accepter.

Il y eut un silence, durant lequel Sébastien caressa la croix.

— J'aimerais la garder, avoua-t-il ensuite en toute honnêtêté. Mais si Simon veut la ravoir, je suis prêt à la lui rendre. Vous allez le lui dire ?

Daniel le lui promit et s'excusa d'avoir à passer aux formalités.

— As-tu vu Arianne en date du 19 juillet ?

— Oui. Elle est venue me rejoindre au parc. Mais plus tard que d'habitude, parce qu'elle avait soupé avec Simon.

— Que t'a-t-elle dit de cette rencontre ? demanda Sylvie.

— Pas grand-chose. Qu'elle lui avait cuisiné son plat préféré, et qu'il allait avoir une paroisse sur la côte Nord.

Ce fut au tour de Sylvie de sourire d'un sentiment qu'il aurait aimé tenir secret. Le soulagement, dans son cas. Mais elle n'y avait aucun mérite, l'adolescent dissimulait bien mal l'inquiétude que lui avait causé la proximité de son rival.

— Comment t'a-t-elle semblé ? reprit Daniel.

— Heureuse. Très affectueuse aussi.

— Plus que d'habitude ?

— Bien plus, avoua Sébastien en rougissant. Il n'y avait personne dans notre coin du parc, ils étaient tous à l'autre bout en prévision du feu d'artifice. Mais on était quand même dans un endroit public, sinon je pense que ça y aurait été ce soir-là. J'ai même dû me donner quelques minutes pour me refroidir un peu avant de rentrer, sinon M'man se serait aperçue de quelque chose.

— Tu es rentré à quelle heure ?

— Un peu avant neuf heures. La noirceur tombait, fit Sébastien avec amertume.

— Ça ne t'a pas tenté de défier la règle, juste pour une fois ?

— Des plans pour que ma mère vienne me chercher. Ça aurait été encore pire.

Daniel émit un grognement de sympathie. Il imaginait sans peine la frustration de l'adolescent. Si Arianne s'était montrée aussi chaude, alors qu'il faisait encore jour, quelles délices ne lui aurait-elle pas offertes sous le couvert de la nuit ? Et maintenant, il ne les connaîtrait plus jamais. Pas avec elle en tout cas. Sachant que Sébastien se disait la même chose, il lui serra un peu plus la main et poursuivit :

— Ensuite, es-tu resté chez toi toute la soirée ?

— Oui. Je ne sors jamais après la noirceur, à moins d'être avec ma mère. Comme vous vous en doutez, je préfère rester à la maison.

— Arianne avait-elle des ennemis ?

— Pas que je sache. Elle avait ses qualités et ses défauts, comme tout le monde, mais rien qui aurait pu amener quelqu'un à vouloir la tuer. Un crime sexuel, j'aurais trouvé ça encore plus dur à prendre, mais j'aurais au moins compris le motif.

Sébastien approchait de la limite de son endurance. Le constatant, les enquêteurs décidèrent tacitement de mettre fin à l'entrevue.

— Bon, je pense qu'on a pas mal fait le tour, dit Daniel. As-tu quelque chose à ajouter avant qu'on termine ?

Le garçon hocha la tête et expliqua avec effort qu'Arianne et lui « clavardaient » pratiquement tous les soirs à l'heure du bain de sa mère. Mais le soir du crime, sa mère avait été retenue au téléphone et elle avait pris son bain un peu plus tard qu'à l'accoutumée. Et lorsque Sébastien avait tenté de rejoindre Arianne, elle ne lui avait pas répondu.

— Elle te répondait toujours ?

— Oui, sauf quand elle sortait, ou qu'elle avait de la visite, mais elle m'en avisait toujours avant.

— Elle n'avait jamais de visite impromptue ?

— Pas à ma connaissance. Ari n'était pas une fille très sociable.

— Je vois. À quelle heure as-tu essayé de la contacter ?

— Aux alentours de dix heures. Mais il n'y avait pas de réponse.

Le regard de l'adolescent devint vague et un long gémissement de détresse lui échappa. C'en fut trop pour Sylvie. Elle se leva, posa son paquet de mouchoirs en papier sur la table et le laissa seul avec Daniel.

7

Attablée face à lui chez *Score's*, où ils s'étaient arrêtés pour dîner avant d'aller chercher l'ordinateur d'Arianne, Sylvie regardait Daniel s'attaquer sans enthousiasme au contenu de l'assiette qu'il venait d'emplir au bar à salade.

— Le régime lapin n'a pas l'air ton fort, commenta-t-elle, amusée.

— Non. Mais Johanne trouve que j'engraisse. Et j'ai mon *sundae* à expier.

Lorsqu'il était parvenu à réconforter Sébastien, Daniel l'avait emmené se rafraîchir le visage, puis il s'était offert une coupe glacée en sa compagnie, afin que sa mère ne croie pas qu'on l'avait bousculé. Il lui avait aussi donné tous les numéros où il pouvait être rejoint et avait dit au garçon qu'il pouvait l'appeler n'importe quand. Sylvie, qui avait été témoin de tout cela, regarda son collègue avec sollicitude. Ils s'étaient installés dans un de ces compartiments à banquettes, à l'abri des oreilles et des regards indiscrets. Pesant soigneusement ses mots, elle fit remarquer à Daniel que, malgré l'innocence quasi assurée du garçon, avoir cette relation avec lui à ce stade-ci de l'enquête risquait de nuire à son objectivité professionnelle.

— Tu ne m'apprends rien. Mais tu ne peux pas savoir ce que ça représente pour moi de partager des choses avec lui. C'est comme...

Il s'interrompit. Sylvie soupira. Pourquoi les hommes trouvaient-ils si difficile d'exprimer un sentiment, même quand tout leur être le criait à tue-tête ? Tant pis, elle irait au devant, comme d'habitude.

— Comme le faire avec ton fils ?

Daniel la regarda, étonné.

— N'aie pas l'air si surpris, ce n'était pas sorcier à deviner. C'était ça ou des tendances cachées, expliqua Sylvie en souriant. Tiens, prends donc un peu de mes côtes, ajouta-t-elle en lui tendant un bon tiers de sa portion de côtes levées. J'en ai trop, et tu fais pitié avec ta salade.

Daniel rit et lui tendit son assiette.

— Ça te manque d'avoir des enfants ? lui demanda Sylvie.

— Oui. Beaucoup de femmes pensent que ça ne nous travaille pas, nous autres, mais c'est faux. Moi, j'ai toujours voulu en avoir.

— Mais pas Johanne ?

— Je me suis marié sur le tard. Ça fait juste quatre ans qu'on est ensemble, Johanne et moi. Et elle... elle a eu de gros problèmes, disons. Elle a besoin d'une vie paisible et stable. Pour ça qu'elle s'est choisi un vieux.

— Tu ne m'as pas l'air si vieux que ça.

Curieux, Daniel lui demanda quel âge elle lui donnait. Sylvie répondit qu'en vue de son ancienneté, il ne pouvait guère avoir moins de quarante-huit ans, mais qu'il paraissait aisément cinq ans plus jeune.

— Tu es fine, dit Daniel en souriant, flatté. Mais j'en ai cinquante et un.

— Et après ? Tu n'es pas encore décrépit.

— Merci. Mais tu me vois partir une famille à mon âge ? De toute façon, Johanne ne voudrait pas en entendre parler.

— Mais est-ce qu'elle sait que ça te manque à ce point-là ?

— Non. Tu es la première à qui j'en parle.

Sylvie comprit qu'elle n'avait pas intérêt à le répandre. Elle remercia Daniel de sa confiance et lui dit que ça n'expliquait tout de même pas qu'il eût choisi de reporter toute cette paternité refoulée sur Sébastien. Après tout, il connaissait sûrement d'autres jeunes, non impliqués dans l'enquête, qui seraient tout aussi ravis d'en bénéficier.

— Mais justement, Sylvie, je ne l'ai pas *choisi*. Comment t'expliquer ? Je me sens bien avec lui. J'ai l'impression d'être avec une version plus jeune, plus belle et plus agréable de moi-même, plaisanta à demi Daniel en volant une frite à sa collègue.

— Et tu aimes ça ? Moi, j'en aurais des complexes.

— Pas moi. Je donnerais tout ce que j'ai pour pouvoir me vanter d'être son père.

Il lui fit cet aveu du ton calme des gens si habitués à leur souffrance qu'elle en devient presque une amie. Sylvie en fut bouleversée. Mais elle pensait malgré tout que Daniel devait conserver une certaine distance avec Sébastien, au moins jusqu'à la fin de l'enquête. Ne serait-ce que pour ne pas être accusé de parti pris. Daniel la fixa droit dans les yeux et lui dit qu'il appréciait son inquiétude, mais qu'il en ferait néanmoins à sa tête.

— Je suis là depuis assez longtemps pour savoir qu'on ne les résout pas toutes, nos enquêtes, Sylvie. Il y en a qui nous échappent complètement et d'autres qui stagnent pendant des années. Je ne peux pas le laisser en plan pendant tout ce temps-là ! Ce « p'tit » gars-là a déjà eu plus que sa part de malheur, et il vit présentement quelque chose de très dur. C'est maintenant qu'il a besoin de moi, pas dans cinq ans !

Sylvie s'inclina. Elle avait donné son avis et veillerait, en autant qu'elle le pouvait, à ce que l'obstination de son collègue ne se retournât pas contre lui.

Leur serveuse vint alors s'enquérir de leur satisfaction, ce qui rompit le charme. Ils terminèrent leur repas en échangeant des banalités. Lorsqu'ils eurent réintégré le four qu'était, à ce temps-ci de l'année, leur véhicule, Daniel décida de faire un crochet par chez Simon Pratte, en allant chercher l'ordi. Il voulait voir sa tête lorsqu'il apprendrait que Sébastien avait sa croix. Sylvie soupira. Ce côté vautour était, elle le savait, souvent nécessaire à leur métier, mais il lui déplaisait souverainement.

Simon accueillit cette nouvelle visite des détectives avec sérénité. De toute évidence, le prêtre avait repris le dessus sur l'amoureux en état de choc. Une vague odeur d'encens régnait dans le logis. Par contre, du système de son s'élevait la voix de Mick Jagger, affirmant sa sympathie pour le diable. Simon coupa le son, invita les enquêteurs à s'asseoir, puis leur offrit une boisson. Devant leur refus, il s'installa face à eux et attendit leurs questions. Daniel alla droit au but.

— Nous avons entrevu Sébastien ce matin.

Rien d'autre que de l'intérêt ne se lut dans le regard de Simon.

— Il a votre croix, l'informa Daniel. Celle que vous aviez donnée à Arianne. Il m'a demandé de vous dire que, si vous la vouliez, il était prêt à vous la rendre.

— Moi aussi, je... commença Simon, visiblement troublé.

Puis, se ressaisissant, il répondit qu'il appréciait sincèrement l'offre de Sébastien, mais qu'il ne songeait pas à lui retirer le cadeau d'Arianne. Une autre réponse eut étonné Daniel, mais il en fut néanmoins soulagé pour Sébastien.

— Je vois que vous avez un ordinateur, reprit-il en désignant un carton ouvert, en dehors duquel se trouvaient un écran, un clavier, une souris et des fils de branchement.

— Oui. C'en est un d'occasion, mais il devrait suffire à mes besoins.

— Votre horreur de l'Internet s'étend-elle au courrier électronique ?

— Je n'ai pas *horreur* de l'Internet. Je m'en méfie, ce n'est pas la même chose. Et non, je n'ai rien contre les courriels.

— Vous en servez-vous ?

— Pas présentement, mais j'en ai l'intention, oui. J'aime l'idée d'être accessible à tous mes paroissiens. Même à ceux qui sont plus aptes à s'ouvrir l'âme devant un écran. Au fond, cet anonymat n'est pas très différent de celui du confessionnal, vous ne trouvez pas ?

Daniel, qui se souvenait de son malaise lors des confessions mensuelles et obligatoires de son enfance, eut une moue dubitative.

— Il est pas mal moins impressionnant, en tout cas. Et je doute que ces idées plaisent à vos supérieurs.

— Ça dépend desquels, dit Simon en souriant. Tous ne sont pas fermés au progrès, vous savez.

— Pendant que vous étiez en mission, avez-vous communiqué par Internet avec Arianne ?

— Vous voulez rire ? On n'avait pas l'électricité et il n'y avait qu'un téléphone dans tout le territoire que je desservais. Il était au bureau de poste. J'appelais Arianne pour son anniversaire et à Noël. Le reste du temps, on s'écrivait.

— Avez-vous gardé ses lettres ?

Simon, qui s'était tendu dans l'attente de cette question, eut un soupir résigné.

— Je suppose que vous ne me croirez pas si je vous dis qu'il n'y a rien dedans qui puisse vous intéresser.

— Non, répondit Daniel avec douceur. Parce que tout ce qui concerne une victime de meurtre m'intéresse.

— Suis-je obligé de vous les remettre ?

Daniel admit qu'ils ne pourraient sans doute l'y contraindre par mandat. Mais sa collaboration volontaire pourrait les aider dans leur enquête. Simon ne désirait-il pas que l'on retrouve l'assassin de son amie ? De plus, toutes les lettres lui seraient éventuellement rendues, et nul autre qu'eux deux ne les lirait si elles ne s'avéraient pas pertinentes à l'enquête. Rassuré par cette promesse,

Simon se leva et alla à sa chambre. Il en revint aussitôt, porteur d'un coffret en bois décoré de figures maladroitement peintes.

— Un cadeau d'un de mes servants de messe, leur dit-il avec une pointe de fierté.

Il fit glisser le couvercle, et quelques lettres en jaillirent, tel un surplus de chair libéré d'un corset. Simon les rattrapa et les joignit aux autres d'une longue bande élastique. Il embrassa l'imposante liasse ainsi formée et la tendit aux détectives.

— Maintenant, si vous n'avez plus d'autres questions, j'aimerais être seul... s'il vous plaît.

— Une seule autre et on s'en va, promit Daniel. Arianne vous a-t-elle mentionné quelques-uns de ses copains internautes ?

— Pas plus spécifiquement que ses copains homos. Arianne était la discrétion même. Et quand on échangeait avec elle, on avait l'impression d'être la personne la plus importante au monde. C'était une amie merveilleuse.

— Bon, on vous laisse. On vous rend ça dès que possible, dit Daniel en tapotant les lettres.

Sentant Sylvie sympathique à son chagrin, Simon la retint sur le pas de la porte et lui souffla :

— Je vous en prie, veillez à ce qu'il ne les perde pas. À part quelques photos, c'est tout ce qu'il me reste d'elle, maintenant.

Sylvie hocha la tête et rejoignit son collègue.

De retour au bureau, Daniel vit que le médecin légiste avait cherché à le joindre. Il le rappela aussitôt. Les tests toxicologiques étaient tous négatifs. Daniel poussa un juron senti.

— J'ai pensé que ça te ferait plaisir, ricana son copain.

— Si elle n'était pas droguée, comment diable a-t-elle pu recevoir un coup aussi violent et garder cet air de princesse endormie ?

— Avait-elle les yeux ouverts ou fermés quand tu es arrivé sur la scène ?

— Fermés, répondit Daniel.

— C'est ce que je pensais. Si tu les avais vus ouverts, elle ne t'aurait pas paru si paisible. La mort est venue si vite que la peur n'a pas eu le temps de s'y enregistrer, mais son regard montrait qu'elle a senti le coup et qu'elle a été surprise. L'assassin a dû lui fermer les yeux en faisant le reste de sa mise en scène. Tu sais, les mains croisées, les roses, et tout ça.

— Et le presque sourire ?

— À moins que l'assassin soit un embaumeur, ça me surprendrait. C'est difficile pour un profane de jouer avec les muscles faciaux d'un cadavre, même encore tout chaud. Non, je pense plutôt qu'elle souriait vraiment juste avant le coup, et que la rapidité de la mort a fait que même sa surprise ne l'a pas effacé complètement.

— Donc, on parle d'un assassin avec qui elle aurait été assez intime pour l'accueillir en chemise de nuit et à qui elle aurait souri jusqu'à la dernière minute.

— C'est probable.

— Je connais ce ton. Il y a quelque chose qui te tracasse.

— Ouais, sa chemise de nuit justement. Je la regardais sur les photos et elle me faisait penser à un costume pour film d'horreur gothique.

— Oui, Sylvie m'a fait la même remarque, se souvint Daniel.

Et Arianne aimait les jeux de rôles, songea-t-il. S'était-elle vêtue de la sorte par pure fantaisie, ou cela avait-il un rapport avec le fameux site ? Le Dr Bélanger n'ayant plus rien à ajouter, Daniel le remercia et raccrocha. Puis il se tourna vers Sylvie, qui avait, entre-temps, communiqué avec le module des Crimes technologiques.

— Et alors ?

— Ça va aller à demain matin. Ils n'ont personne de libre présentement, l'informa Sylvie, s'attendant à ce qu'il rouspète.

Mais Daniel avait les lettres. Il haussa donc les épaules et dit :

— Je suppose qu'on peut se compter chanceux qu'ils nous fassent un trou si vite.

Viens, on va se trouver un coin tranquille pour lire ça.

Quelques minutes plus tard, ils étaient de nouveau enfermés dans la petite salle où ils avaient eu leur entretien avec Sébastien. Daniel déposa la liasse de lettres sur la table, la sépara en deux piles à peu près égales, et en poussa une vers Sylvie. Cette dernière s'en étonna jusqu'à ce qu'il dise :

— Voilà. On va lire chacun notre pile, et ensuite, on va se les échanger.

— Il me semblait aussi que tu voudrais tout voir toi-même, remarqua-t-elle, un brin déçue.

— Tu ne dois pas y voir un manque de confiance. Si je veux procéder ainsi, c'est pour comparer nos deux points de vue. Après tout, il est bien connu que deux personnes qui lisent le même texte n'en retiennent pas nécessairement les mêmes choses, où peuvent l'interpréter différemment. Combiner nos perceptions sera donc à la fois plus enrichissant et plus fiable ; on risque moins de laisser passer un détail qui pourrait s'avérer important plus tard. Bien sûr, si on voit quelque chose qui a un rapport immédiat avec l'enquête, on s'en avise tout de suite. D'accord ?

Sylvie sourit et hocha la tête. Les enquêteurs furent bientôt complètement absorbés par leur lecture. Arianne avait eu la plume prolifique, et même Sylvie se trouva, malgré elle, emportée par la vivacité et la gaieté de sa prose. Elle comprenait la répugnance de Simon à se départir de ces merveilles épistolaires. Il leur restait à lire près du tiers de leur première pile lorsque Daniel se rendit compte qu'ils approchaient de la fin de leur quart de travail.

— Merde ! s'exclama-t-il. J'aurais aimé qu'on finisse ça aujourd'hui.

Sylvie lui dit qu'elle n'avait pas d'objection à rester. C'était la soirée de quilles d'Alain avec son groupe de professeurs, il n'en revenait jamais avant minuit, et elle n'avait rien au programme ce soir-là. Daniel sortit pour appeler Johanne. Il revint avec deux gobelets de café, et ils se remirent à la tâche. Vers le milieu de la seconde pile, la faim se mit à les tenailler. Sylvie s'étira, afin de se dégourdir un peu, et s'offrit pour aller chercher à manger.

— Qu'est-ce que je te rapporte ? Une assiette de riz et légumes ou du « McDo » ?

La mine sombre, Daniel opta pour le riz, et Sylvie s'éloigna en riant. Lorsqu'elle revint avec le plat commandé et le lunch qu'elle avait négligé le midi, Daniel lui demanda ce qu'elle-même avait au menu.

— Du pâté chinois.

— Chanceuse !

— On change ? proposa-t-elle aussitôt.

— Ne te sens pas obligée, protesta Daniel sans conviction.

Sylvie rit et poussa vers lui son contenant *Tupperware*. Daniel en fit autant de son assiette, et tous deux se jetèrent, affamés, sur leur repas. Après l'avoir gobé en un clin d'œil, ils se remirent au boulot. Vers 21 h 30, ils avaient tout lu. Ils s'allouèrent une pause d'une quinzaine de minutes avant de comparer leurs notes.

— Qui commence ? demanda Sylvie lorsqu'ils reprirent leur place.

— Toi. La beauté avant l'âge.

Sylvie lui fit remarquer qu'elle n'était pas plus belle qu'il n'était vieux, puis elle passa à l'énumération des points qu'elle avait relevés.

Premier point : malgré leur longueur, les lettres d'Arianne contenaient très peu d'informations sur sa vie personnelle. Elles ressemblaient plus à des dissertations sur un thème choisi (l'homosexualité était revenue sept fois au cours des trois dernières années), comme si elle avait écrit à un prof plutôt qu'à son meilleur ami. Le ton des missives était toutefois très intimiste, et on devinait, à certains leitmotive, une conversation qui durait depuis bien longtemps.

Deuxième point : si elle était aussi déprimée qu'elle l'avait confié à Sébastien, l'exubérance de son ton n'en laissait rien paraître.

Troisième point : elle n'avait fait aucune allusion directe à Sébastien, mais ses lettres de la dernière année avaient été moins fréquentes, plus courtes, et le thème du handicap s'y était glissé avec régularité. Comme si elle avait voulu à la fois parler de lui et garder le secret.

Quatrième point : nulle mention n'y était non plus faite de sa fièvre internaute, d'Estéban, ni même du simple fait qu'elle avait abandonné ses cours. S'il ne s'était fié qu'à la teneur de ses lettres, Simon aurait pu croire qu'Arianne avait seulement changé d'université et n'occupait qu'à temps partiel les quelques emplois dont elle lui avait parlé.

Cinquième point : les neuf premières missives portaient toutes, au bas de la dernière page, une mystérieuse série de lettres et de chiffres.

Sylvie posa son bloc et vit Daniel la gratifier d'un large sourire.

— Bravo ! Cinq sur cinq!

— C'est ce que tu avais noté aussi ? s'étonna Sylvie, heureuse d'avoir réussi avec brio ce premier test.

— Oui. Et je crois savoir à quoi correspondent ces énigmatiques post-scriptum.

Il expliqua à sa collègue qu'il s'agissait, selon lui, d'un code dont usait Arianne pour parler d'amour à Simon sans le compromettre. Simon étant prêtre, il était certain d'avoir une Bible à sa portée. Or, la Bible comportait un chant très sensuel, intitulé « *Le Cantique des cantiques* ». Comme la librairie était fermée à cette heure, il avait profité de sa pause pour appeler l'aumonier du Service, afin de vérifier son hypothèse. De fait, *C.C.T.P.1(2)*, par exemple, signifiait « *Cantique des cantiques*, titre et prologue, partie 1, strophe 2* »*, laquelle disait :

« *Qu'il me baise des baisers de sa bouche.*
Tes amours sont plus délicieuses que le vin... »
— C'est dans la Bible, ça ? Tu ris de moi ! fit Sylvie, incrédule.
— Mais non, je t'assure ! Tu en veux d'autres ? *C.C.P.P.2(3)*, ce qui veut dire « *Cantique des cantiques*, premier poème...
— Partie 2, strophe 3 » compléta Sylvie, qui avait compris le principe.
— C'est ça. Et ça donne :
« *Comme le pommier parmi les arbres d'un verger,*
ainsi mon bien-aimé parmi les jeunes hommes.
À son ombre désirée, je me suis assise,
et son fruit est doux à mon palais ».
Suggestif, non ? Et attends, j'ai encore mieux !
C.C.S.P.(4-5). S.P., c'est pour «*Sexy Poem* », plaisanta Daniel.
« *Mon bien-aimé a passé la main par la fente,*
et pour lui mes entrailles ont frémi.
Je me suis levée,
pour ouvrir à mon bien-aimé,
et de mes mains a dégoutté la myrrhe,
de mes doigts la myrrhe vierge,
sur la poignée du verrou ».

Une fois revenue de son ébahissement, Sylvie s'exclama :

— Seigneur ! Je comprends maintenant pourquoi Simon était si réticent à nous les prêter ! Je serais bien curieuse de voir ce qu'il répondait à ça.

Daniel fronça les sourcils. Ils n'avaient en effet pas trouvé les lettres de Simon chez Arianne. Or, il ne pouvait croire qu'une fille aussi romantique qu'elle ne les aurait pas conservées.

— Elle les a peut-être très bien cachées, répondit Sylvie lorsqu'il lui en fit la remarque. On a fait une bonne fouille, mais on n'a pas tout passé au peigne fin. Peut-être aussi qu'elle les a détruites pour s'en exorciser.

— Dans ce cas, elle aurait coupé les ponts avec lui.

— Pas nécessairement. J'ai fait ça aussi avec les lettres de mon *chum* de jeunesse, et pourtant, on est encore en très bons termes. On a parfois de ces rages sentimentales, nous, les filles.

— Possible. Mais on va retourner voir. Pour répondre à ta question, si ce que Simon nous a dit est vrai, il devait la supplier d'arrêter ça. Peut-être même qu'il l'a menacée de ne plus lui répondre, si elle ne cessait pas. Ça expliquerait pourquoi il n'y en avait que sur les premières.

Sylvie le considéra avec curiosité.

— Comment ça se fait que tu connaissais le « *Cantique des Cantiques* »? Aurais-tu considéré la prêtrise, toi aussi ?

— Jamais de la vie ! s'esclaffa Daniel. Mais je n'ai pas été éduqué en athée, moi. La religion, c'était encore une matière importante dans mon temps.

— Et on vous enseignait ça ? insista Sylvie, sceptique.

— Penses-tu ! Les profs sautaient toujours par-dessus. Pour ça que je suis allé voir, répondit Daniel avec un sourire coquin.

Ils discutèrent ensuite de ce qu'ils avaient déduit des autres points. Daniel se déclara fort content d'avoir lu ces lettres, même si elles n'apportaient aucun élément précis à l'enquête. Elles lui confirmaient cependant l'exactitude des perceptions de Simon et de Sébastien en ce qui concernait la brillance intellectuelle d'Arianne (visible dans leur contenu), et sa couardise (visible, elle, dans les omissions). Elle n'avait, par exemple, pas parlé de Sébastien, même si elle en mourait d'envie, parce qu'elle savait que Simon désapprouverait une relation amoureuse avec un garçon aussi jeune.

— Ça, je peux le comprendre, dit Sylvie. Mais pourquoi lui avoir caché l'abandon de ses études, son flirt avec l'Internet, sa déprime ?

— Parce que c'était tout relié à lui, et elle ne voulait pas qu'il se sente coupable.

— Je me demande s'il y a déjà une sainte Arianne ? ironisa Sylvie.

— Pourquoi ? Tu trouves ça charrié ? demanda Daniel.

Sylvie nota avec plaisir que sa question ne contenait aucune animosité. Il avait enfin cessé d'idéaliser Arianne. Peut-être parce qu'elle-même avait cessé de la voir comme une démone, s'avoua-t-elle toutefois. Cela avait rétabli l'équilibre.

— Écoute, je ne suis pas particulièrement chipie moi-même, dit-elle. Pourtant, si Alain me faisait mal, je voudrais qu'il se sente coupable.

Daniel y réfléchit, puis lui donna raison. Sans doute Arianne avait-elle omis de mentionner ces failles à Simon davantage parce qu'elle craignait de perdre son estime que par noblesse d'âme. Quant au ton de ses lettres, peut-être reflétait-il son état d'esprit réel au moment où elle lui écrivait. Même en ayant les bleus, elle pouvait s'être sentie heureuse lorsqu'elle communiquait avec lui. C'était peut-être le seul moment où elle l'était vraiment. Du moins, jusqu'à sa rencontre avec Sébastien.

— Pour donner à Simon l'impression qu'elle poursuivait ses études, Arianne devait fréquenter beaucoup de forums, et même des sites universitaires spécifiques.

— Pas bête, ça, approuva Daniel. À défaut d'autre chose, ces lettres nous auront au moins donné une idée de ses goûts en matière de sujets à discuter.

— Avec Simon, lui rappela Sylvie. Ça ne veut pas dire que son exploration internaute s'est limitée à ceux-là, dit-elle en bâillant.

Daniel consulta sa montre et tressaillit en voyant qu'il était déjà vingt-trois heures. Il refit un paquet des lettres et s'excusa auprès de Sylvie de l'avoir retenue si tard. Il accompagna sa collègue jusqu'à son véhicule, puis il rejoignit le sien en espérant que son épouse dormirait à son arrivée.

8

Si Sylvie dormit comme une souche, Daniel connut, quant à lui, une nuit agitée de rêves. Dans le premier dont il se souvint, il se confessait à Simon de s'être masturbé en lisant « *Le Cantique des cantiques* ». « Eh bien ! crève ! » lui répondait doucement Simon derrière la grille. Le prêtre quittait alors sa partie du confessionnal, et Daniel, enfermé dans la sienne, se sentait étranglé par des mains invisibles. Il s'éveilla le souffle court et la gorge sèche. Il se leva et alla boire un verre d'eau. À la lueur d'un lampadaire, il vit deux matous se battre pour une femelle en chaleur. Sans doute par association, il rêva ensuite de Sébastien.

Le garçon était dans sa chambre, attendant Arianne. Lorsqu'elle arrivait, il lui indiquait la pose dans laquelle il voulait la dessiner et se détournait le temps qu'elle se dévête et s'installe. Mais lorsqu'il se retournait, Arianne n'avait pas bougé et le contemplait avec un sourire malicieux.

« Non, cette fois, c'est à ton tour », lui disait-elle.

Sébastien la regardait, pas très sûr d'avoir compris. Voulait-elle qu'il pose ? Elle ne lui avait jamais dit qu'elle dessinait aussi. Arianne secouait la tête. Elle n'avait aucun talent pour les arts visuels. Elle voulait simplement renverser les rôles. Être le modèle habillé devant l'artiste nu.

« Pourquoi ? »

« Parce que moi aussi, je veux te voir », avouait-t-elle sans honte.

« Tu dis ça comme si je te demandais de poser nue juste pour me rincer l'œil. Si tu doutes de mon intégrité artistique... »

Arianne s'élançait vers lui et l'interrompait d'un baiser.

« Excuse-moi, je ne voulais pas te blesser. Et non, je n'en doute pas. Même que c'est aussi pour ça que je veux te voir. Pour que tu puisses capturer sur mon visage combien je te trouve beau. »

Souriant du « aussi », Sébastien lui faisait remarquer avec douceur qu'elle le trouverait peut-être moins beau tout nu.

« Ce n'est pas très ragoûtant, des moignons, tu sais, pour quelqu'un qui n'est pas habitué. »

« S'il te plaît, s'il te plaît, laisse-moi te regarder ! » le suppliait Arianne, en agrippant de chaque côté la bordure de son chandail.

Sébastien hésitait brièvement, puis il hochait la tête et levait les bras. Arianne souriait, lui enlevait son coton ouaté et le lançait à l'autre bout de la pièce, de crainte qu'il ne change d'idée avant qu'elle ne puisse l'admirer à sa guise. Elle lui caressait alors longuement le haut du corps. Des yeux d'abord, puis, le voyant consentant, des mains et des lèvres. Le désir tendait le bermuda de Sébastien. Arianne, qui s'apprêtait à en déboutonner la ceinture, s'arrêtait pour contempler le phénomène.

« On n'est plus certaine de vouloir le reste ? » la narguait l'adolescent pour l'empêcher de reculer.

Arianne arrachait presque le bouton dans son empressement de lui prouver le contraire. Elle mettait toutefois plus de soin à descendre sa fermeture éclair, et Sébastien râlait de plaisir en la sentant palper au passage son érection. Mais lorsqu'il entendait choir au sol le vêtement qui, jusque-là, cachait à sa belle la réalité crue de son amputation, Sébastien se redressait et, d'appréhension, redevenait mou.

Arianne mimait le dépit et considérait les moignons avec une franche curiosité. Puis elle avançait la main vers eux et les caressait en disant :

« C'est bien moins laid que tu le disais. Avec le temps, je vais peut-être même leur trouver du charme. »

« Pousse, mais pousse égal ! » disait Sébastien, néanmoins rassuré.

Il écartait les cuisses, et la main d'Arianne acceptait avec promptitude l'invite. Elle l'excitait à nouveau, puis lui retirait son caleçon et se penchait sur lui. Mais, juste avant qu'elle ne le prenne, Sébastien la voyait avec horreur se transformer en une gorgone aux dents coupantes comme des lames de rasoir. Son cri jaillissait en même temps que son sang.

— Sébastien ! hurla Daniel en s'agitant.

— Dan ! Dan ! Réveille-toi !

Daniel fixa son épouse d'un air hagard, puis, la reconnaissant, il la serra dans ses bras.

— Tu as envie d'en parler ? offrit-elle.

— Pas vraiment, répondit Daniel avec un pâle sourire. Mais je prendrais bien une petite distraction. Si ça te tente.

Cet ajout était de pure forme. Car si Johanne était jalouse, elle n'avait, par contre, jamais la migraine.

En voyant sa collègue arriver fraîche comme une rose en ce jeudi matin, Daniel se sentit un quart de siècle plus âgé qu'elle. Sylvie se montra diplomate.

— Hum ! fit-elle. On est brulé par les caresses ?

— Entre autres, dit Daniel en souriant. À quelle heure est notre rendez-vous aux Crimes techno ?

— Neuf heures. Ils voulaient tout préparer avant notre arrivée.

Daniel jeta un coup d'œil à l'horloge. Ils n'avaient pas le temps de se rendre chez Arianne pour voir s'ils y trouveraient la correspondance de Simon. Ils descendirent donc prendre un café et un muffin, car ils savaient qu'une fouille d'ordinateur durait souvent plusieurs heures. Des spécialistes devraient aisément venir à bout de celui d'Arianne. Après tout, rien ne laissait supposer qu'elle eût été une criminelle endurcie cherchant délibérément à brouiller ses traces. Sinon, elle se serait bien gardée de parler de sites secrets à qui que ce soit. Tout au plus avait-elle dû protéger ses fichiers confidentiels d'un mot de passe. Daniel déposa son muffin à demi entamé et sortit son téléphone cellulaire. À Sylvie, qui s'enquérait de son appel, il répondit :

— Sébastien. J'ai oublié de lui demander quelque chose.

— Il ne sera sûrement pas réveillé. À moins de travailler, tous les ados dorment jusqu'à midi en vacances.

Juste pour la démentir, Sébastien répondit à la deuxième sonnerie.

— Allô! dit-il sans la moindre trace de sommeil dans la voix, ce qui valut à Sylvie un sourire triomphant de son collègue.

« Gnan-gnan-gnan », mima-t-elle avant de retourner à son muffin.

— Salut, Sébastien. Dan Asselin. Ça va ?

— Pas mal. Et vous ?

Daniel se sentit aussi soulagé d'entendre l'adolescent que s'il avait réellement échappé à une gorgone.

— Même chose, répondit-il. Et tu peux me tutoyer. Écoute, je ne te retiendrai pas longtemps. On va fouiller l'ordi d'Arianne tantôt, et je me disais qu'elle aurait peut-être verrouillé certains fichiers d'un mot de passe. Est-ce qu'elle te donnait un surnom ?

Sébastien hésita un moment, puis, avec la même réticence qu'avait eue Simon à leur remettre les lettres d'Arianne, il répondit :

— Séti. Elle m'appelait Séti, parce que, dans mon fauteuil, je lui faisais penser à un pharaon sur son trône. En tout cas, c'est ce qu'elle disait.

Daniel frissonna. Il ne prisait guère la relation que son esprit venait d'établir entre l'Égypte et les serpents, les serpents et la gorgone. Il éprouvait aussi un certain trouble à la pensée que son rêve, la dernière partie en moins, aurait pu se passer tel quel dans la réalité. Même si Sébastien leur avait dit qu'Arianne ne l'avait jamais touché avant ces dernières semaines, il aurait été présomptueux de supposer que l'adolescent aurait volontiers partagé avec eux une expérience aussi intime. Surtout s'il n'y voyait aucun rapport avec le crime. Sébastien s'inquiétant de ce long silence, Daniel s'excusa en disant qu'il rêvait de l'Égypte.

— Sais-tu si Arianne a détruit les lettres de Simon ?

— Elle n'aurait jamais fait ça ! Enfin, je ne pense pas.

— Même pas pour te faire plaisir ?

— Je ne lui aurais jamais demandé ça. J'étais déjà mal à l'aise qu'elle me donne sa croix, alors...

— Oh ! en passant, il a dit que tu pouvais la garder.

— *Cool*! Merci !

— Ce n'est pas moi que tu dois remercier, je te passe juste le message. Pour en revenir aux lettres de Simon, si elle ne les a pas jetées, sais-tu où Arianne pourrait les avoir cachées ?

— Comme je vous... te le disais, je ne suis jamais allé chez elle, alors je ne pourrais pas te dire où exactement elle les rangeait, mais je sais qu'elle les gardait dans un coffret à tisanes en gros carton épais, comme ceux qu'il y a dans les restaurants. C'est peut-être de là qu'il venait d'ailleurs.

— Ah ! Parce que tu l'as vu ?

— Oui. C'est comme ça qu'Arianne m'a parlé de Simon. On commençait à se tenir ensemble, et elle était encore fixée sur lui. Je suppose qu'elle attendait juste l'occasion de m'en parler. Alors quand elle m'a vu avec un livre sur les Andes, elle m'a dit qu'elle avait un copain qui vivait par là, et qu'il lui en avait parlé dans quelques lettres. Le lendemain, elle a apporté sa boîte et m'a lu les passages en question. Il est excellent dans les descriptions. J'avais l'impression d'être là.

— Elle était de quelle couleur, la boîte ?

— Vert foncé, avec du doré dessus.

— Il va falloir qu'on y aille. Merci de ton aide, Sébastien. Passe une bonne journée.

— Dan ? Tu me tiendras au courant si vous trouvez quelque chose ?

— De tout ce que je peux. Promis.

Daniel coupa la communication. Puis, voyant qu'il approchait neuf heures, il goba le reste de son muffin.

L'expert en crime informatique, un grand gaillard à l'air doux, mais au regard acéré, que tout le monde appelait Bernie, eut vite fait de pénétrer l'ordinateur d'Arianne. Comme l'avait présumé Daniel, la jeune femme s'était crue suffisamment protégée des intrus en conservant ses fichiers personnels sur des disques inscriptibles et en les verrouillant d'un mot de passe.

« Séti » ouvrait ceux où elle avait conservé les dessins de Sébastien, ainsi que leurs échanges électroniques. Ces recoins de la mémoire informatique que Bernie surnommait affectueusement « les oubliettes » leur en révélèrent deux autres : «*Roni*» et «*INRI*». «*Roni*» se rattachait au disque contenant des photos et de la correspondance familiale. Mais «*INRI*» leur réservait une surprise : plus de cinquante photos sur lesquelles Arianne, nue ou dans l'un ou l'autre de ses déshabillés les plus grivois, s'affichait, en tenant sa croix bien en évidence, dans des poses qui, sans y glisser, n'en frôlaient pas moins la vulgarité. Sylvie observa Daniel, mais ce dernier contemplait le tout avec un détachement critique.

— On dirait un acte de révolte, remarqua-t-il enfin. Il n'y a aucune sensualité là-dedans.

— Entièrement d'accord. Il y en a cent fois plus dans les dessins du « p'tit » gars, même ceux où la seule peau qu'on voit, c'est la face, commenta Bernie. Mais il reste que c'est tout un pétard ! Veux-tu les imprimer ?

— Trois ou quatre peut-être, répondit Daniel. Pour nos dossiers, précisa-t-il devant le regard ironique de Sylvie. Peux-tu m'agrandir son visage ?

— Je peux agrandir tout ce que tu veux, l'informa Bernie avec un sourire lubrique.

— Le visage va me suffire, merci.

— « Casseux de *party* »! lui lança Bernie tout en exécutant la commande.

En gros plan, la colère et le désespoir d'Arianne crevaient l'écran. On avait peine à croire que cette fille avait été la muse enjouée et vibrante de Sébastien.

— Hé ! s'exclama Sylvie. Il fallait qu'il y ait quelqu'un pour prendre ces photos-là !

— Pas nécessairement, la détrompa Bernie. Elle aurait pu fixer une caméra numérique à son ordi, ou même utiliser une caméra standard avec déclencheur à retardement, et ensuite transférer les photos sur disque à l'aide du scanner, expliqua-t-il en tapotant le numériseur d'images en question.

— Oh ! fit Sylvie, déçue.

— Tu sais, je ne pense pas qu'elle aurait pu prendre ce genre de poses devant un gars, et être encore vierge, lui dit Daniel. En plus, on voit que toutes ces photos ont été prises du même angle ; donc, l'hypothèse de la caméra fixe a du bon sens. Mais tu as raison, Sylvie, on a quand même un élément à poursuivre là-dedans.

Sylvie fronça les sourcils, puis son visage s'éclaira.

— La caméra ! On n'a retrouvé chez Arianne ni caméra ni équipement pour développer des photos. Or, si Arianne a utilisé une caméra conventionnelle lors de la prise de ces photos, elle n'aurait pas risqué de les faire tirer par un laboratoire commercial !

Daniel se tourna vers Bernie.

— Peux-tu me dire quand ces photos ont été faites, et si elle les a partagées avec quelqu'un ?

— Peut-être pas pour les originaux, mais pour leur version numérique, oui.

Au bout d'un moment, Bernie informa les enquêteurs que toutes les photos avaient été intégrées au disque inscriptible entre novembre 1996 et avril 1997. De plus, leur victime avait, en date du 17 mars 1998, envoyé la copie intégrale de ce disque à un correspondant Internet, dont il releva l'adresse électronique.

— Peux-tu y aller ? lui demanda Daniel.

— Je peux essayer, répondit Bernie.

Daniel et Sylvie le regardèrent avec fascination pianoter sur les touches du clavier. Lorsqu'il eut complété l'adresse, au lieu de la traditionnelle page Web, un petite boîte de dialogue apparut au centre de l'écran.

« *Password/Mot de passe* », y lurent-ils.

Bernie consulta la liste de chinoiseries que lui avait plus tôt crachée l'imprimante reliée à l'ordinateur d'Arianne, et savoura la mine édifiée de ses collègues profanes en le voyant aussitôt y trouver l'information demandée. Il revint au curseur et tapa : « *Salome* ». Une autre boîte leur apparut, aussi cinglante qu'une gifle.

« *Accès refusé. Cliquer sur Ignorer pour poursuivre ou sur Fermer pour fermer l'application.* »

Bernie cliqua sur « *Ignorer* », ce qui les ramena à la case «*Adresse*». Il se tourna vers Daniel et Sylvie, et leur expliqua qu'Arianne avait, semblait-il, été rayée de ce site. Ils pour-

raient toujours essayer de localiser le proprié-
taire de l'adresse via le fournisseur de service,
mais il doutait qu'ils l'obtinssent sans mandat.

— Les fournisseurs tiennent beaucoup à
leur clientèle, vous comprenez. La concur-
rence en ce domaine est devenue très forte,
et ils ne peuvent pas se permettre de perdre
la confiance de leurs clients.

— Peut-être, mais ça ne nous aide pas. Il
n'y a pas un juge qui va nous signer un mandat avec le peu d'éléments qu'on a pour relier
ce site-là au crime.

— Pourquoi pensez-vous qu'il l'est ? demanda Bernie, curieux. Les dernières photos
remontent à plus de trois ans. Et il n'y a rien
dans votre affaire qui indique un crime sexuel.
Votre victime n'a même pas été agressée !

— Parce qu'on a des raisons de croire
qu'elle a gardé contact avec un correspondant de cette époque-là, qui, lui, pourrait être
suspect. Et puis, il y a autre chose que du sexe
dans ces photos-là, dit Daniel, les sourcils
froncés. Même que je pense que le sexe est
secondaire. Ce qui prime, c'est la croix. Peux-
tu revenir dessus ?

Bernie fit défiler de nouveau à l'écran le
contenu d'*INRI*.

— Vous voyez ? s'anima Daniel. Sur
toutes les photos, il y a au moins un morceau
d'elle qu'on ne voit pas, parce que sa pose
fait qu'il est caché à la caméra. Mais il n'y en

pas une seule, même pas celles où elle pose de dos, où sa croix n'est pas bien visible.

Croyant comprendre où il voulait en venir, Sylvie dit :

— Parce qu'elle faisait ça pour défier Simon. Pour lui rappeler ce qu'il manquait.

— Non. Si sa colère avait été dirigée contre Simon, elle n'aurait pas été capable de lui écrire comme elle le faisait. Je pense qu'elle défiait Celui qu'elle tenait responsable de sa perte.

— *INRI.* « Celui-ci est le roi des Juifs », murmura Sylvie.

— Je vois qu'on vous a appris au moins la base, railla Daniel.

— Juste pour qu'on sache pourquoi on avait congé à Pâques et à Noël, répliqua Sylvie sur le même ton.

Daniel sourit et dit que, si on acceptait cette hypothèse, il n'était pas inconcevable qu'Arianne eût recherché des sites où elle pouvait partager sa révolte.

— Et elle aurait rencontré Estéban sur l'un d'eux, dit Sylvie.

— Lui ou quelqu'un d'autre qui l'aurait introduite à ce site où on ne peut pas entrer. Après tout, si l'accès est restreint à certaines personnes, il a fallu un membre pour la parrainer.

— Si je comprends bien, dit Bernie, vous voulez que je sorte tous les sites qu'elle a fréquentés dans ce temps-là ?

— Tous les sites à connotation religieuse que tu peux trouver, peu importe la période. J'aimerais aussi avoir ceux qu'elle a visités de façon régulière, et toute adresse reliée soit aux photos ou aux dessins.

— Un chausson avec ça ? ironisa Bernie.

— On t'en demande pas mal, hein ?

— Un peu, oui.

— Dans ce cas, on te laisse travailler en paix et on repassera en fin de journée voir où tu en es.

— Bonne idée ! approuva Bernie.

Bien qu'il appréciât l'admiration béate de ses collègues, Bernie préférait de beaucoup œuvrer en solo. Daniel et Sylvie lui laissèrent leur numéro de téléavertisseur, au cas où il voudrait les rejoindre avant leur retour, puis ils partirent voir quel véhicule on leur avait laissé.

Il pleuvait à verse lorsque Sylvie et Daniel émergèrent du garage à bord d'une auto qui avait un problème électrique intermittent. À l'heure où ils avaient quitté Bernie, les meilleurs véhicules étaient tous sortis. Heureusement, les essuie-glaces fonctionnaient ce jour-là à merveille.

— Il ne sera sûrement pas dans le parc par ce temps de chien, dit Daniel.

— Je croyais qu'on allait chez Arianne ? s'étonna Sylvie.

Daniel le lui confirma, mais ils passeraient d'abord chez Sébastien lui emprunter ses catalogues.

— Ceux de lingerie ? Pour quoi faire ?

— Parce qu'il était sur l'impression qu'elle avait acheté sa lingerie pour lui. Or, les photos nous prouvent qu'elle en avait déjà au moins une partie. Et j'aimerais voir si celle qu'elle regardait avec lui correspondait à ce qu'elle avait déjà.

— Tu ne vas pas lui parler de ces photos ? s'indigna Sylvie.

— Non, pas à moins d'y être obligé. Je ne voudrais surtout pas gâcher son plaisir d'avoir la croix.

Il y avait une borne-fontaine devant la maison des Boyer ; Daniel dut donc se garer quelques portes plus loin. Ni l'un ni l'autre n'avait emporté de parapluie, et il pleuvait si fort que cette courte distance suffit à tremper les enquêteurs. Sébastien leur ouvrit sans qu'ils eussent à sonner. Il les regarda, amusé, dégouliner sur le paillasson, puis il leur lança la serviette qu'il avait accrochée au passage, leur dit d'enlever leurs chaussures, et les précéda dans sa chambre. Lorsqu'ils l'y rejoignirent après s'être raisonnablement asséchés, le garçon avait déplié à leur intention deux chaises imitant celles des plateaux de cinéma.

— Je reviens dans deux minutes, leur dit-il en s'éclipsant vers la cuisine.

Daniel et Sylvie regardèrent autour d'eux avec curiosité. Outre l'ordinateur, tout dans cette chambre témoignait du handicap de Sébastien. Des barres accrochées ici et là aux murs, aux côtés du lit, à la baignoire et près de la toilette dans la salle de bain attenante lui servaient de levier lorsqu'il devait quitter son fauteuil. Des anneaux de gymnastique pendaient du plafond dans le coin où, de toute évidence, Sébastien exerçait ses muscles. Sa table à dessin était installée de façon à ce qu'il puisse y travailler à l'aise de son fauteuil. Une sorte de pince, lui permettant de saisir des objets rangés trop haut ou trop bas pour lui, était accrochée au côté de sa commode. Pas moyen de s'imaginer ici que Sébastien était comme n'importe quel autre adolescent. Ce dernier, qui revenait avec une cafetière et un plateau contenant tasses et biscuits, sembla lire leur pensée.

— Ma mère fait tout pour me faciliter les choses, leur dit-il avec amertume. C'est gentil, mais c'est parfois déprimant.

Daniel, qui se levait justement pour le débarrasser, se ravisa. Sébastien lui sourit et alla d'abord servir sa collègue.

— On ne sera pas longtemps, l'informa Daniel. On arrêtait juste en passant pour t'emprunter tes catalogues.

Sébastien haussa un sourcil.

— Pourquoi ?

Sylvie regarda Daniel avec défi. Elle avait hâte de voir comment il justifierait cette demande sans parler des photos. Daniel prétendit s'intéresser à ce qui l'inspirait. Devant le scepticisme de Sébastien, il avoua qu'il avait sa petite idée, qu'il préférait taire pour l'instant. Sébastien haussa les épaules et alla au placard près de sa table à dessin. Il en tira une pile de catalogues et les passa en revue. Il en retint quatre, qu'il remit à Daniel. L'enquêteur feuilleta le premier et tomba en arrêt sur une nuisette de satin camélia, à côté duquel se trouvait un « X » marqué au crayon noir.

— Ta préférence ? demanda-t-il.

Sébastien sourit et expliqua que les « X » noirs indiquaient, selon Arianne, ses « préférences avouées ». Elle-même marquait d'un « X » rouge ce qu'elle croyait être les préférences réelles de Sébastien.

— Je vois, dit Daniel en décelant un de ces « X » rouges près d'un déshabillé pas mal plus osé. Avait-elle raison ?

— Non. Je préfère la vraie nudité à la fausse. Mais je ne la détrompais pas, parce que je voyais que ça l'excitait, elle, de s'imaginer en train de m'enlever mes inhibitions. Et de l'exciter m'excitait, moi.

— Où posait-elle ?

Sébastien désigna un coin où il eut été impossible à quiconque de l'apercevoir de la fenêtre. Sa mine devint douloureuse et Daniel s'en voulut d'avoir évoqué ce souvenir. Mais l'adolescent se ressaisit bientôt et demanda :

— Avez-vous trouvé quelque chose dans son ordi ?

— Notre expert y travaille encore. C'est très technique comme recherche, et on l'embêtait plutôt, alors on a décidé d'aller chez Arianne en attendant, pour essayer de trouver la fameuse boîte.

— Je peux y aller avec vous ?

— Eh bien !...

Voyant Daniel regarder Sylvie, Sébastien se tourna vers elle.

— S'il vous plaît ! Je vous promets de ne toucher à rien. Je veux juste... voir où elle vivait.

Sylvie le considéra avec sympathie.

— Pour pouvoir imaginer vos fiançailles ? Ce n'est peut-être pas une bonne idée.

— Il va finir par m'emmener quand même, si j'insiste, répondit l'adolescent avec l'arrogance de la jeunesse. Aussi bien qu'il le fasse devant vous. Comme ça, vous n'aurez pas que sa parole que je n'ai touché à rien.

Sylvie le fixa dans les yeux et, maîtrisant le trouble dans lequel ils la plongeaient, elle lui répondit avec douceur et fermeté :

— Mais sa parole me suffit, Sébastien. J'ai confiance en lui et je le respecte. Et je pense que tu devrais le respecter, toi aussi.

Sébastien ouvrit la bouche pour protester, puis la referma. Il saisissait ce qu'elle voulait dire. « Il te traite comme son gars, alors qu'il n'y est pas obligé. Même qu'il prend un risque en le faisant. Et toi, tu agis comme s'il était sous tes ordres. Ce n'est pas correct. »

— Vous avez raison, dit-il d'une voix enrouée. Je m'excuse.

Daniel lui serra le bras.

— Ça va, fils. Je comprends.

Et de fait, dans cet univers où le handicap du garçon était omniprésent, Daniel mesurait pleinement l'immensité de sa perte. Il devait lui être pénible d'y être captif, sans Arianne pour l'illuminer de son sourire, l'égayer de sa fantaisie, l'érotiser de sa sensualité, et, surtout, le normaliser de son amour. Rien d'étonnant à ce qu'il veuille le fuir, et retrouver chez elle un peu de ce qui lui avait été enlevé.

— Des fois, dit Sébastien, j'ai l'impression que tout ça est un cauchemar. Qu'à un moment donné, je vais répondre au téléphone, et que ça va être elle. Ou qu'elle va venir me rejoindre au parc et me dire en riant que je lis trop de trucs morbides. Je ne peux pas croire que je ne la reverrai plus jamais ! Quand j'y pense, je veux mourir.

Daniel et Sylvie se regardèrent, chavirés. Ils ne pouvaient l'abandonner ainsi.

— Ta mère ne va pas s'inquiéter si on t'emmène avec nous ? lui demanda Daniel.

Sébastien secoua la tête. Pas s'ils le ramenaient avant son retour. Elle l'avait appelé juste avant leur arrivée. Et puis, il pouvait lui laisser un message au cas improbable où elle rappellerait.

— Alors, c'est d'accord ? Je peux venir ?

Sylvie y consentit avec un soupir. Elle n'aimait pas tellement l'idée, car sa présence les empêcherait de parler librement. Mais si elle s'objectait, et qu'il commettait une bêtise, elle ne se le pardonnerait jamais, et Daniel encore moins.

Sébastien déplia son fauteuil transportable en un rien de temps et le poussa sous les anneaux de gymnastique. Daniel et Sylvie l'observèrent, fascinés. Il s'éleva de son fauteuil régulier par la seule force de ses bras, attrapa un anneau, puis l'autre, fit un demi-tour ainsi suspendu, s'agrippa un bras à la fois au fauteuil transportable et s'y installa en souplesse. Toute la manœuvre lui prit au plus deux minutes. Souriant de leur mine ébahie, il dit :

— Pas mal, hein ? Ça fait environ cinq mois que je pratique ça. Ça change des tractions ordinaires. On y va ?

Dehors, la pluie avait cessé. Sébastien se hissa sans aide sur le siège arrière et indiqua à Daniel comment plier le fauteuil. Chemin faisant, il lui dit :

— J'ai rêvé de toi la nuit passée. Je ne me souviens pas du rêve lui-même, mais je me souviens de t'avoir entendu crier mon nom. Ça m'a réveillé.

Assise à l'avant avec lui, Sylvie vit son collègue ciller. Il répondit qu'il n'avait pas très bien dormi non plus, mais fut sauvé d'en dire plus par le fait qu'ils étaient arrivés. Tandis que Daniel dépliait son fauteuil, Sébastien contempla, la gorge nouée, l'immeuble où Arianne s'était installée pour lui. Un petit tour d'ascenseur plus tard, ils pénétraient dans l'appartement. Fidèle à sa promesse, l'adolescent s'en emplit les yeux et le cœur, sans toucher à quoi que ce soit.

— Regardez dans les armoires ou la dépense, conseilla-t-il aux enquêteurs, qui cherchaient la boîte. C'est le meilleur endroit pour cacher un coffret à tisanes, si on ne veut pas attirer l'attention dessus.

Lui-même resta au salon, où il admira une vitrine derrière laquelle se trouvaient plusieurs poupées vêtues de costumes médiévaux. Il irait à la cuisine plus tard, lorsque les policiers y auraient terminé leurs recherches. Ils trouvèrent vite la boîte, mais s'assurèrent malgré tout que la pièce ne contenait rien d'autre qui était susceptible de les intéresser. Lorsqu'ils revinrent au salon, Sébastien n'y était plus.

Ils le trouvèrent au pied du lit, regardant le mur en face de lui et pleurant en silence.

En sa présence, il devenait évident qu'Arianne avait disposé sa chambre en fonction de lui. Elle avait meublé au maximum la gauche, afin de lui laisser le plus d'espace de manœuvre possible du côté de la porte.

— Ça va, fils ? demanda Daniel en pressant l'épaule de Sébastien.

Ce dernier, qui ne les avait pas entendus arriver, tressaillit et essuya vivement ses larmes.

— Il aurait dû y avoir un de mes dessins d'elle là, informa-t-il les détectives en pointant le mur au-dessus de la tête du lit. Elle l'avait fait encadrer et elle m'avait dit qu'il était dans sa chambre.

— Ils sont pas mal sensuels, tes dessins, remarqua Sylvie. Elle l'a peut-être rangé quelque part pour ne pas offenser Simon.

Sébastien se remit à pleurer. Daniel comprit soudain ce qui bouleversait le garçon. Il craignait que sa belle n'eût donné son dessin à Simon en gage d'amour, comme elle l'avait fait pour lui la croix de Simon. Daniel attira l'adolescent contre lui et le rassura. Arianne avait demandé à Simon de bénir leurs fiançailles. Quelle meilleure preuve pouvait-il avoir du sérieux de ses intentions envers lui ?

— C'est vrai ? Tu ne dis pas ça pour me faire plaisir ?

— Ai-je l'air d'un « conteux de pipes » ? dit Daniel en souriant.

— De toute façon, je ne pense pas que Simon ait ton dessin, renchérit Sylvie. Il m'a dit que tout ce qu'il lui restait d'Arianne étaient ses lettres et quelques photos. Décris-nous le dessin, au cas où l'assassin l'aurait emporté.

C'était un simple dessin 16 x 20, les informa Sébastien. Arianne y était vêtue d'un jean et d'un chemisier moulants. Il n'y avait pas de décor ; seul un fond contrastant comblait les quelques vides laissés par le portrait. Lorsque Daniel eut noté ces détails, Sébastien demanda à voir la lingerie d'Arianne. Les enquêteurs échangèrent un regard.

— Tu sais, fils, soupira Daniel, une des choses qu'on découvre vite dans mon métier, c'est que les gens sont souvent plus... complexes qu'ils en ont l'air. Ils sont telle chose pour un, et telle chose pour un autre, et pas méchamment, là ! C'est juste qu'il y a des gens, ou des circonstances qui, des fois, vont faire sortir certains aspects de leur personnalité que...

— Si tu essaies de me dire que je pourrais être déçu, tu te trompes, l'interrompit Sébastien. Il n'y a *rien* qui pourrait me faire changer d'avis sur Arianne. Je ne l'aimerai jamais moins malgré ce qu'elle a pu faire avant moi. Et en plus, je sais qu'elle s'est déjà montrée à d'autres. Elle me l'a avoué quand on s'amusait avec les catalogues. Elle m'a dit qu'avant d'être serveuse, elle avait participé à quelques vidéos de danse en petite tenue, dans le cadre d'un projet de recherche sur « les vertus thérapeutiques du voyeurisme dans le traitement des dysfonctions érectiles », leur énonça l'adolescent d'un ton pointu. Le pire, c'est qu'elle y croyait !

Daniel le regarda, sidéré.

— Pourquoi ne nous as-tu pas dit ça hier, au lieu de nous donner à croire qu'elle avait tout acheté ça rien que pour toi ?

— À cause d'elle, avoua le garçon en désignant Sylvie. Elle avait déjà fiché Ari comme « agace-pissette », alors je ne voulais pas apporter d'eau à son moulin.

Sylvie rougit. En d'autres circonstances, Daniel en aurait été amusé, mais il était en ce moment trop préoccupé par l'importance de ce que l'adolescent avait tu.

— Sébastien ! On enquête un meurtre ! Tu ne peux pas garder pour toi des détails comme ça par peur de ce qu'on pourrait penser d'elle ! Tu veux qu'on retrouve son assassin, non ?

— Ça ne la ramènera pas ! s'écria Sébastien avec désespoir.

— Non, mais ça peut empêcher le meurtrier de récidiver et de causer d'autres souffrances. À quoi as-tu perçu qu'Arianne croyait réellement aux bienfaits thérapeutiques du voyeurisme ?

— À la passion avec laquelle elle défendait l'idée qu'une fille – ou un gars – pouvait faire du bien à des personnes impotentes ou incapables d'autre sexualité que de se rincer l'œil, en se pavanant devant elles dans des tenues suggestives. Elle disait qu'il était même noble de mettre un peu de beauté et de sensualité dans leur vie.

— Tu n'as pas l'air d'accord, nota Daniel.

— Quand on veut, on peut trouver des motifs nobles pour n'importe quoi. Même les pédophiles en trouvent pour se branler devant des photos de « ti-culs », commenta Sébastien avec cynisme. Oui, ça peut être le *fun* de se rincer l'œil. Et non, ce n'est pas nécessairement malsain. Je le sais, je le fais souvent. Mais je ne me fais pas et ne me ferai jamais accroire que c'est noble.

Daniel sourit. Sylvie ne pourrait plus douter de la lucidité du garçon.

— Arianne connaissait-elle ton opinion là-dessus ?

— Oui. Je ne sais pas si je l'ai convaincue, par exemple, on n'en a plus reparlé après. Maintenant, est-ce que je peux la voir, sa lingerie ?

Daniel haussa les épaules et sortit de sa mallette deux sacs bruns marqués des lettres « *Évidence* », tout en instruisant Sébastien de lui remettre la lingerie qui l'indifférait ou qu'il n'aimait pas, et de remettre à sa collègue celle qu'il aurait aimé voir Arianne porter.

— Et si tu vois quelque chose qui ne pourrait absolument pas se trouver dans tes catalogues, tu le mets de côté. On se comprend ?

Sébastien hocha la tête, contrit. Il examina et palpa tout, avant de le plier avec soin et de le remettre à l'enquêteur désigné. Sylvie et Daniel notèrent alors que tous les déshabillés utilisés dans les photos s'étaient retrouvés dans le sac de Daniel, et que celui de Sylvie ne contenait que quelques ensembles plus sensuels qu'égrillards. Ce qui tendait à prouver qu'Arianne avait effectivement acheté une partie de sa lingerie juste pour Sébastien.

— Ma mère aurait pu lui vendre tout ça, leur dit Sébastien comme les enquêteurs inscrivaient le dernier article dans leurs sacs respectifs. D'ailleurs, elle a une démonstration demain soir, si ça vous intéresse.

— Ça m'intéresserait, mais je ne peux pas, s'excusa Daniel. C'est l'anniversaire de ma femme et ça fait déjà deux semaines qu'elle me rappelle qu'on va au théâtre d'été ce soir-là. Elle n'apprécierait pas un changement au programme.

Sylvie, qui se remémorait la réaction d'Alain à seulement l'imaginer dans de tels vêtements, regarda Sébastien et dit :

— Moi, je peux. Les enfants arrivent juste samedi. Et mon copain pourra toujours jouer aux échecs avec toi, si une démonstration de lingerie l'embarrasse. Mais je t'avertis, il est prof de maths et fort à ce jeu.

— *Cool!*

— Ça ne dérangera pas ta mère ?

— Non. Plus elle a d'acheteurs potentiels, mieux c'est. Je vais l'avertir de vous ajouter sur sa liste.

— Très bien. Bon, il faudrait y aller, Dan. Bernie va nous attendre.

— Oui, c'est vrai.

— Merci, glissa-t-il à l'oreille de Sylvie, comme Sébastien faisait un dernier tour des lieux.

Sylvie, qui savait ce remerciement dû au changement d'humeur de l'adolescent, lui répondit d'un clin d'œil. Dix minutes plus tard, ils déposaient Sébastien chez lui et repartaient voir ce que Bernie avait pu extirper des tripes de l'ordinateur.

Bernie accueillit les détectives d'un grognement amical, puis il les informa, le regard toujours rivé à l'ordi, qu'il n'avait pas encore tout à fait terminé et préférerait qu'ils reviennent le lendemain. Comme il restait peu de temps à leur propre quart de travail, ils obtempérèrent sans rechigner. Dans l'ascenseur qui les ramenait au quatrième, Sylvie demanda à son collègue pourquoi il avait tiqué lorsque Sébastien lui avait dit avoir rêvé de lui.

— Il n'y a pas grand-chose qui te passe sous le nez, toi !

Il hésita un instant, puis il lui avoua qu'il avait effectivement crié son nom suite à un cauchemar.

— D'ailleurs, je ne sais pas ce que j'ai ces temps-ci, je ne me rappelle pas avoir autant rêvé de ma vie. Je dois me faire vieux.

— Pourquoi rêverait-on plus en vieillissant ?

— Parce que l'esprit travaille plus que le corps.

— Si tu essaies de me faire accroire que tu es devenu inoffensif, ça ne prend pas, riposta Sylvie.

Daniel éclata de rire.

— Raconte, l'invita Sylvie en sortant de l'ascenseur.

— Mon rêve ? Non, merci ! C'était pas mal épicé.

Sylvie le considéra avec stupeur.

— Tu as des rêves érotiques sur Sébastien ?

— Pas sur moi et lui. Sur Arianne et lui.

— Ah bon ! Tu commençais à me faire peur.

— Pourquoi ? Tu aurais encore moins de raisons si j'étais homo, la taquina son partenaire. Je t'envie pas mal, tu sais. J'aurais aimé ça aller à cette démonstration.

— Qu'est-ce que tu t'imagines ? Qu'il va y avoir des mannequins ou des séances d'essayage sur place ?

— Ça me plairait assez comme idée, admit-il.

Sylvie haussa les épaules.

— Vous êtes tous pareils !

— As-tu l'intention d'en acheter ?

— Est-ce que ça te regarde ?

— Non, mais je suis curieux. En tout cas, si tu le fais, fonce, ma belle. Vas-y au moins pour un « X » rouge.

— À propos, est-ce vrai que tu as une idée, ou tu as dit ça à Sébastien juste pour ne pas lui parler des photos ?

— Non, c'est vrai. Mais c'est juste une hypothèse, et encore, avec pas mal de trous.

— J'aimerais quand même l'entendre.

Tout en entreposant ce qu'ils avaient pris chez Arianne dans l'espace de la chambre à effets qui lui était alloué, Daniel exposa sa théorie à sa collègue.

De l'avis de ceux qui l'avaient le mieux connue, même si elle était académiquement brillante, il était facile d'amener Arianne à croire n'importe quoi. Si elle avait déjà cette tendance lorsque tout allait pour elle, elle aurait été encore plus vulnérable une fois déprimée. Or, l'époque où les photos avec la croix avaient été prises, soit quelques mois à un an après le départ de Simon, et la nature même desdites photos semblaient pointer vers un tel état d'esprit. Pas les lettres, mais Arianne avait continué d'aimer et d'admirer Simon bien après son départ. En fait, jusqu'à l'arrivée de Sébastien, elle s'était plus ou moins accrochée à l'espoir de le ramener à elle. Cet espoir était probablement son unique lumière, d'où la gaieté de ses missives. Et, de toute façon, elle aimait trop Simon pour diriger sa rage contre lui. Alors, elle l'avait canalisée ailleurs, dans ces photos qu'elle n'avait probablement prises, au début, que pour elle-même. Et puis, dans son besoin simultané de s'isoler et de communiquer avec d'autres personnes qui pensaient comme elle, elle en était venue à fréquenter divers sites Internet et avait rencontré, sur l'un d'eux, quelqu'un à qui elle avait fini par montrer ces photos.

— Estéban ! s'exclama Sylvie.

Daniel haussa les épaules.

— Lui, ou un autre qui l'a éventuellement conduite à lui. On lui a conté une histoire quelconque sur le bien qu'elle pourrait accomplir en exhibant ses charmes, et elle s'y est laissé prendre. Même qu'elle y a probablement pris goût. Et puis, Sébastien est arrivé dans le paysage et...

— Une minute ! l'arrêta Sylvie. Es-tu en train de me dire qu'elle aurait poursuivi ses activités érotiques jusque-là ?

— C'est rien qu'une supposition, mais je le pense, oui.

— Pourquoi ?

— Parce qu'elle a abordé le sujet avec Sébastien. Il nous a dit lui-même qu'elle répugnait à parler de sa phase noire. Et pourtant, elle lui vantait les vertus de l'exhibitionnisme. On peut donc supposer qu'elle a continué de le faire après cette période dont elle avait honte. Même que je suis pas mal sûr qu'elle le faisait encore quand elle a commencé à poser pour lui, et qu'elle lui en a parlé pour voir s'il y était ouvert. Et comme il s'est montré sceptique quant à l'aspect thérapeutique de la chose, elle s'est mise à douter à son tour. Quand il a vu ça, Estéban a décidé qu'elle était devenue un danger, et il a saisi la première occasion qu'elle lui offrait de se débarrasser d'elle.

— Pour l'empêcher de dénoncer son club de voyeurs ?

— C'est mon idée, oui.

— Plutôt mince comme motif, non ? Après tout, il n'avait qu'à l'exclure du club et à changer d'adresse. À peu près tous les sites pornos font ça lorsqu'on leur chauffe les fesses. Ils ferment et ils réapparaissent sous un autre nom. C'est plus simple et moins risqué que de se coller un meurtre sur le dos.

— Oui, sauf qu'Estéban n'était pas qu'une adresse anonyme pour elle. Elle le connaissait en personne, donc elle était encore plus une menace pour lui que pour son réseau.

— S'il était prêt à aller jusque-là, pourquoi ne l'a-t-il pas violée pour faire accroire que c'était un crime purement sexuel ?

Daniel lui rappela qu'Estéban était présumé homosexuel, et que, même s'il ne l'était pas, il lui aurait fallu être un crétin pour laisser son sperme derrière lui avec tout ce qu'on pouvait faire avec l'ADN de nos jours. Sylvie haussa les épaules.

— L'ADN, c'est bon rien que si tu as un spécimen de comparaison.

— Justement ! répondit Daniel. S'il avait été assez imbécile pour nous laisser son sperme, on n'aurait eu qu'à demander un échantillon de sang à tous les mâles de l'entourage d'Arianne, et ça aurait dérangé ses plans pour disperser les soupçons.

Il avança alors qu'Estéban avait tué Arianne, puis avait fait disparaître de l'appartement tout ce qui pouvait être lié à son activité illicite, sauf le disque « *INRI* », parce qu'il pouvait incriminer Simon, et la lingerie, parce qu'elle pouvait incriminer Sébastien. Il se ménageait ainsi deux portes de sortie. Ce qui impliquait quelqu'un d'assez proche pour savoir que Simon était revenu et qu'Arianne avait discuté de lingerie avec Sébastien.

Or, elle semblait avoir été proche de cet Esté, qui était fort probablement Estéban aussi. De plus, son homosexualité expliquerait qu'Arianne ne l'eût pas craint et qu'il eût pu l'assassiner sans qu'elle ne le vît venir.

— Peut-être aussi que son assassin est une femme, Dan. Elle était très belle et jalousée. Regarde comment ses ex-voisines lui enviaient Esté. Et, soit dit en passant, s'il est homo, ça ne doit pas être évident, parce que personne à part Laurie ne l'a mentionné. Si tu veux mon avis, elle le sait juste parce qu'elle l'a vu avec l'autre. Je n'ai même pas entendu un homme de l'ancien bloc d'Arianne insinuer que son beau Latin était une tapette. Pourtant, vous êtes assez vites pour *spotter* ça d'habitude.

— Sais-tu, je ne déteste pas ça travailler avec une femme, finalement. Ça élargit les horizons, d'avoir des préjugés différents, observa Daniel en verrouillant la chambre à effets. Mais tu as un bon point. Ça ne m'avait pas frappé, admit-il en toute humilité.

— Quoi ? Que vous avez le « tapette» facile ? le taquina Sylvie.

— Non, que ce n'était pas apparent pour Esté. J'ai hâte de lui mettre la main dessus, à celui-là.

Sylvie hocha la tête en disant qu'il glissait sur une bien mauvaise pente. D'abord les rêves érotiques sur Sébastien, et maintenant le désir de tâter un homo. Daniel en riait encore en traversant le pont Charles-de-Gaulle.

9

Daniel et Sylvie ouvrirent des yeux incrédules devant les deux caisses de papier qui les attendaient aux Crimes technologiques, où ils s'étaient rendus dès 8 h 00 en ce vendredi 28 juillet.

— Si c'est une blague, je ne la trouve pas drôle, grogna Daniel.

— Ça a l'air pire que c'est, l'encouragea Bernie avec un sourire d'excuse.

Il expliqua alors aux détectives qu'une seule des caisses leur appartenait, l'autre étant sa propre copie. Et là-dessus, ils pouvaient compter dix à quinze pour cent d'informations lisibles pour eux à travers les codes et les commandes. Bernie les informa de plus qu'Arianne avait dû changer d'ordinateur au début de 1998, car le disque dur contenait très peu de données antérieures au mois de mars de cette année-là. Les quelques-unes qui s'y trouvaient y avaient été intégrées à partir de disquettes ou de disques inscriptibles.

— Merde ! pesta Daniel. Dans ce cas, tu n'as pas dû pouvoir trouver les sites qu'elle visitait à l'époque des photos.

— J'ai trouvé quelques sites théologiques, mais je ne pourrais pas dire depuis quand elle les fréquentait. Rien dans le genre satanique, en tout cas.

Bernie leur dit qu'il aurait volontiers passé toute l'information en revue et surligné ce qui pouvait les intéresser, mais que cette tâche lui aurait pris des semaines. Leur module comptait peu de personnel et était fréquemment sollicité d'urgence, aussi ne pouvait-il consacrer que ses moments creux aux priorités moindres, ce que cette enquête était, puisque rien ne permettait jusqu'ici de relier l'ordinateur de la victime au crime proprement dit.

Devant la mine orageuse de Daniel, Bernie s'empressa d'ajouter qu'il avait néanmoins l'intention d'accomplir ce travail, mais il avait pensé que Sylvie et lui aimeraient prendre eux-mêmes de l'avance, et c'était pourquoi il leur avait imprimé une copie et allait leur montrer comment y chercher ce qu'ils voulaient.

Par contre, il pouvait d'ores et déjà leur dire qu'Arianne n'avait envoyé les dessins de Sébastien à personne. Bien sûr, il ne pouvait affirmer une telle chose que pour l'envoi électronique ; Arianne pouvait très bien en avoir parlé, ou en avoir montré des copies imprimées à d'autres. Même que c'était fort probable, car il était impensable qu'une fille puisse inspirer de telles œuvres sans s'en vanter. Sylvie haussa les sourcils mais s'avoua que, si Sébastien la dessinait en Diane chasseresse, elle serait effectivement très fière d'en exhiber le résultat à ses proches. Elle fut tirée de sa rêverie par Daniel qui demandait à Bernie si Arianne avait beaucoup navigué sur Internet depuis l'achat de son nouvel ordinateur.

— Non, pas tellement. À mon avis, elle a changé pour avoir une meilleure qualité graphique.

— Pourtant, elle ne connaissait pas encore Sébastien à ce moment-là.

— Non, mais elle transmettait en direct des trucs impliquant une caméra. Je présume qu'il s'agissait de vidéoconférences, mais je ne peux l'affirmer, car c'était adressé à ce site avec mot de passe. Et dès qu'elle tapait ce mot-là, c'est comme si son ordi, à elle, tombait en veilleuse et qu'elle était prise en charge par le destinataire. Il me faudrait fouiller l'autre ordi.

— Pourtant, tu as pu voir qu'elle y avait envoyé ses photos.

— Oui, parce que je savais ce que contenait le fichier qu'elle a transmis, vu qu'on l'a. Mais pour les trucs en direct, ça tombe mort après le mot de passe.

— Elle y allait souvent, sur ce site à mot de passe ?

— Au moins une fois par mois. Le dernier accès date du 20 juin à 19 h 58. J'ai noté toutes les dates. Selon moi, Arianne a désiré une meilleure qualité graphique afin de mieux jouir de jeux de rôles informatisés.

Daniel soupira. On en revenait toujours à cela.

— Mais elle avait pas mal délaissé ça depuis l'hiver dernier, continua Bernie. En fait, à partir de ce moment-là, son ordi a servi à peu près juste à l'échange de courrier électronique. D'ailleurs, j'ai quelque chose à vous montrer.

Bernie alluma l'ordinateur d'Arianne et pointa aux enquêteurs trois dessins minuscules dans le coin droit d'un papier peint qui les dissimulait presque. Daniel et Sylvie examinèrent la pyramide, le goéland et le panneau d'interdiction avec un « S » d'un côté de la barre transversale et un « T » de l'autre, puis ils se tournèrent, perplexes, vers Bernie. Ce dernier leur expliqua que ces dessins étaient des icones personnalisés. En cliquant dessus, Arianne établissait une communication directe avec un correspondant précis. Il s'agissait de lignes de « clavardage » privées en quelque sorte. Elles pouvaient, par exemple, être créées par deux participants à un forum qui voulaient s'isoler pour dialoguer entre eux, sans l'apport des autres.

Comme il aimait bien faire son petit effet, Bernie prit une gorgée de son café avant de révéler que la pyramide reliait Arianne à Sébastien, que le goéland la reliait à son père, et que le panneau la reliait à un certain... s.t.bann@btconnect.com, acheva-t-il après avoir consulté ses notes.

— Btconnect, murmura Sylvie. Ça ne me dit rien. C'est américain ?

— Britannique, l'informa Bernie. BT est le diminutif de *British Telecom*. Mais ça veut juste dire que le fournisseur du service est là-bas. L'abonné peut être n'importe où, son adresse va le suivre tant qu'il ne changera pas de fournisseur.

— Il pourrait même être ici ?

— Ou à Saint-Mouk-Mouk.

Daniel et Sylvie se regardèrent, découragés.

— Oui, je sais, sympathisa Bernie. C'est ça, la technologie moderne. C'est merveilleux sur bien des côtés, mais ça nous complique la vie en maudit ! Par contre, j'ai trouvé quelque chose qui devrait vous obtenir un mandat pour essayer de le retracer.

Il saisit la feuille sur le dessus de la pile dans leur caisse en leur expliquant qu'Arianne avait, au cours des deux derniers mois de sa vie, quotidiennement écrit à Sébastien, mais que le message écrit le soir du crime n'avait pas été envoyé. Elle l'avait sauvegardé, probablement parce qu'elle avait été dérangée, et il avait été effacé vingt-trois minutes plus tard.

— Par l'assassin ? l'interrompit Sylvie, anxieuse.

— Il y a de bonnes chances, oui, vu l'heure où elle l'a écrit. Vingt et une heure vingt-huit. Je vous le lis ?

Daniel hocha la tête.

— « *Mon Séti adoré,*

Je m'excuse de ne pas t'avoir répondu, mais j'avais laissé la cuisine à la traîne pour passer plus de temps avec toi et, comme Estéban doit venir tantôt, pour me faire pratiquer mon rôle, je voulais y remettre de l'ordre avant son arrivée. Après tout, une fille a son orgueil !

Que je suis donc bête ! Tu dois te demander de quoi je parle. Tu sais, ce groupe de thérapie qui m'emploie ? Je dois y jouer Lucy, celle que Dracula transforme en vampire. Je t'avoue que, plus ma performance en direct approche, plus j'ai le trac. Il y a une différence entre s'imaginer dans divers rôles et en jouer un devant un vrai public. Mais Estéban dit de ne pas m'inquiéter, que je ferai très bien ça. Dis-moi " merde ".

Oh ! et puis non. Dis-moi " Je t'aime ". Parce que moi, je t'aime plus que tout, Séti. Plus encore que Simon, et Dieu sait que je l'ai aimé! À en mourir. Mais toi, mon chéri, je t'aime à en VIVRE!

Si tu savais comme j'ai hâte au 29! Je... »

Cela s'arrête là, leur dit Bernie.

— Comment peux-tu affirmer que Sébastien n'a pas reçu ce message, puisque Arianne et lui communiquaient directement ?

Bernie secoua la tête.

— Arianne n'initiait jamais la conversation par icone. C'est Sébastien qui le faisait, aux moments les plus propices pour lui. Il la contactait pratiquement toujours vers 21 h 15, et ils conversaient pendant une bonne demi-heure. Arianne a donc présumé que Sébastien avait tenté de communiquer à la même heure ce soir-là, mais elle se trompait. Il a essayé plus tard, après l'effacement du message d'Arianne, et il n'a pas eu de réponse. Le message d'Arianne était sur le courriel ordinaire, pas sur leur lien privé.

Daniel, qui imaginait combien il aurait été cruel pour Sébastien de recevoir de tels propos de la part d'Arianne juste avant d'apprendre sa mort, en soupira de soulagement. Puis, ce sentiment se mua en colère. Arianne avait aimé à en vivre, et on l'avait froidement effacée de ce monde. Condamnée, comme son message, à ne survivre que dans des recoins de mémoire. Il devait retrouver ce fichu Estéban. Qu'il soit ou non l'assassin, il avait joué un rôle trouble dans la vie d'Arianne. Il fit un calcul rapide. Le temps d'obtenir le mandat, de l'envoyer au fournisseur de service en Grande-Bretagne, d'attendre une réponse qu'on rechignerait peut-être à leur donner, tout cela pouvait prendre des semaines ! Et il voulait trouver cet individu au plus tôt.

— Dis donc, Bernie, puisque tu as son adresse, tu pourrais entrer directement en communication avec lui. Ça irait bien plus vite.

Bernie poussa un soupir excédé. Ces profanes ne comprenaient rien. Si cet Estéban était l'assassin, ou était impliqué dans quelque combine avec la victime, il ne pouvait guère établir la communication de l'adresse électronique d'Arianne sans l'alarmer. Et le faire à partir de leur réseau équivaudrait à l'avertir que la police était à ses trousses.

— Je croyais que vous aviez des adresses bidon pour faire de l'infiltration, dit Daniel lorsque Bernie leur eut expliqué le dilemme.

— Bien sûr qu'on en a ! Mais qui dit infiltration dit opération. Et opération égale « bidous », donc approbation préalable. Et dans ce cas-ci, ça nous prendrait aussi la collaboration étroite d'un proche de la victime. De préférence, le jeune.

— Pourquoi lui ? se hérissa aussitôt Daniel.

Bernie lui jeta un regard perçant.

— Sébastien a occupé une place importante dans les derniers mois de la vie d'Arianne. Ses autres correspondants ne trouveraient donc pas bizarre qu'elle lui ait parlé d'eux, ou même, qu'elle lui ait légué son ordinateur, où il aurait trouvé l'icone. Oui, cela pourrait être plausible.

— Peut-être, mais je n'aime pas l'idée de mettre Sébastien en communication avec un assassin possible. C'est trop dangereux.

— Je ne parlais pas de ça non plus. Imagine le « chiard » que ça ferait s'il lui arrivait quelque chose ! Non, mon idée serait que l'un de nous se fasse passer pour lui. Avec sa collaboration, pour éviter les faux pas trop criants.

Le côté pratique de Bernie reprit le dessus, et son excitation tomba.

— Ah ! et puis on parle pour rien. On ne nous accordera jamais la permission. Tu es mieux d'y aller avec le mandat et de pester pour qu'ils se grouillent.

Mais Daniel, qui aimait l'idée, n'entendait pas lâcher prise.

— Si je décidais de le faire à mes frais, de quoi j'aurais besoin ?

— Es-tu fou ? Ça va te coûter un bras ! Et le service ne te remboursera pas, même si tu arrives à quelque chose. Et si tu foires, tu vas être dans la merde !

— Si je veux payer pour, c'est moi que ça regarde, répondit Daniel, froid comme l'acier.

— Tu en fais une affaire personnelle, Dan, s'inquiéta Bernie. Tu ne devrais pas.

Sylvie approuva du chef.

— Non, mais vous avez fini de me traiter comme un gamin ? explosa Daniel. Écoutez-moi bien tous les deux. C'est ma dernière enquête, et j'ai bien l'intention de la mener à terme, contraintes budgétaires ou pas ! Ne vous inquiétez pas, je ne ferai rien d'illégal, je ne veux pas voir notre coupable s'en tirer à cause d'une erreur de procédure. Mais j'entends bien utiliser tous les moyens possibles, avec ou sans votre aide. Est-ce clair ?

Sylvie soutint son regard et dit qu'il pouvait compter sur elle. Daniel se tourna vers Bernie. Ce dernier hésita un moment, puis céda à son tour.

— Tu vas avoir besoin d'un ordinateur avec les mêmes caractéristiques que celui d'Arianne et d'une adresse électronique bidon, plausible pour un citoyen qui s'amuse sur Internet, et qui ne peut être retracée, même par quelqu'un avec des sources bien placées.

— On parle de combien ?

— Je devrais pouvoir te faire monter l'ordi pour mille cinq cents. Évidemment, tu pourras le garder après. Le veux-tu portable ?

— Tant qu'à y être.

— Mets entre cinq cents et mille de plus. Quant à l'adresse...

Bernie hésita.

— Vas-y, crache, l'invita Daniel. Je me doute que ce n'est pas donné.

— Trois cents d'avance, remboursable à la fermeture du compte si tes paiements sont à jour, et 128,73 dollars par mois.

— Taxes incluses ? ironisa Daniel. Bon, d'accord, je prends.

Il tira une carte de crédit de son porte-feuille et la tendit à Bernie.

— Tu m'arranges ça aujourd'hui ?

— Même si je commande aujourd'hui, tu n'auras pas ça avant lundi.

— Tu le commandes aujourd'hui, insista Daniel.

Bernie soupira et promit. Puis, il retourna aux caisses de papier et leur dit :

— Venez, maintenant, que je vous apprenne à lire.

Comme les enquêteurs passaient à la réception avec leur boîte de documents, ils virent Simon se lever d'un des fauteuils et venir à leur rencontre. Il avait l'air perturbé.

— Je sais que je n'ai pas de rendez-vous, mais puis-je vous parler une minute ?

Sylvie lui sourit et l'invita à les suivre. Ils s'installèrent dans la plus grande des deux salles d'entrevue. Daniel déposa la boîte par terre à côté de sa chaise et, sachant Simon plus à l'aise avec Sylvie, il s'offrit à aller chercher les boissons. Lorsqu'il revint, le prêtre semblait déjà plus calme. Il prit en remerciant le gobelet de café que lui tendait Daniel, puis poussa vers les enquêteurs la pochette à bulles qu'il tenait à la main.

— J'avais ça dans mon courrier ce matin.

Daniel saisit la pochette et en retira une pile d'agrandissements huit par dix, entourée d'une bande élastique. Il jeta un coup d'œil rapide aux trois ou quatre premières, vit qu'il s'agissait des clichés originaux des photos avec la croix, et posa le tout sur la table.

— Vous n'avez pas l'air surpris, s'étonna Simon.

— Non. On en a déjà trouvé la copie numérisée.

— Ah ! J'ai bien fait de vous les apporter alors. Ma première idée a été de les détruire. Mais après, je me suis dit que ce serait peut-être important pour vous de les avoir.

Daniel examina la pochette. Elle était blanche avec des lignes imprimées dessus pour y inscrire l'adresse. Une pochette comme on pouvait en trouver à n'importe quel bureau de poste. Une étiquette autocollante portait l'adresse du destinataire. L'espace pour l'adresse de l'expéditeur avait été laissé en blanc. Elle avait été postée à Montréal et était oblitérée de l'avant-veille.

— Il n'y avait rien d'autre dedans ? Pas même un petit mot ?

Simon secoua la tête. Il ne savait pas qui lui avait fait parvenir ces photos, et n'y voyait qu'une explication : on tentait de salir Arianne à ses yeux.

— Et ça marche ? l'interrogea Daniel.

— Non. Mais j'aurais pu m'en passer, soupira Simon. Je... je n'aurais jamais cru que je lui avais fait aussi mal. Elle ne m'en a rien

dit. Elle ne me l'a même pas laissé soupçonner.

— Aurait-elle pu donner cette enveloppe
à quelqu'un en lui disant de vous l'envoyer
après sa mort ?

— Non. J'y ai réfléchi en m'en venant. Elle
aurait été capable de le faire si elle avait encore
été dans cet esprit-là, mais pas maintenant
qu'elle était amoureuse d'un autre. Elle était
rancunière, mais pas mesquine pour un sou.
Et si elle l'avait fait il y a des années et oublié
ensuite, ça m'aurait été expédié en Amérique
du Sud, pas ici à l'adresse de ma tante.

— C'est juste, admit Daniel. Soupçonnez-
vous votre rival alors ?

Simon eut un sourire triste.

— Je ne vois pas ce qu'il y gagnerait maintenant. Ce n'est pas comme si elle était en vie
et penchait en ma faveur. Et il n'aurait pas
voulu de ma croix, s'il me détestait au point
de me faire ça par malice.

Au soulagement qu'il éprouva alors,
Daniel se rendit compte qu'il avait craint la
réponse du prêtre. Désormais mieux disposé
envers Simon, il suggéra que Sébastien eût
pu obéir aveuglément à une instruction reçue
d'Arianne, sans savoir ce que contenait l'enveloppe.

— Si elle vous avait remis une enveloppe
scellée et dit : « Si je meurs, fais parvenir ça
à Sébastien », l'auriez-vous ouverte ?

— Non. Mais j'aurais écrit mon adresse dessus, au cas où il aurait eu des questions.

Daniel haussa les épaules.

— Sébastien est jeune et romantique. Il aurait respecté ses directives à la lettre.

— Peut-être, mais je ne peux toujours pas croire qu'elle lui ait demandé ça. De toute façon, ça vous est facile à vérifier. S'il l'a fait en toute bonne foi et que vous le lui demandez, il va vous le dire.

— C'est pour ça que vous êtes venu, n'est-ce pas ? comprit Daniel. Pour que je le lui demande ?

— Oui, avoua Simon dans un souffle. J'ai besoin de savoir si... elle m'en voulait encore.

Daniel jeta un regard vers la fenêtre. Par cette belle journée, Sébastien serait sans doute au parc, songea-t-il en tentant malgré tout de le joindre. Il joua de chance ; le garçon préparait des amuse-gueules pour la réception du soir. Daniel prit d'abord de ses nouvelles, puis il lui demanda si Arianne lui avait laissé quelque chose à envoyer à Simon en cas de décès.

— Non. Pourquoi ? Il attendait quelque chose qu'il n'a pas eu ?

— C'est ça, mentit Daniel

Il souhaita une bonne soirée au garçon et coupa la communication.

— Ça ne venait pas de lui, dit-il à Simon.

Ce dernier le remercia, soulagé. Même si le mystère en était épaissi, Simon préférait voir en cet acte la perfidie d'un inconnu à celle de la femme qu'il avait aimée.

— Est-ce qu'Arianne développait ses photos ? lui demanda Sylvie.

— Elle savait le faire, oui. Mon père le lui avait appris.

— Seulement à elle ? Pas à vous ? s'étonna Sylvie.

Daniel sourit. Nul doute que si un homme assez âgé pour être son père avait voulu s'enfermer seul avec Sylvie dans une petite salle noire, elle l'aurait traité de vieux cochon. Simon dut penser la même chose, car il lui répondit en souriant que son père aurait bien voulu lui apprendre aussi, mais il n'avait jamais pu supporter les odeurs fortes, il étouffait. Mais Arianne, elle, aimait cela. Enfin, pas tant l'odeur que de voir une image apparaître sur un papier vide. Elle y voyait une sorte de recréation des êtres et des choses. Au début était le néant, puis apparaissaient la lumière, l'eau, un arbre, un rocher, un animal, une personne... Cela l'émerveillait comme un miracle.

— Là-dessus, elle était infiniment plus mystique que moi, avoua Simon.

— Donc, il n'est pas impensable qu'elle se soit équipée pour le faire ? demanda Daniel.

— Elle n'en aurait pas eu besoin. Comme il n'y avait personne d'autre que ça intéressait, mon père lui a légué tout son matériel, à part la caméra, qu'il m'a laissée.

— Quand est-il mort ?

— Deux mois avant mon ordination.

— On n'a pourtant rien retrouvé à son appartement.

Simon les informa qu'Arianne avait dû entreposer ce matériel chez ses parents, suite aux plaintes d'un voisin, qui prétendait que les vapeurs de ces produits empoisonnaient ses géraniums.

— On n'a pas vu ça dans ses lettres, remarqua Daniel.

— Non, elle me l'a conté au téléphone. Elle était en beau fusil ! Alors, vous les avez lues ? Puis-je les ravoir ?

— J'aimerais les garder encore quelques jours, lui répondit Daniel, qui voulait les comparer aux réponses de Simon afin de voir si quelque détail le frapperait. Quand partez-vous ?

— Mardi prochain.

— Très bien. Vous les aurez avant, promit-il. Elle date de quand, cette dispute avec son voisin ?

— Deux ans, peut-être trois. Le temps passait si vite là-bas ! Mais pas plus de trois, j'en suis sûr. Et je sais qu'elle avait l'intention de ramener son matériel lors de sa prochaine visite chez ses parents, car je me rappelle l'avoir entendu dire, quand elle m'a fait faire le tour de son logement, que le comptoir de son lavabo serait idéal pour ses bacs à développement.

L'occasion étant belle, Daniel lui demanda s'il avait vu le portrait lors de cette tournée. Simon hocha la tête. L'un des coins du cadre avait été égratigné lors du déménagement et, comme il avait un certain talent pour la gravure sur bois, il avait offert à Arianne d'orner les coins d'un motif qui camouflerait le dommage. Arianne avait hésité, car le montage lui avait coûté cher, mais Simon lui ayant assuré qu'il n'aurait pas à démonter le cadre, elle avait accepté avec gratitude. Il entendait le rapporter à son amie pour ses fiançailles, mais puisqu'elle n'était plus, il le rendrait plutôt à Sébastien. En personne, s'ils avaient la bonté de lui donner l'adresse du garçon.

— Désolé. Nos directives interdisent de donner ce genre d'informations, dit Daniel. Et je ne suis pas sûr que vous rencontrer soit la meilleure chose pour lui présentement. Pourquoi n'en avez-vous pas parlé quand nous sommes allés vous voir ?

— Je n'avais pas l'intention de voler Sébastien, si c'est ce que vous voulez insinuer. Mais puisque Arianne lui avait donné ma croix, je ne voyais pas de mal à garder son portrait encore un peu. J'allais le lui rendre avant de partir. Et, de toute façon, pourquoi aurais-je dû vous le dire ? C'est un truc entre Sébastien et moi, ça n'a rien à voir avec le crime.

— C'est à nous de décider ce qui a un rapport ou pas, pas à vous ! s'emporta Daniel en tapant sur la table.

Sylvie allait s'interposer, mais Simon l'en empêcha d'un geste.

— Oui, j'aurais dû vous mentionner que j'avais le dessin chez moi. J'ai failli le faire à deux ou trois reprises, mais la crainte de me le faire retirer m'a retenu. Je suis un prêtre, pas un saint, s'excusa-t-il. J'ai aimé Arianne, et elle était si belle sur ce portrait ! J'ai voulu m'en emplir les yeux et le cœur jusqu'à la dernière minute. Je l'aurais expliqué à Sébastien en le lui rendant. S'il était tout ce que prétendait Arianne, il aurait compris. Bien sûr, si vous croyez qu'une telle rencontre pourrait lui nuire, je ne forcerai rien. Je lui rendrai son bien et lui transmettrai mes coordonnées par votre biais, et Sébastien pourra me contacter lorsqu'il s'y sentira prêt.

Daniel y consentit avec réticence, et Sylvie s'empressa de désamorcer la tension en revenant au matériel photographique d'Arianne.

— Avait-elle une caméra vidéo ?

— Pas que je sache. Attendez ! Il y avait ce truc relié à son ordinateur.

— Vous avez vu une caméra branchée à son ordi ?

— Oui, je l'ai même questionnée là-dessus, mais Arianne n'avait pas envie de causer « techno », elle m'a juste dit que c'était fourni par son employeur pour les vidéoconférences, puis elle a attiré mon attention sur autre chose. Je suppose qu'elle ne voulait pas réentendre mon sermon sur les dangers de l'Internet.

Daniel secoua la tête. Arianne aurait mieux fait de lui porter attention, songea-t-il avec tristesse. Simon n'ayant rien de plus à dire, les enquêteurs le remercièrent, et Sylvie l'escorta jusqu'à l'ascenseur. Daniel regarda l'heure et, voyant qu'il était temps de dîner, il verrouilla la porte de la salle, y inscrivit qu'elle leur était réservée, et alla rejoindre sa collègue.

Tous deux anxieux d'ouvrir la boîte de Pandore laissée dans la salle d'entrevue, Sylvie et Daniel prirent moins du tiers de l'heure allouée pour le repas. Lorsqu'ils furent de retour dans la salle, Daniel hissa la boîte sur la table et, à Sylvie qui lui demandait s'ils procéderaient comme pour les lettres, il répondit qu'à tout faire en double, ils en auraient pour une éternité. Non, ils regarderaient ensemble une petite liasse de feuillets pour voir s'ils les lisaient de la même façon, puis ils se sépareraient le tout, une pile à la fois, et en feraient une avec ce qui leur semblait pertinent. Cela convenait parfaitement à Sylvie, qui y voyait une confiance accrue de son collègue. Elle contourna la table et alla s'asseoir à ses côtés.

La première page qu'ils examinèrent en commun contenait le message non envoyé que leur avait lu Bernie. Daniel la mit au centre de la table en disant qu'il s'agirait là de la pile « Pertinent à l'enquête ». Ils en feraient une autre à côté : « Peut-être pertinent ou juste intéressant ». Le reste serait tout simplement écarté.

Les enquêteurs constatèrent que Bernie avait travaillé de façon méthodique. Il était parti de la dernière entrée et avait remonté le fil du temps. Par conséquent, ces premières pages montraient toutes les communications électroniques d'Arianne au cours de la dernière semaine de sa vie. Sébastien y occupait presque toute la place. Au début, Sylvie et Daniel furent agacés des commandes informatiques qui parsemaient les échanges proprement dits et gênaient la fluidité de leur lecture, mais leurs yeux s'habituèrent vite à les ignorer.

Dans la pile qu'ils lurent ensemble, ils virent qu'au cours des cinq jours précédant sa mort, Arianne avait écrit à son père tous les soirs vers 21 h 00, donc tout de suite après son retour du parc, et à Sébastien vers 21 h 15. Ses échanges avec son père avaient été affectueux, quoique plus brefs qu'ils ne l'auraient cru d'après ce qu'il leur en avait dit. Mais monsieur LeSieur parlait peut-être d'une époque où il n'avait pas de compétiteur. Cela expliquerait sa jalousie envers Sébastien. Ceux avec l'adolescent, par contre, s'étiraient sur des pages entières. Mais, malgré l'intimité croissante de leurs propos et le sentiment amoureux qui courait sous chaque phrase, telle une caresse, ni l'un ni l'autre n'avait écrit « Je t'aime », à part Arianne dans cet ultime message que Sébastien n'avait jamais reçu.

— C'est bizarre, l'inhibition, remarqua Daniel. Regarde ces deux-là, ils se parlaient de sexe et de plein d'autres choses comme des amants de longue date et ils n'étaient même pas capables de se dire « Je t'aime ».

— Parce que toi, tu dis ça facilement, je suppose ? le nargua Sylvie. Ça te sort tout naturellement de la bouche sans t'embarrasser une miette ? Tu n'es pas comme tous ces hommes qui s'en défilent en se disant : « Je n'ai pas besoin de le dire à tout bout de champ, elle le sait, je le montre » ?

Daniel sourit et plaida coupable, en précisant que cela lui échappait tout de même de temps à autre.

— Peut-être, mais vous êtes deux adultes sans obstacles entre vous. Tandis qu'Arianne et Sébastien avaient de bonnes raisons d'être inhibés dans l'expression de leurs sentiments. Elle avait le double de son âge, et il était mineur ! Et lui avait son handicap et la crainte qu'elle en soit éventuellement malheureuse. Alors, ils se taisaient tous les deux en attendant que l'autre brise la glace. De toute façon, conclut Sylvie, je pense qu'il y a juste une chose encore plus difficile à dire que « Je t'aime ».

— Ah oui ? Quoi ?

— « Je m'excuse, j'ai fait une erreur. »

Daniel rit et lui tendit une moitié de l'épaisse liasse qu'il venait de tirer de la boîte. Sylvie la prit et retourna s'asseoir face à son collègue. Puis, surligneur à la main, chacun s'absorba dans sa lecture. Au bout de quelques minutes, alors qu'il levait la tête pour placer un second document sur la pile « Pertinent à l'enquête », Daniel surprit Sylvie à rosir. Il sourit. Arianne et Sébastien devaient fantasmer avec hardiesse. Un quart d'heure plus tard, lorsque Sylvie s'aperçut que Daniel avait déjà mis six pages à la pile des documents pertinents, alors qu'elle-même n'y en avait encore placé aucune, elle lui demanda ce qu'il était en train de lire.

— Un échange avec le mystérieux Estéban, lui répondit Daniel. Jusqu'ici, il se montre plutôt avare d'informations. C'est Arianne qui bavarde le plus. Enfin, à force de rassembler des bribes, on devrait arriver à le situer. Et toi, qu'est-ce que tu lis ?

— Oh ! rien qui ait un rapport avec l'enquête, marmonna Sylvie en replongeant dans sa pile.

Daniel sourit et fit de même. Il avait lu encore une dizaine de pages, dont une seule était venue s'ajouter aux informations pertinentes, lorsqu'il sentit peser sur lui le regard de sa collègue. Il leva la tête. Sylvie le considérait, troublée.

— Qu'est-ce qu'il y a ? s'inquiéta-t-il.

— Je pense que tu devrais lire ça, dit-elle en lui tendant quelques feuillets d'un échange entre Sébastien et Arianne. Ils se sont écrits ça le soir où Arianne a soupé au restaurant avec Simon, pas longtemps après son retour, l'informa-t-elle.

Daniel fronça les sourcils et lut. Après un sombre discours de Sébastien sur son sentiment d'inutilité, Arianne avait répondu :

« *Tu es bien triste ce soir, Séti. Est-ce parce que je ne suis pas venue te voir au parc ? Je te l'avais pourtant dit, que je soupais avec Simon. Je ne l'avais pas vu depuis des années, alors on a parlé pas mal tard.* »

« *Non, ce n'est pas ça. De toute façon, tu n'as pas à t'excuser, je comprends qu'après tout ce temps, vous ayez eu plein de choses à vous dire. Et puis, tu n'es pas obligée envers moi.* »

« *Je t'en prie, ne dis pas ça. Ce n'est pas une obligation, c'est un plaisir pour moi d'être avec toi. Il n'y a personne avec qui j'aime plus être qu'avec toi. Personne ! Bien sûr, j'étais contente de revoir Simon. À part le bronzage, il n'a pas* »

*changé une miette. Mais moi si, Séti. Je me suis
aperçue que je l'aimais encore beaucoup, mais plus
comme avant. Ce soir, j'ai compris que c'était
toi que je voulais, et je suis prête à attendre le
temps qu'il faut. Après tout, un an ou deux de
plus ne feront pas une grande différence dans mon
cas, je suis déjà une bizarrerie de l'existence.»*

*« Parce que tu le veux. Tu pourrais avoir tous
les hommes à tes pieds si tu le voulais. »*

*« Je m'en fiche, des autres ! C'est toi que je
veux. »*

*« Tu ne dirais pas ça si tu connaissais toute
la vérité sur moi. »*

« Ah ? On a un squelette dans son placard ? »

*« Ne ris pas. J'en ai un vrai, mais je n'ai aucun
remords. »*

*« Tu peux me le dire, Séti. Je n'ai jamais trahi
un secret. »*

« Tu ne m'aimeras plus si je te le dis. »

*« Allons, ne te fais pas prier. Dis-le moi. Tu
en meurs d'envie. »*

*« Mon père n'est pas mort dans l'accident. Je
l'ai tué. »*

Sylvie, qui observait toujours Daniel, le
vit pâlir. Mais il n'interrompit pas sa lecture
pour autant.

« Comment ? »

*« Mon père était agressif quand il était soûl,
et il l'était presque tout le temps. Il me tabassait*

à tout propos, à longueur d'année et avec tout ce qui lui tombait sous la main, mais quand il voulait jouer au bon papa, il m'emmenait à la pêche. Et évidemment, il s'y paquetait la fraise toute la journée. Ce soir-là, comme on revenait, il y a un gars qui l'a dépassé dans une petite auto, et mon père a pris ça comme une insulte. Il a pesé sur le gaz pour le dépasser, tandis que moi je lui criais d'arrêter de faire le fou, qu'il y avait un camion qui s'en venait. Il m'a sacré une taloche en me disant d'arrêter de l'énerver, qu'il avait le temps en masse. Ouais, le temps en masse ! Trois secondes plus tard, j'avais les jambes broyées et je hurlais comme un malade. Mon père avait été éjecté de l'auto et il n'avait rien d'autre qu'une égratignure ou deux, le crisse ! Naturellement, le choc l'avait dégrisé et, quand il a vu que j'étais pris dans la carcasse, il s'est glissé à l'intérieur pour essayer de me calmer et de me sortir de là. Mais je ne voulais pas qu'il me touche ; chaque fois qu'il me touchait, c'était pour me faire mal. Alors j'ai pris la grosse Molson encore à moitié pleine que j'avais entre les cuisses et je l'ai frappé de toutes mes forces. Ensuite, je me suis évanoui. Je me suis réveillé à l'hôpital, et maman m'a dit qu'il était mort. Et tu sais quoi ? J'étais bien content ! Si c'était à refaire, je recommencerais. Voilà, tu sais tout maintenant. Je suis un assassin, Arianne. J'ai tué mon père, et je ne le regrette pas. Toi qui aimes tellement le tien, ça ne t'horrifie pas ? »

« Je ne crois pas que ton coup l'ait tué, mon chéri. Tu n'étais sûrement pas fort comme aujourd'hui dans ce temps-là. Et tu étais gravement blessé. »

« Je l'ai tué, Ari. Ne me demande pas où j'en ai trouvé la force, mais je l'ai fait, je te le jure. »

« J'en aurais fait autant à ta place. Tu avais toutes les raisons de détester ton père. Je ne te condamnerai jamais pour ça. »

« Merci. Tu es fine. »

« Du tout. Je suis égoïste. Et je sais ce que je veux. »

« Je vois. Je devrai maintenant acheter ton silence. »

« Tu as tout compris, ha ! ha ! »

« Il faut que je te laisse. J'entends maman bouger dans sa chambre et, si elle se lève, elle va se demander ce que je fous sur mon ordi à cette heure de la nuit. »

« D'accord. Je te vois demain. Fais de beaux rêves. »

« Comptes-y. Bye ! »

Livide et le regard flamboyant de colère, Daniel laissa tomber les feuillets et sortit. Sylvie verrouilla derrière elle et alla le rejoindre à la cantine.

— Pas le remède idéal pour se calmer les nerfs, remarqua-t-elle en désignant son café.

— Il a de la chance d'être mort, ce salaud ! grogna Daniel.

— Qu'as-tu trouvé sur Estéban jusqu'à maintenant ? lui demanda Sylvie pour lui changer les idées.

Daniel reconnut qu'il n'avait encore glané aucun détail personnel. Mais il s'intéressait aussi à ce qu'Arianne lui avait révélé de son monde, et particulièrement de Sébastien. Savoir ce qu'Estéban savait et ignorait de l'adolescent l'aiderait à jouer son rôle. Dans ce qu'il avait lu jusqu'ici, Arianne avait parlé du fauteuil roulant de Sébastien, mais pas de ses jambes coupées. Elle n'avait pas non plus mentionné son âge. En fait, elle s'était montrée plutôt réservée au sujet de son amoureux, ce qui, en vue de son projet, lui convenait parfaitement. Sylvie hésita un moment à parler, puis elle se lança.

— Tu sais, Dan je ne veux pas me mêler de tes finances, mais as-tu vraiment les moyens d'entreprendre ça ?

— Ne t'inquiète pas pour moi, je peux me le permettre. J'ai été longtemps tout seul, et je n'ai jamais dépensé beaucoup. Pas par vertu, mais rien ne m'intéressait à part le boulot.

— Mais maintenant, tu as Johanne. Et puis, sois honnête, Dan, investirais-tu ton propre argent pour un autre que Sébastien ?

— Oui, répondit Daniel sans même hésiter. Je le ferais aussi pour ma femme. Et même pour toi, ajouta-t-il à sa propre surprise.

Il y eut un moment d'embarras, que Daniel brisa en remarquant qu'ils ne passeraient jamais à travers toute la boîte aujourd'hui.

— Veux-tu que j'en apporte une pile pour la fin de semaine ? offrit Sylvie.

Daniel sourit et secoua la tête.

— Tu seras bien assez occupée avec les enfants. Moi-même, je ne prendrai que les lettres d'Arianne et de Simon. Je ne pense pas y trouver grand-chose, mais il ne faut rien négliger.

— Olivier veut justement un nouveau jeu. J'irai magasiner avec lui et j'en profiterai pour me renseigner sur les jeux de rôles et les caméras.

— Bonne idée, approuva Daniel. Bon, on ramasse nos petits ?

Ils retournèrent à la salle, où ils identifièrent et entourèrent de bandes élastiques les piles déjà traitées avant de les remettre dans la boîte. Daniel entreposa ensuite cette dernière à côté des sacs de lingerie. Coffret à tisanes sous le bras, il souhaita une bonne soirée à sa collègue, qui fit de même en lui disant de ne pas s'endormir sur sa pièce de théâtre. Seule la galanterie retint Daniel de l'envoyer amicalement chier.

10

Aux premières lueurs de l'aube, Daniel ouvrit un œil et tendit la main vers la table de chevet, en se promettant, comme chaque matin, de cesser de fumer le jour où il prendrait sa retraite. Il justifiait ce délai en se disant que, n'ayant alors que cet élément de stress, il serait moins invivable pour son entourage, lequel serait par ailleurs plus restreint.

Un coup d'œil au réveil lui apprit qu'il n'avait dormi que quatre heures, mais il se sentait bien reposé. Il se tourna vers Johanne et sourit. Elle dormait avec volupté. Daniel se leva doucement et grimaça en s'étirant. « Ça m'apprendra à jouer au jeune homme ! » se gourmanda-t-il. Il ne s'était pas endormi au théâtre, mais son esprit avait constamment dérivé vers les déshabillés et, en conséquence, il avait, à leur retour, abusé de la gymnastique amoureuse.

Il sortit sans bruit de la chambre, en referma la porte pour ne pas éveiller son épouse, et emporta, après un petit déjeuner frugal, son café dans sa pièce de travail. La boîte aux trésors d'Arianne l'attendait sur le pupitre, mais il l'ignora pour l'instant. Il s'assit dans le fauteuil situé près de la fenêtre et but lentement son café en regardant dehors, l'air méditatif. C'était souvent ainsi qu'il retrouvait les idées perdues. Or, il avait, depuis la veille au soir, l'impression obsédante que Simon leur avait, outre l'information au sujet de la caméra, dit quelque chose d'important. Quelque chose dont il avait été distrait par leur dispute. Perte de sang-froid qu'il se reprochait d'ailleurs, même si, pour rien au monde, il ne l'aurait avoué à Sylvie. Mais il eut beau fouiller son esprit, il n'arriva pas à mettre le doigt dessus.

De guerre lasse, il quitta le fauteuil et vint s'asseoir au pupitre. Il ouvrit le coffret à tisanes et en inventoria le contenu. Les lettres de Simon étaient retenues en paquet d'une bande élastique semblable à celles qu'utilisait parfois Sylvie pour nouer ses cheveux, mais plus grande et couronnée d'une fleur mauve. Quelques photos de sa famille et de Simon, seul ou avec elle. Un signet plastifié duquel lui souriait une fillette édentée. Daniel en regarda l'endos, mais aucun nom n'y était indiqué. Une plume de goéland. Un caillou de grève. Une recette de sa mère. Une photo d'une robe de mariée découpée dans un magazine. Un parasol de boisson tropicale. Un petit croquis d'elle, duquel elle soufflait un

baiser. Pas de bristol du jeune prêtre, mais
elle n'avait sans doute pas eu l'occasion de
l'y inclure. Qui l'avait fait disparaître ? Simon
lui-même parce qu'il mentait quant à son contenu ? Une autre personne cherchant à l'incriminer ?

Daniel contempla avec tristesse ces menus
objets qu'Arianne avait cachés comme autant
de pierres précieuses. Des reliquats de vie et
de rêves. En les remettant dans le coffret, il
lui apparut soudain que ce dernier n'avait
contenu aucune trace *évidente* de Sébastien.
Le croquis n'était pas signé, il fallait connaître
les œuvres du garçon pour le savoir de lui.
Or, qu'une fille assez sentimentale pour garder
une plume de goéland n'eût même pas pos-
sédé une photo de celui qu'elle aimait était
insolite. Il devrait en demander l'explication
à Sébastien.

Il tira vers lui les lettres de Simon et regarda dans quel ordre elles étaient placées. Il
hésita entre commencer par la plus récente
ou la plus ancienne. Sa curiosité penchait en
faveur de l'ancienneté, mais son côté pratique
l'emporta. Les détails pertinents avaient plus
de chances de se trouver dans les dernières.

Simon avait été un correspondant fidèle
et régulier. Il avait écrit à Arianne chaque
mois, sans en sauter un seul, même si Daniel
pouvait voir, par les estampilles dont leurs
enveloppes étaient couvertes, qu'elles met-

taient encore plusieurs semaines à parvenir à leur destinataire. Pauvre Arianne ! Elle avait dû se ronger les sangs plus d'une fois à attendre les missives de son aimé.

Les envolées spirituelles de la jeune femme avaient charmé Daniel, mais la prose de Simon l'envoûta. Arianne s'était dissimulée derrière des arguments thématiques ; Simon n'y avait consacré qu'un paragraphe ou deux de ses réponses, avant de prendre sa copine par la main et de l'inviter dans son royaume. Sébastien avait raison ; en le lisant, on avait l'impression d'être avec lui. Pas seulement dans le même décor, mais dans son âme. Dans la première lettre que Daniel lut, Simon annonçait à Arianne son retour prochain. Il se disait impatient de la revoir, mais triste de devoir quitter ces paysans auxquels il s'était attaché. « ... *Pablo ne m'adresse plus la parole depuis que je lui ai dit que je devais rentrer. Il ne veut pas croire que je n'ai pas le choix. Ça me rappelle quelqu'un. Pas toi ?* »

Daniel soupira. Dans le cas d'Arianne, Simon l'avait eu, le choix. Il était parti afin de fuir son attraction pour elle. Au fil des lettres, Daniel découvrit un homme qui moquait ses propres failles, mais qui avait beaucoup de compassion pour celles des autres. Il possédait une telle largesse de vues que Daniel se demanda qui, de Simon ou de l'Église, se lasserait le plus vite de l'autre. Daniel venait d'entamer l'année 1997 lorsque Johanne vint le rejoindre.

— Qu'est-ce que tu fais ? lui demanda-t-elle après l'avoir embrassé sur la joue.

— Je lis des lettres que j'ai promis de remettre avant mardi prochain.

— Tu travailles trop, remarqua son épouse. Je m'en vais chez le coiffeur. Je peux prendre ta voiture ?

Daniel sourit. Johanne avait une Honda rouge toute neuve, mais elle ne ratait jamais une occasion de lui emprunter sa vieille Jeep. Il la soupçonnait de s'assurer ainsi qu'il n'irait pas loin (il abhorrait les autos rouges), mais comme il était, ce matin, d'humeur magnanime, il répondit :

— Tu sais où sont les clés.

Johanne le remercia d'un deuxième baiser et s'enfuit en lui disant de ne pas trop s'empiffrer. Daniel grogna une vague réponse, puis replongea dans sa lecture. Dans une lettre datée du 13 mai, il lut :

« ... Tu sais, je trouve ça vraiment bien que tu veuilles t'impliquer auprès de gens malades, et contribuer, sinon à leur guérison, du moins à embellir leur vie. Il n'y a rien comme aider plus malheureux que soi pour apprécier ce qu'on a et tient pour acquis. Mais fais attention, ma douce. Ne t'embarque pas les yeux fermés. Tu ne sembles pas savoir grand-chose de cet organisme. Je

ne dis pas qu'il n'est pas sérieux, mais sois pru-
dente. Je ne voudrais pas qu'on te fasse du mal. »

Daniel relut les trois lettres d'Arianne
ayant précédé cette réponse de Simon, mais
il n'y trouva rien qui eût motivé ce conseil.
Arianne avait dû lui en parler au téléphone.
Oui, c'était sûrement cela. Arianne était née
le 11 mai, et Simon avait dit aux détectives
qu'il l'appelait toujours à son anniversaire.
Ces exhortations à la prudence n'étaient sans
doute qu'un rappel à celles qu'il avait dû lui
faire verbalement. Daniel fouilla le carnet où
il avait noté le numéro de téléphone de Simon,
mais il n'y joignit que le répondeur. Il s'identifia, demanda à Simon de le rappeler, et laissa le numéro de son téléavertisseur.

Le reste des lettres ne lui apprit rien de
plus. Daniel mit de côté la plus récente et celle
dont il voulait parler à Simon, et il rangea les
autres dans le coffret. Leurs timbres colorés
lui rappelèrent sa brève incursion dans la phi-
latélie. Comme il avait alors rêvé sur ces enveloppes bordées de traits diagonaux rouges
et bleus, ornées de timbres qui en couvraient
parfois le quart, et porteuses d'adresses de
retour aux accents exotiques !

Daniel se dressa soudain. L'adresse de
retour, voilà ce qui le tracassait depuis la
veille ! Simon avait dit que, lui, il aurait mis
une adresse de retour s'il avait posté quelque

chose à Sébastien à la demande d'Arianne. L'assassin avait-il présumé que Simon connaissait Sébastien et savait où le joindre ? Lui avait-il envoyé ces photos dans l'espoir que Simon le conduirait jusqu'à son rival ?

L'idée que le garçon pût être recherché emplit Daniel d'angoisse. Il s'astreignit au calme et alla chercher son porte-documents, duquel il tira le carnet d'adresses d'Arianne. Après tout, si l'assassin était l'expéditeur des photos, il avait dû trouver l'adresse de Simon dans ce carnet. Pourquoi, dès lors, ne pas avoir également noté celle de Sébastien ? Mais en vérifiant, Daniel vit qu'Arianne avait brouillé les cartes en inscrivant les coordonnées de Sébastien au nom de sa mère.

Cette ruse lui rappela les mensonges contés à Estéban au sujet de l'adolescent. Arianne avait été, avec ce correspondant du moins, aussi circonspecte que si son amoureux avait été un homme marié. Pourtant, elle avait présenté le garçon à Laurie et s'apprêtait à en faire autant avec Simon. Les LeSieur savaient, eux aussi, qu'il s'agissait d'un adolescent, même s'ils ne connaissaient pas la vraie nature de sa relation avec leur fille. Alors pourquoi tout ce secret avec un correspondant assez proche d'elle pour avoir son icone ? Par simple crainte que Sébastien ne fût trop séduisant aux yeux d'un homosexuel, ou parce qu'elle se méfiait d'Estéban ? Et si tel était le cas, pourquoi ?

Son téléavertisseur vibra. Daniel crut que c'était Simon, mais vit s'afficher le numéro de Sébastien. Soucieux, il rappela aussitôt. L'adolescent allait bien, il avait simplement cédé à l'impulsion d'appeler. Daniel en était très heureux. Il aurait voulu lui dire qu'il savait pour son père, et qu'il ne l'en aimait que plus. Mais il ne le pouvait pas. Il craignait trop que Sébastien ne se sentît trahi par cette intrusion dans ses conversations avec Arianne. Il resta donc dans le registre léger en tentant, en vain, de lui soutirer des informations quant aux achats de Sylvie. Lorsqu'ils eurent épuisé les badineries, Daniel recommanda au garçon d'être prudent. Sébastien devrait l'aviser si quiconque tentait de l'aborder, car Estéban le cherchait peut-être.

— Ne t'inquiète pas. Si Arianne lui a aussi peu parlé de moi qu'elle m'a parlé de lui, il n'est pas près de me trouver ! répondit Sébastien avec insouciance.

— Sois quand même sur tes gardes, on ne sait jamais. Est-ce qu'Arianne avait une photo de toi ? On n'en a pas trouvé dans ses effets.

— Oh oui ! elle en avait plein !

Le sang de Daniel ne fit qu'un tour. Si l'assassin avait mis la main dessus, non seulement Sébastien était en danger, mais lui-même pouvait oublier sa tentative d'infiltration. Mais l'adolescent le rassura, elles n'étaient pas encore développées. Arianne avait consacré tout un après-midi à le mitrailler de sa caméra, puis elle lui avait confié ses rouleaux de pellicule jusqu'à sa prochaine visite chez ses parents, d'où elle ramènerait son matériel de développement. Le téléavertisseur de Daniel vibra de nouveau. Cette fois, c'était Simon.

— Il faut que je te laisse, dit-il à Sébastien, je dois rappeler quelqu'un d'autre. Garde-moi ces films, veux-tu ? Je vais les faire développer par notre labo.

— D'accord. Quand vas-tu venir les prendre ?

— Demain, si je peux. Sinon, j'irai lundi. Fais attention à toi.

Sébastien promit et raccrocha. Daniel composa le numéro de Simon. Une voix féminine répondit à la première sonnerie. Elle lui dit être la tante du jeune prêtre et lui demanda s'il était l'enquêteur au dossier d'Arianne.

— Oui. Avez-vous quelque chose à me dire à ce sujet ?

— Non. Mais en prenant les messages, j'ai entendu le vôtre et j'ai décidé de vous appeler parce que je suis très inquiète. Voyez-vous, Simon est parti depuis ce matin et il n'est pas revenu.

— Il est seulement quinze heures vingt, Madame. Et votre neveu est un grand garçon.

— Je sais ! le coupa son interlocutrice. Ce qui m'énerve, c'est qu'il est parti en disant qu'il allait vous rejoindre.

— Pardon ? Quand ça ?

— Ce matin, vers onze heures. Bien avant votre message, en tout cas.

— Vous a-t-il dit où il devait me rencontrer ?

— Non. Il a eu ce coup de téléphone et il m'a dit que c'était l'enquêteur au dossier d'Arianne...

— Un instant ! Il vous a dit ça comme ça, « l'enquêteur au dossier d'Arianne » ? Pas de nom ?

— Non. Mais c'est bien vous, l'enquêteur ?

Daniel l'informa qu'il avait une partenaire et qu'il allait, à l'instant, la contacter et voir ce qu'il en était. Il la rappellerait ensuite. Plus inquiet qu'il ne voulait se l'avouer, Daniel composa le numéro du téléavertisseur de Sylvie et fixa le téléphone en lui intimant de sonner.

Après une nuit voluptueuse (son acquisition toute de voile et de dentelle blanches avait beaucoup excité Alain), Sylvie se leva, ce samedi, plus tard qu'à l'accoutumée.

— Tu aurais dû me réveiller. Les enfants vont bientôt être ici, dit-elle à son conjoint, qui achevait son déjeuner.

— Et après ? répondit ce dernier. Je suis capable de les accueillir tout seul. Tu dormais tellement bien !

— Tu es un amour, mais je veux être prête quand Olivier va arriver.

— Je ne savais pas que mon fils te plaisait à ce point-là. Serait-ce l'effet Sébastien ? la taquina Alain.

— Ne sois pas ridicule ! riposta Sylvie d'un ton cassant.

Alain la regarda, surpris et vaguement alarmé. Aurait-il touché un point sensible ? Après tout, il avait lui-même pu, la veille, mesurer le pouvoir d'attraction de cet adolescent peu ordinaire. Mais l'excuse de Sylvie le rassura, sa mention de l'effet Sébastien lui avait rappelé son collègue et elle se faisait du souci à son sujet. Il prenait ce dossier beaucoup trop à cœur. Alain balaya ses inquiétudes. Daniel avait vu pleuvoir avant elle.

— Et puis, tu détournes le sujet. C'est quoi, l'affaire avec Olivier ?

Sylvie lui expliqua qu'elle voulait aller magasiner avec lui pour son jeu informatique, histoire d'avoir un prétexte moins officiel que son enquête pour s'informer de ceux qui auraient pu avoir de l'attrait pour Arianne. Alain fit mine de la croire, quoiqu'il la soupçonnât plutôt d'user du prestige de l'enquête afin d'apprivoiser son fils. Olivier lui était moins hostile qu'Annie, sa sœur aînée, mais il restait quand même distant. Quelques minutes après l'arrivée de sa progéniture, il entraîna donc sa fille sous un prétexte quelconque et laissa Sylvie en tête-à-tête avec l'adolescent.

— Olivier, en connais-tu pas mal, des jeux informatiques ?

— Assez. Pourquoi ?

Sylvie lui confia que la victime dans l'enquête qu'elle menait présentement avait beaucoup aimé les jeux de rôles, et qu'il serait gentil de lui indiquer lesquels auraient pu lui plaire. Elle en achèterait peut-être un par curiosité, en plus de celui dont lui-même avait envie.

— Tu n'es pas obligée de me payer, dit Olivier après avoir considéré l'offre. Ça nous arrive de faire des choses gratuitement, tu sais.

Sylvie lui posa la main sur l'épaule.

— Je ne le voyais pas comme un paiement, Olivier. Ni comme un pot-de-vin, ajouta-t-elle avec un sourire espiègle. Je te l'offre par pur plaisir, et tu es libre d'accepter ou pas, ça ne t'engage à rien.

Le garçon eut un sourire furtif.

— Si tu tiens à jeter ton argent par les fenêtres, je n'ai aucune objection à ce que tu l'envoies de mon côté.

Sylvie cria donc à Alain qu'elle accompagnait Olivier au magasin.

Lorsqu'ils y entrèrent, Sylvie regarda avec consternation les jeux s'étaler sur des rayons entiers. Mais Olivier la rassura, ils étaient classés par catégorie. Il la guida vers le rayon des jeux des rôles, lequel se révéla fort limité. Outre le traditionnel *Dungeons and Dragons*, il ne s'en trouvait que quatre ou cinq, en plusieurs exemplaires. Olivier lui expliqua que, exception faite des classiques, seuls les jeux les plus récents étaient disponibles dans ce genre de magasin. Pour les plus vieux, il fallait courir les foires ou les magasins d'usagé. Sylvie opta donc pour le traditionnel. De toute façon, lui confirma Olivier, c'était le plus populaire pour jouer entre amis internautes. Et puis, ils se ressemblaient tous, conclut-il avec le mépris de celui qui préférait les envahisseurs venus d'autres planètes aux créatures mythiques peuplant nos contes et légendes. Sylvie sourit et suivit l'adolescent au rayon où se trouvait le jeu que lui-même convoitait.

À la caisse, Sylvie se renseigna sur les caméras et apprit qu'on les appelait «*webcams*». Non, ils n'avaient pas de catalogue comme tel, mais ils avaient des brochures illustrant divers modèles. Sylvie prit toutes celles qu'elle put trouver. En sortant, elle demanda à Olivier si une crème glacée lui plairait. Elle avait envie de montrer ces pubs de caméras à quelqu'un, afin de voir s'il y reconnaîtrait celle qu'il avait vue chez la vic-

time. Elle pourrait lui demander de les rejoindre au *Dairy Queen*.

— *Cool*! s'exclama l'adolescent, excité à
l'idée de rencontrer l'une des personnes
impliquées dans l'enquête.

Sylvie ne lui dit pas que son témoin était
prêtre, afin de ne pas indisposer le garçon
envers lui. Elle appela Simon du bar laitier,
et ce dernier accepta l'invitation. Ils achevaient
leur collation lorsque Simon arriva, porteur
du portrait emballé, qu'il remit à Sylvie.

— Votre partenaire a pas mal rajeuni,
commenta-t-il, espiègle.

— Olivier, le fils de mon conjoint, le présenta Sylvie.

— Enchanté, dit Simon en lui serrant la
main. Simon Pratte, prêtre en fin de vacances,
lança-t-il avant de s'asseoir sans façon et de
commander une coupe glacée au caramel et
aux noix.

Sylvie, qui comptait ses tricheries, car elle
engraissait facilement, commenta l'injustice
de sa sveltesse.

— Les voies du Seigneur sont impéné-
trables, dit Simon en souriant. Et puis, il n'y
avait pas de *Dairy Queen* où j'étais avant.
Comme il n'y en a pas non plus à proximité
d'où je m'en vais, aussi bien faire mes folies
maintenant.

— *Wow*! Vous êtes pas mal *cool* pour un
prêtre ! fit Olivier.

— C'est rien ça, dit Sylvie. Tu devrais entendre ses théories sur la confession informatique.

Pressé par l'adolescent, Simon les lui résuma. Impressionné, Olivier dit que, si jamais il avait besoin d'un prêtre, il ne voulait personne d'autre que lui. Simon lui assura qu'il serait toujours heureux d'échanger avec lui, que ce fût en sa qualité de prêtre ou non. Il n'avait pas encore d'adresse électronique, mais si Olivier lui donnait la sienne, il la lui enverrait dès qu'il serait branché. Olivier la lui écrivit sur une serviette de table, et Simon l'empocha.

— Et maintenant, si on regardait ces caméras ?

Simon examina, fasciné, les brochures illustrant les caméras numériques, détaillant leurs caractéristiques et diverses applications. Son allergie aux produits utilisés pour le développement traditionnel des photos ne l'avait pas empêché de s'intéresser aux multiples autres aspects de la photographie, et il y était, de toute évidence, calé. De plus, le potentiel des nouvelles technologies l'enthousiasmait. Les voyant sérieusement absorbés par le sujet, Olivier, impatient d'essayer son nouveau jeu, décida de rentrer en métro. Il rappela à Simon de lui envoyer son adresse et s'en fut.

— Désolé de l'avoir fait fuir, s'excusa Simon.

— Il n'y a pas de quoi. Je me demandais justement comment le renvoyer sans le vexer.

— Ah ? Pourquoi ?

— Parce que je vous ai vu reconnaître celle-là, dit-elle en retirant une brochure de celles qu'ils avaient déjà regardées, et que je voulais savoir pourquoi vous n'en avez rien dit.

— Ouais, vous êtes perspicace, vous ! J'attendais juste de les avoir toutes vues avant de me prononcer.

— Dans ce cas, continuez, l'invita Sylvie, gardant en réserve le modèle sélectionné.

Simon passa plus rapidement en revue celles qui restaient. Puis il secoua la tête et les mit sur la pile avec les autres.

— C'était bien celle-là, finalement. Ou une qui lui ressemblait beaucoup. Elle m'a fait penser à un gros globe oculaire.

Ce disant, Simon regarda sa coupe vide d'un air songeur. Puis il fronça les sourcils et murmura :

— Tiens, c'est curieux.

— Quoi ? le pressa Sylvie.

— La contradiction, répondit Simon. Ça vient de me frapper.

— Quelle contradiction ?

— Entre ce qu'Arianne me disait et ce que je voyais.

Questionnée sur cette caméra, Arianne l'avait prétendue fournie par son employeur pour des vidéoconférences. Simon avait alors accepté cette réponse, mais elle lui semblait aujourd'hui étrange, à cause de la position de la caméra par rapport à l'ordinateur. De cet angle, en se tenant à proximité de l'écran, comme elle l'aurait dû, lui semblait-il, pour une vidéoconférence normale, Arianne aurait été invisible de ses interlocuteurs. Pour être dans le champ de vision de la caméra, il lui aurait fallu se tenir pratiquement à l'autre bout de la pièce, donc trop loin de son ordinateur pour y accéder au besoin. Bizarre, non ?

Pas si Arianne voulait être vue de pied en cap, songea Sylvie. Et si Daniel avait raison sur les activités illicites de la jeune morte, elle aurait voulu être admirée de partout.

— À quoi pensez-vous ? lui demanda Simon.

Sylvie éluda la question par une autre.

— Si je vous emmenais chez elle, pourriez-vous y situer la position exacte de la caméra et l'endroit où Arianne devait se tenir pour en être filmée ?

— Sans problème.

Sylvie l'y emmena donc. Simon repéra l'endroit où s'était trouvé l'ordinateur d'Arianne et désigna le coin d'une étagère située près d'un demi-mètre au-dessus.

— La caméra était ici, dit-il. Un fil passait derrière et la reliait au processeur. L'objectif visait par là.

Sylvie se positionna à divers endroits dans la direction pointée, demandant pour chacun à Simon ce qui, selon lui, aurait été visible d'Arianne de cet angle. À la fin de cet exercice, Sylvie prit par jeu une pose de starlette et souffla un baiser à Simon. Le voyant pâlir, elle se confondit en excuses. Elle ne savait pas ce qui lui avait pris, elle était idiote, elle avait oublié où ils étaient... Simon l'interrompit. Elle n'avait rien à se reprocher. Elle avait simplement tant ressemblé à Arianne en posant ce geste qu'il avait cru la voir, elle.

— Je vous en prie, sortons ! lui murmura-t-il avec urgence. Sinon, je ne réponds pas de moi.

Sylvie, troublée de la réaction du jeune prêtre, et plus encore du plaisir qu'elle en éprouvait, acquiesça. Ils quittèrent l'immeuble dans un silence embarrassé. Une fois sur le trottoir, Sylvie offrit de le reconduire chez lui. Simon secoua la tête.

— Je n'ai pas envie de rentrer tout de suite. Et je me sens bien avec vous. Auriez-vous la bonté de m'endurer encore un peu... dans un lieu public ?

— Avec grand plaisir, lui assura Sylvie, soulagée qu'il ne lui en voulût pas de sa bévue. Admirer des fleurs, ça vous dirait ?

Simon la remercia d'un sourire.

— Va pour le Jardin botanique !

Sylvie venait de rentrer lorsque retentit l'appel de Daniel. Elle le rappela sans tarder.

— As-tu appelé Simon ce matin ?

— Oui. Pourquoi ?

Daniel lui expliqua que sa tante s'inquiétait parce qu'il n'était pas encore rentré.

— À quelle heure l'as-tu quitté ?

— Euh... Il y a à peu près une demi-heure, avoua Sylvie.

Au bout du fil, Daniel haussa un sourcil.

— Vous êtes restés ensemble tout ce temps-là ? Tu en avais long à confesser, ironisa-t-il.

— *Coudon*, toi ! Tu es plus soupçonneux que mon *chum*! répondit Sylvie, piquée.

— Peut-être. Mais ce n'est pas à lui que tu as conseillé de garder ses distances avec Sébastien, riposta Daniel du tac au tac.

Sylvie se tut. Cette répartie était méritée, et elle le savait.

— Tu l'as appelé pourquoi ? lui demanda Daniel.

Sylvie lui parla de ses recherches à propos de la caméra et de ce que Simon lui avait appris à ce sujet.

— Bien. T'a-t-il confié autre chose d'intéressant ?

— Rien qui ait un rapport avec l'enquête. Mais il dit qu'il ne sera pas fâché de partir. Toute cette histoire l'a tellement énervé qu'il se sent devenir paranoïaque. Ces derniers jours, il a souvent eu l'impression qu'on le suivait.

— L'as-tu reconduit chez lui ?

— Non, je l'ai déposé à un petit centre d'achat. Il voulait acheter un cadeau de remerciement pour sa tante. Pourquoi ? s'alarma-t-elle. Le penses-tu en danger ?

Daniel lui exposa sa théorie quant au motif pour lequel on lui avait fait parvenir les photos d'Arianne.

— On se serait servi de lui pour remonter à Sébastien ?

— Si on excepte la pure méchanceté, je ne vois pas quelle autre raison on aurait eue de lui envoyer ça. Tu ne lui as pas donné son adresse, j'espère ?

— Mais non ! fit Sylvie, agacée. On n'a même pas mentionné son nom quand il m'a remis son tableau. Mais si on le force, il va révéler que c'est un adolescent et... Oh ! mon Dieu ! Olivier ! Simon a l'adresse électronique d'Olivier dans sa poche !

Le cœur léger, Simon regarda la caissière emballer le cadeau pour sa tante : un carré de soie et des boucles d'oreilles qu'il avait mis un bon moment à choisir. N'eût-il craint d'abuser, il aurait demandé à Sylvie de le guider dans son achat, mais il l'avait déjà bien assez enlevée à sa famille. Et il y avait eu ce doux moment d'égarement au Jardin. Il avait mal agi, il le savait, mais cet après-midi lui avait fait tellement de bien qu'il n'arrivait pas à s'en sentir coupable. Il n'allait donc pas aggraver ses torts d'un faux repentir.

Mais lorsqu'il sortit avec son petit paquet enrubanné, l'inquiétude dont il s'était cru exorcisé s'empara de nouveau de lui. L'arrêt d'autobus au bout du stationnement lui parut désespérément loin. Non sans raison, s'avéra-t-il, car il n'avait pas fait dix pas en sa direction, que deux inconnus armés de couteaux surgirent de derrière une fourgonnette et se jetèrent sur lui. Simon se protégea du mieux qu'il pût, mais il s'écroula bientôt sous l'assaut répété des lames.

11

— Comment est-il ? demanda Daniel en rejoignant Sylvie à l'hôpital.

— Je ne sais pas, il est encore en traitement, répondit cette dernière. Ça me dépasse qu'on puisse attaquer quelqu'un comme ça, en plein jour, sans que personne n'intervienne ! ajouta-t-elle, révoltée.

— Ça se produit tellement vite, ces choses-là, que les gens n'ont pas le temps de réagir. Il a été chanceux qu'une auto de patrouille ait eu affaire dans le coin.

— Ce n'était pas un hasard ! J'ai fait envoyer les patrouilleurs au centre d'achat, avec pour mission d'y retrouver Simon s'il y était encore et de le ramener chez lui. En voyant arriver la police, les agresseurs de Simon se sont enfuis. Mais pourquoi l'a-t-on poignardé, si on voulait se servir de lui pour remonter à Sébastien ?

— On n'a peut-être pas aimé le voir collaborer si allègrement avec la police.

En partie parce qu'elle se sentait coupable, Sylvie se défendit d'avoir exposé Simon à ces sévices.

— Je n'étais pas en devoir, vêtue d'un short et d'un T-shirt. Je l'ai rencontré dans un *Dairy Queen*, en compagnie du fils d'Alain. Je lui ai montré des brochures, mais je n'aurais pu être qu'une copine lui demandant conseil pour un achat. Bien sûr, on est passés chez Arianne, mais il s'agit après tout d'un immeuble à appartements où j'aurais pu habiter aussi. En sortant de là, on s'est rendus directement au Jardin botanique, où on a jasé presque tout l'après-midi de choses n'ayant rien à voir avec l'enquête. Et ni toi ni moi n'avons visité Simon depuis qu'il nous a apporté les photos. Comment aurait-on pu savoir que je suis policière ?

— Je ne vois qu'une explication : quelqu'un a placé un micro chez Simon, ou a intercepté ses appels.

Sylvie secoua la tête. Même s'il en était ainsi, elle s'était nommée sans mentionner son titre et lui avait donné rendez-vous en disant seulement qu'elle avait pris des brochures de caméras et avait besoin de son aide.

— Mais il a dit à sa tante qu'il allait rejoindre l'enquêteur dans l'affaire d'Arianne. Et si c'est le téléphone qui est « tapé », ça peut être *mon* appel qui les a énervés. Dans les deux cas, ça montre une crainte qu'il sache quelque chose qui peut nous mener à eux, et qu'on l'a jugé potentiellement plus dangereux qu'utile.

— Si tu as raison, veille à garder Sébastien hors de leurs pattes, parce que ça n'augure rien de bon pour lui.

Sylvie prononça cet avertissement d'un ton si indifférent que Daniel en fronça les sourcils. Sylvie s'excusa et s'en fut aux toilettes des dames. Elle en revint au bout de quelques minutes, les yeux légèrement rougis. Incapable de refréner sa curiosité, Daniel lui demanda pourquoi elle était à ce point affectée.

— Il était si gentil ! Il trouvait que je ressemblais à Arianne.

— Ah ? fit Daniel, intéressé. En quel sens ?

— Celui de la beauté, figure-toi, l'informa-t-elle avec l'ombre d'un sourire.

— La beauté est dans l'œil de celui qui regarde, fit Daniel sans se compromettre. De toute façon, je ne vois pas pourquoi tu en parles au passé, il n'est pas encore mort.

— Quand on parle du diable, murmura Sylvie en voyant s'avancer vers eux le médecin qui avait traité Simon.

Le jeune prêtre se trouvait dans un état critique, mais stable, leur dit le médecin. Son patient avait, selon lui, de bonnes chances de s'en tirer. Bien que les coups aient été nombreux, aucun organe vital n'avait été sérieusement atteint, et Simon était un homme jeune et robuste. De plus, le secours était arrivé rapidement, ce qui avait prévenu une trop grande perte de sang. Le facteur inconnu était qu'on ignorait à quels virus, bactéries, piqûres ou morsures il avait été exposé lors de son séjour en Amérique latine, et si quelque microbe latent n'attendait pas cet affaiblissement de son organisme pour attaquer. On l'avait d'ailleurs, par précaution, isolé en compagnie de sa tante. Il n'avait pas encore repris conscience.

Sylvie demanda à récupérer les effets personnels de Simon. Le médecin hésita. Le patient n'étant pas décédé, ses effets personnels ne pouvaient être remis, sans son consentement, qu'à un membre de sa famille proche. Daniel fit valoir que, puisqu'il n'était présentement pas apte à donner ce consentement, celui de sa tante serait tout à fait légal. Après avoir obtenu de cette dernière la signature requise, le médecin remit aux détectives un sac scellé contenant tout ce que Simon avait sur lui au moment de l'agression. Daniel le remercia et se tourna vers la sortie. Sylvie lui agrippa le bras.

— Je préférerais rester jusqu'à ce qu'il se réveille, Dan. Mais j'aimerais aussi qu'on examine ça tout de suite, dit-elle en désignant le sac. Ça te dérangerait beaucoup qu'on le fasse ici ?

À la demande de Daniel, le médecin les mena à un réduit meublé d'un vieux pupitre, d'une chaise et d'une civière qui ne roulait plus. Cette pièce se trouvait justement à proximité de la chambre où se trouvaient Simon et sa tante. Une fois seuls, les enquêteurs vidèrent le contenu du sac sur le pupitre. Tout y était plus ou moins maculé de sang : les vêtements transpercés, un porte-monnaie de cuir brun ne contenant que quelques dollars, une poignée de monnaie, un permis de conduire, une demande de carte d'assurance-maladie, deux photos d'Arianne, un paquet de mouchoirs en papier à moitié vide, un trousseau de clés, le paquet enrubanné pour sa tante et une serviette de table qui avait porté une inscription manuscrite, dont seul le « n.ca » de la fin avait échappé à l'épanchement du sang. Sylvie s'en empara avec un soulagement manifeste.

— L'adresse d'Olivier ? en déduisit Daniel.

Sylvie hocha la tête et s'assit avec lassitude sur la civière.

— Tu avais raison tout à l'heure, dit-elle. Je n'ai pas de sermons à te faire. Je ne te critiquerai plus jamais, je te le promets.

Daniel vint s'asseoir à ses côtés et lui tapota la main.

— Hé ! si je veux un petit chien, je peux aller m'en chercher un au *Pet shop*.

Sylvie lui sourit avec gratitude.

— Tu as envie d'en parler ? lui demanda son collègue.

Sylvie lui raconta sa journée avec Simon. Ce qu'ils s'étaient dit en présence d'Olivier.

Ce qu'elle avait déduit de ce qu'il lui avait montré chez Arianne. Le geste impulsif qu'elle y avait eu et l'effet produit sur lui. L'embarras qui s'en était suivi.

— J'aurais pensé qu'il m'en voudrait, mais non. Il avait encore envie de ma compagnie. Alors, je l'ai emmené au Jardin botanique. Le croirais-tu ? C'était la première fois qu'il y allait ! Il a une de ces façons de regarder, Dan ! Il me semblait que chaque détail se gravait dans sa mémoire.

— Je te crois. C'est visible dans ses descriptions.

— On parlait, on parlait…

— De quoi ?

Sylvie l'informa qu'ils avaient causé de la confusion dans laquelle se trouvait Simon depuis son retour. Là-bas, bien qu'il eût côtoyé de très jolies femmes, il lui avait été facile de maîtriser ses montées de désir, car la culture de l'endroit lui interdisait d'être autre chose qu'un homme de Dieu. Il aurait perdu toute estime de ses paroissiens s'il avait seulement enlevé son col romain en public pour autre chose qu'une baignade. Même lorsqu'il se joignait aux travaux manuels de ses ouailles, il demeurait le « *padre* ». Alors qu'ici, peu de gens éprouvaient encore cette vénération de la prêtrise. Cette perception plus égalitaire lui plaisait, mais elle lui rendait plus nébuleuse la démarcation entre l'homme de Dieu et l'homme tout court. Il avait cru ce dilemme mort et enterré, mais la seule vue d'Arianne l'avait ramené en force. Cette conversation les avait amenés au bord d'un étang, où ils s'étaient assis. Sylvie, qui avait grandi dans le voisinage, lui avait raconté qu'enfant, elle rêvassait souvent à cet endroit. Elle s'y imaginait devenir toute petite et naviguer sur des feuilles de nénuphar.

— C'est là qu'il m'a dit que je ressemblais à Arianne et que, comme elle, j'étais très belle. J'ai répondu : « Intérieurement, peut-être ». Il m'a regardée, l'air vraiment surpris, et il m'a dit : « Je ne parlais pas juste de l'intérieur ». Je suis pratiquement sûre que c'était elle qu'il voyait, pas moi. Il y a pire que moi, mais je n'ai jamais été une beauté frappante. À part les jambes, peut-être.

Le regard de Daniel s'y attarda un moment.

— Elles ne sont pas piquées des vers, admit-il, admiratif.

— Mais avoue que le reste est bien ordinaire.

— Tout est question de goût. Personnellement, je te trouve assez jolie. Mais ne le dis pas à ma femme, l'avisa-t-il en souriant.

— Mais pas belle comme Arianne, insista Sylvie.

— Non. Pas à mon point de vue.

— Eh bien ! lui, qui a pourtant le regard si aiguisé, il me voyait comme elle. En tout cas, aussi belle qu'elle. Et à me faire regarder comme ça, je me *sentais* aussi belle qu'elle. J'en ai complètement perdu la tête, Dan. Une chance qu'on était dans un endroit public ! Mais je te dis que pour un puceau de trente ans, il embrasse bien en maudit !

— Mieux qu'Alain ?

Sylvie sourit. Il avait raison, tous les hommes étaient plus ou moins voyeurs. Elle satisfit néanmoins sa curiosité et admit qu'elle ne serait pas fâchée de voir partir Simon. Il était trop tentant à son goût.

— Pour ça, il faudrait d'abord qu'il se remette, dit Daniel. Et j'espère qu'il va le faire, parce que j'aimerais bien savoir ce qu'il sait.

— Peut-être qu'il ne sait rien d'important.

— Possible. Mais s'ils sont prêts à aller aussi loin juste au cas où, il faut absolument qu'on brouille la piste de Sébastien avant qu'ils le trouvent.

Le téléavertisseur de Daniel vibra et l'écran en afficha le numéro de l'adolescent, suivi du 9-1-1.

Les exhortations à la prudence de Daniel l'ayant plongé dans une vive inquiétude, Sébastien décida d'aller se calmer les nerfs au parc. Il en fit lentement le tour, s'arrêtant ici et là pour observer un oiseau, une fleur ou un papillon. Il se posta ensuite à l'ombre d'un arbre, où il lut pendant un moment avant de sortir sa tablette à dessin. Absorbé par son croquis, il n'entendit pas la fillette arriver. Il sursauta donc lorsqu'elle lui dit :

— Allô! C'est quoi tu dessines, Monsieur ?

Sébastien la considéra, indécis. L'avertissement de Daniel s'appliquait-il aussi aux enfants ?

— La fontaine là-bas, répondit-il finalement. Tu es nouvelle dans le coin ? Je ne t'ai jamais vue.

— Non. On est venus voir mon voisin jouer au baseball.

— Tu es pas mal loin du terrain, je trouve. Et puis, c'est dangereux de parler à des inconnus. Ma mère me le dit tout le temps. Pas la tienne ?

— Bah ! *Y* a pas de danger, *t'as* pas de jambes ! fit candidement la gamine.

— Non. Mais j'ai des bras très rapides, l'avertit Sébastien en souriant. Je pourrais t'attraper, rouler jusqu'aux arbres là-bas et te manger en sandwich. J'aime beaucoup les sandwichs aux petites filles, ce sont mes préférés.

— Je te crois pas, le défia la fillette, qui n'en recula pas moins hors de sa portée.

Sébastien éclata de rire.

— Je plaisantais. Mais tu ferais quand même mieux de retourner à tes parents.

— Non. Je veux que tu me dessines ! s'entêta l'enfant.

L'alarme de Sébastien revint en force. Il prétendit n'être pas très doué pour les personnages. La fillette eut l'air si déçu qu'il lui proposa un dessin d'animal.

— Mais juste si tu me promets d'aller rejoindre tes parents ensuite.

— Si c'est à mon goût, marchanda-t-elle.

Sébastien changea de page et se mit à esquisser un écureuil. La fillette, qui s'était rapprochée, le regardait, fascinée.

— Tu es super-bon ! Travailles-tu là-dedans ?

L'alarme résonnait de plus en plus fort. Sébastien hésitait malgré tout à voir une espionne en cette gamine. C'est alors qu'il remarqua l'épinglette en pingouin qui ornait la bavette de sa salopette courte. L'œil du palmipède avait l'air bizarre. Un micro ? se demanda l'adolescent. Dissimulant son agitation, il répondit qu'il était beaucoup trop jeune pour travailler, qu'il allait encore à l'école.

— *T'es* pas un monsieur ? s'étonna la fillette.

— Pas encore. J'ai juste seize ans.

— Mais *t'as* plus de poil que mon père !

— Parce que le mien était un gorille, lui confia Sébastien.

— Pour de vrai ? fit la gamine, impressionnée.

Sébastien sourit et répondit que c'était une façon de parler. Puis, il lui demanda son prénom afin de lui dédicacer son dessin. La fillette lui ayant dit s'appeler Catherine, il écrivit : «*À Catherine de Alexandre* ». Il roula ensuite le dessin et le lui tendit. Catherine le remercia d'un sourire lumineux. Non loin, une voix de femme cria : « Alex ! Viens souper ! » Sébastien prétendit que sa mère l'appelait et prit congé de la fillette. Du coin de l'œil, il vit cette dernière courir en direction opposée du terrain de balle.

— Tu as bien fait de m'appeler, lui dit Daniel lorsque Sébastien lui eut rapporté cette rencontre. Écoute, je ne veux pas que tu ressortes ce soir, même avec ta mère. J'examine les options et je te rappelle tantôt.

Daniel referma le téléphone cellulaire et se tourna vers Sylvie.

— Ils l'ont trouvé ? fit cette dernière.

— Ils brûlent, répondit Daniel. D'après ce que Sébastien m'a dit, je pense qu'ils en sont présentement à ratisser le voisinage d'Arianne pour tester les aptitudes en dessin de tous les mâles en fauteuil roulant qu'ils y trouvent. Comme il ne doit pas y en avoir une tonne, on est mieux de leur donner au plus « sacrant » un autre chat à courir.

— Ce serait peut-être bon de l'éloigner de là aussi.

— C'est bien mon intention.

Ce disant, il réactiva le téléphone cellulaire et appela son épouse. Il lui résuma la
situation et lui demanda si elle accepterait
d'accueillir Sébastien chez eux quelque temps,
s'il parvenait à convaincre la mère de le lui
confier. Johanne ne se montra pas chaude à
l'idée, croyant qu'héberger un handicapé
pourrait s'avérer exigeant pour eux, qui n'y
étaient pas habitués. Et puis, il travaillait et
elle avait sa parfumerie. Qui protégerait le
garçon en leur absence ? Ne serait-il pas plus
pratique de le placer temporairement dans
quelque institution où il y aurait plus de gens
pour veiller à sa sécurité ? Daniel réprima sa
colère et répondit :

— Johanne, si on l'entoure d'inconnus,
l'ennemi va pouvoir l'approcher sans qu'il
voie venir. Et puis, je vais avoir à passer beaucoup de temps avec lui à ce stade-ci de l'enquête. Il faut qu'il me soit accessible. Il est
très autonome, tu vas vite oublier qu'il est
handicapé. Et je te ferai remarquer que ça ne
te dérange pas de te fier à tes employés quand
on part en vacances. Tu n'es pas obligée d'aller
à heures fixes à ta boutique, on peut s'arranger
pour ne pas être partis en même temps.

— Tu y tiens, n'est-ce pas ?

— Oui. Mais je ne veux pas te l'imposer.
Si c'est trop te demander, je trouverai un autre
moyen.

— Je n'aime pas ce ton-là. Je te connais, Daniel Asselin. Si je te dis non, tu es bien capable de louer un logement et de t'y installer avec lui.

— Chérie, tu es géniale ! Je pourrais en trouver un pas loin de chez Sylvie, ce serait idéal comme poste de commandement. Merci de la suggestion.

— C'est du chantage !

— Pas du tout. C'est même une excellente solution. Tu pourrais en profiter pour partir en voyage avec ta sœur.

— Bon, bon, j'ai compris. Tu peux l'emmener, ton Sébastien, grogna Johanne avant de raccrocher avec humeur.

Sylvie s'inquiéta des répercussions qu'un tel arrangement pourrait avoir sur le ménage de son collègue. Daniel haussa les épaules.

— Le charme de Sébastien viendra vite à bout des réticences de ma femme.

— C'est bien là le danger ! le taquina Sylvie.

Daniel rit et dit qu'il verrait à satisfaire l'appétit de son épouse. Mais il lui fallait d'abord convaincre madame Boyer de lui confier le garçon, ce qui ne serait sans doute pas de la tarte.

— Tu m'accompagnes ou tu restes ?

— Je reste, au cas où Simon reprendrait conscience pendant que tu es parti. Mais ce serait moins « plate » si j'avais quelque chose à faire. Dommage que la boîte de Bernie ne soit pas ici, j'aurais pu continuer le triage en attendant.

— Bonne idée, approuva Daniel, heureux de trouver en sa collègue une ferveur égale à la sienne. Je vais te chercher ça tout de suite et j'irai chez madame Boyer après.

— Tu es un amour !

— Penses-tu ! N'importe quoi pour sauver de l'argent au département, ricana Daniel en se dirigeant vers la porte.

Sylvie sourit dans son dos. Elle avait mis longtemps à les reconnaître, mais les compliments déguisés de ses confrères étaient maintenant ses favoris.

Amener madame Boyer à lui céder son fils pour quelque temps s'avéra une bataille d'autant plus rude pour Daniel qu'il ne voulait pas lui révéler ce qui était arrivé à Simon, de crainte de se voir désormais refuser tout accès à Sébastien. Il se sentait bien un peu coupable de cet égoïsme, mais il le justifia du besoin qu'il avait de l'adolescent pour mener à bien son projet. De plus, il avait la conviction intime que mettre la main sur ces criminels était la seule façon de libérer définitivement le garçon de leur menace.

— Arianne LeSieur était une bonne fille, Madame Boyer, dit-il en réponse aux récriminations de cette dernière. Du moins, on a toutes les raisons de le penser. Mais elle était naïve et elle s'est laissé abuser par des gens sans scrupules. Ces gens-là l'ont éliminée parce qu'ils avaient peur qu'au contact de votre fils, elle voie plus clair dans leur jeu et les dénonce.

— Si vous savez qui ils sont, qu'attendez-vous pour les arrêter ?

— On ne sait pas qui ils sont. C'est justement ce qu'on essaie de trouver. Mais on soupçonne qu'elle était en contact étroit avec l'un d'eux. Et, si on a raison, ils savent qu'elle fréquentait un handicapé bon en dessin, parce qu'elle en a parlé dans ses communications électroniques avec lui.

Sébastien, qui jusque-là contemplait la table sans mot dire, releva vivement la tête et le fouilla du regard. Avec sa sagacité habituelle, il avait aussitôt compris que ses propres communications avaient été lues aussi. Daniel le lui confirma d'un petit geste d'excuse. Sébastien lui répondit d'un sourire triste et regarda de nouveau la table. Se demandant ce qu'il pouvait bien y trouver de si fascinant, Daniel reprit son plaidoyer avec la mère.

— Ce qui est arrivé cet après-midi me donne à penser qu'on a affaire à des gens très forts.

— Quoi ? Qu'est-ce qui s'est passé cet après-midi ?

— J'étais sûr que si l'assassin d'Arianne et le groupe dont il fait partie connaissaient l'existence de Sébastien, ils chercheraient à le trouver. Alors j'ai dit à votre fils de se méfier de quiconque voudrait l'approcher, homme ou femme. Or, ils lui ont envoyé quelqu'un dont il ne pouvait pas se méfier ouvertement sans se trahir. Raconte-lui, Sébastien.

De toute évidence mal à l'aise, Sébastien relata à sa mère son aventure de l'après-midi. Cette dernière l'écouta sans l'interrompre, mais avec une incompréhension si manifeste qu'il se demanda s'il n'était pas paranoïaque. Sentiment qui s'accrut lorsqu'elle se tourna vers Daniel pour lui demander, incrédule :

— Vous voulez me l'enlever parce qu'une gamine lui a demandé un dessin ? Êtes-vous malade ?

— Je ne crois pas aux coïncidences, répondit l'enquêteur. Sébastien va dans ce parc tous les jours ou presque. C'est aussi le plus près de chez Arianne, et elle ne pouvait pas manquer de le rencontrer. Mais cette gamine, Sébastien ne l'avait jamais vue avant. Et elle ne lui a pas demandé n'importe quel dessin, elle voulait qu'il la dessine, elle.

Madame Boyer haussa les épaules.

— Plein d'enfants demandent ça. Et ils sont contents quand on leur fait un bonhomme allumette.

Daniel lui expliqua que les dessinateurs de bonshommes allumettes ne s'installaient pas dans les parcs avec un fusain et une tablette à esquisses. Ce geste trahissait le professionnalisme en dessin ou, à tout le moins, un amateurisme sérieux. Sébastien avait bien fait d'en produire un beau ; le contraire aurait pu éveiller les soupçons. Mais il avait été avisé de donner un faux nom et de prétendre qu'il ne valait rien quant aux personnages. Cela avait éloigné leur suspect pour l'instant. Mais s'il ne trouvait pas de meilleurs candidats, ce qui n'arriverait pas avant que leur appât ne soit prêt, il reviendrait à la charge. Et Sébastien ne s'en tirerait pas aussi facilement à ce moment-là.

— Vous ne voudriez pas qu'il lui arrive quelque chose, n'est-ce pas ?

Madame Boyer baissa la tête et étouffa un sanglot.

— Mais qu'est-ce que je vais devenir sans lui ? Il est tout ce que j'ai !

Daniel comprit alors pourquoi Sébastien regardait si obstinément la table. Il ne voulait pas que sa mère vît combien il avait envie d'échapper momentanément à cette emprise aimante.

— Raison de plus pour le protéger, Madame, répondit Daniel avec douceur. Sa sécurité ne vaut-elle pas un petit sacrifice ?

— Un petit sacrifice ? Vous me demandez de vous le laisser pendant des semaines,
peut-être des mois, et vous appelez ça un
petit sacrifice ? Vous ne devez pas avoir d'enfant, vous !

Blessé, l'enquêteur chercha une riposte.
Mais devant le regard angoissé de Sébastien,
il se força au calme et rassura madame Boyer.
Il n'avait pas l'intention de la priver aussi
longtemps de la présence de son fils. Il tenait
seulement à le protéger d'ici à ce que les mal-
faiteurs soient coincés. Et comme il avait
besoin de lui pour accomplir ce boulot, il
voulait également le garder à sa portée. Si la
situation menaçait de s'éterniser, il louerait
pour Sébastien et sa mère un appartement
où ils pourraient s'installer durant l'enquête,
sous prétexte de rénovations à leur maison.

— Mais en attendant, je vous en prie, lais-
sez-moi l'emmener ! supplia-t-il. Je vais en
prendre soin comme de la prunelle de mes
yeux, je vous le promets. Et il va vous appeler
tous les jours.

Vaincue, madame Boyer acquiesça enfin.

— Viens, je vais t'aider à empaqueter tes
choses, dit-elle à son fils d'une voix brisée.

— Prenez le temps qu'il vous faut, je vais
attendre ici, offrit Daniel, qui ne voulait pas
gêner leurs démonstrations. N'oublie pas les
films, Sébastien.

Une demi-heure plus tard, l'adolescent se hissa dans le véhicule de Daniel et salua de la main sa mère, qui les regardait partir en pleurant silencieusement.

Daniel laissa Sébastien maîtriser son émotion, puis il lui demanda s'il lui en voulait d'avoir lu ses échanges avec Arianne. Sébastien haussa les épaules.

— Je suppose qu'il n'y a plus grand-chose de privé quand quelqu'un meurt de cette façon.

— Non. C'est l'un des tristes aspects du métier.

— Tu n'es pas trop déçu de moi ?

— Tu n'as pas tué ton père, Sébastien, affirma Daniel.

— Tu crois que je fabule ?

— Oh non ! Je suis sûr que tu as porté le coup, ou que tu as essayé. Mais tu ne me feras pas accroire que le petit chicot que tu devais être dans ce temps-là aurait été assez fort pour tuer un homme en l'assommant.

— Pourtant il est mort ! Et il était à peine blessé !

— Tu es plus intelligent que ça, mon gars. Tu sais parfaitement qu'une blessure grave peut ne pas être apparente. Si tu as continué à croire à ta culpabilité toutes ces années-là, c'est parce que ça satisfaisait un besoin chez toi. Mais honnêtement là, tu n'es pas soulagé que je te détrompe ?

— Oui, admit l'adolescent. Tu as raison, c'était une béquille. Mais si je l'avais vraiment tué, me verrais-tu différemment ?

— Non.

— Et Sylvie ? Me verrait-elle différemment ?

Daniel sourit.

— Je suppose que tu y gagnerais. Tout le monde sait que les femmes aiment les hommes dangereux.

— Moi, je pense que c'est un cliché.

— Vraiment ? Dans ce cas, pourquoi as-tu raconté ça à Arianne ?

Sébastien rougit et changea de sujet en demandant à Daniel s'il avait déjà voulu être autre chose qu'un policier. Daniel secoua la tête. Il venait d'une dynastie de policiers. Le premier remontait presque à Samuel de Champlain, plaisanta-t-il. Puis, songeant à Simon, il ajouta :

— Trouves-tu que Sylvie ressemble à Arianne ?

— Non. Oui. Peut-être, balbutia Sébastien, pris au dépourvu. Je ne pourrais pas te dire en quoi, par exemple, je ne la connais pas encore assez. Pourquoi demandes-tu ça ?

— Parce que Simon le trouve. En tout cas, c'est ce qu'il lui a dit.

— J'aimerais le rencontrer.

— Peut-être plus tard.

— Mais il part bientôt, non ?

Daniel hésita, puis le mit au courant de l'agression dont Simon avait été victime.

— *Crisse*! Une chance que ma mère ne sait pas ça !

— Ça va ? s'inquiéta Daniel devant sa soudaine pâleur.

— Oui, mais j'ai peur, Dan. C'est niaiseux, hein ? Il y a des moments où je veux mourir, mais j'ai peur d'être tué.

Daniel tendit la main et serra celle de l'adolescent.

— Je vais tout faire pour que ça n'arrive pas, fils. Et maintenant, fais-toi le plus charmeur possible, on arrive.

Finalement, Sébastien n'eut pas à déployer sa séduction ; Johanne avait senti qu'un mauvais accueil l'aurait mise en conflit sérieux avec son époux, et elle adorait Daniel. Bien sûr, l'idée d'avoir à partager leur univers avec un étranger, handicapé de surcroît, ne lui souriait guère, mais elle avait décidé de faire contre mauvaise fortune bon cœur. Après tout, il y avait un avantage à la chose. Si Daniel amenait le garçon chez eux, il ne l'aurait plus comme excuse pour fréquenter la mère. En voyant Sébastien, elle se réjouit de sa décision. Dieu qu'il était beau ! Si son apparence à lui était une indication de celle de sa mère, mieux valait en éloigner Daniel. Ce dernier les présenta l'un à l'autre, ravi de voir sa femme se montrer sous son meilleur jour.

— C'est *cool* chez vous, dit Sébastien.

— Mais pas très pratique pour toi, réalisa Daniel, regrettant pour la première fois d'avoir acheté une maison à niveaux multiples.

L'adolescent sourit et dit qu'il aimait le défi.

— Eh bien ! tu vas être servi ! Où l'as-tu installé ? demanda Daniel à son épouse.

Toute fière, Johanne les guida à l'une des deux chambres du rez-de-chaussée. (La leur se trouvait sur la mezzanine.)

— La salle de bain est juste à côté, dit-elle.

Daniel fut agréablement surpris de voir que Johanne avait songé à encadrer la toilette d'un support tubulaire pour faciliter les manœuvres de Sébastien.

— Où as-tu pris ça ? demanda-t-il en l'embrassant sur la joue.

— Là où on trouve de tout, même un ami, cita-t-elle gaiement. Tu es mieux de resserrer les vis avant qu'il l'utilise, avertit-elle son époux. J'ai aussi acheté quelques barres, mais comme je ne sais pas où elles vont te servir, Daniel te les installera au besoin. Elles sont amovibles, mais très solides, paraît-il. La boîte dit qu'elles peuvent soutenir jusqu'à 300 livres.

— Merci. Mais je vais essayer de m'en passer si je le peux. Je veux voir si je saurais me débrouiller avec le strict minimum.

— C'est ça, le strict minimum, mon gars, dit Daniel. Veux, veux pas, tu vas avoir besoin de barres de temps en temps. Il n'y a pas de honte à ça. Tiens, laisse ton bagage là pour l'instant et va appeler ta mère pour lui dire que tu es bien rendu. Je suis sûr qu'elle ne dormira pas tant qu'elle ne t'aura pas parlé.

Sébastien sourit et s'exécuta.

Assise sur son lit de fortune, feuilles surlignées s'empilant devant elle, Sylvie n'entendit pas la vieille dame entrer et s'avancer vers elle à pas feutrés. Après avoir toussoté pour attirer son attention, sa visiteuse lui dit :

— Bonsoir. Je suis Adèle Durocher, la tante de Simon. Vous êtes Sylvie, n'est-ce pas ?

Croyant déceler une note malicieuse dans cette interrogation, Sylvie rougit. La vieille dame lui sourit avec bonté et s'assit sur l'unique chaise.

— Ne vous en faites pas, je ne vous juge ni l'un ni l'autre. Simon a toujours été très sensible, et la mort d'Arianne l'a beaucoup perturbé. Il en était très amoureux, vous savez.

— Oui, il me l'a dit. Dommage qu'il s'en soit aperçu trop tard.

La vieille dame haussa les épaules.

— Rien n'arrive pour rien. Personnellement, j'ai toujours cru qu'elle n'était pas la femme pour lui. Elle était gentille, mais trop... accaparante. Quand elle s'attachait à quelqu'un, elle n'acceptait pas de le partager.

— Vous voulez dire qu'elle était jalouse ?

— Non, pas pour faire des scènes, ni pour empêcher Simon de voir ses amis, ou de poursuivre ses intérêts. Mais elle n'acceptait pas qu'il en eût qu'elle ne partageait pas. Je peux me tromper, mais je pense que Simon s'est accroché à son idée de prêtrise parce qu'au fond, elle l'étouffait. Bien sûr, aujourd'hui, il est confus et il culpabilise. Mais moi, je pense qu'il a pris la bonne décision dans ce temps-là. Il avait l'air très heureux dans ce qu'il faisait jusqu'à ce qu'il la revoie. Et je suis sûre qu'il est capable de l'être encore, en tant que prêtre ou pas, acheva-t-elle en posant sur Sylvie un regard approbateur.

— Ce n'est pas ce que vous croyez, commença cette dernière.

— Ce que je crois n'a pas d'importance, murmura la vieille dame. Il est réveillé et il vous demande.

Sylvie se leva d'un bond, puis s'arrêta.

— Vous pouvez y aller, il n'a pas de fièvre. Le docteur dit que c'est bon signe. Je vais rester ici et surveiller vos affaires.

Elle sortit un livre de son sac. Sylvie hésita, se demandant s'il était prudent de laisser ses papiers à découvert. Finalement, elle les remit en tas dans la boîte, disant vouloir éviter qu'un membre du personnel infirmier ne les jette par mégarde. Elle n'alla toutefois pas jusqu'à emporter la boîte, de crainte d'offusquer la vielle dame.

— Je reviens tout de suite, promit-elle.

— Prenez le temps qu'il faut, dit madame Durocher. À mon âge, plus rien ne presse.

Sylvie la regarda plonger dans son livre et sortit rejoindre Simon.

L'ombre d'un sourire apparut sur le visage exsangue de Simon lorsqu'il vit s'approcher Sylvie.

— Merci d'être venue, lui dit-il d'une voix faible. Je voulais m'excuser pour cet après-midi.

— Tu n'as pas à t'excuser. Tu n'as pas perdu la tête tout seul, je suis aussi fautive que toi. Je le suis même plus, parce que toi, tu es dans une phase vulnérable. Moi, je n'ai pas cette excuse-là.

— Ne sois pas si dure envers toi-même. Je t'ai troublée en te comparant à Arianne.

— Parce que j'ai commencé en agissant comme elle, lui rappela Sylvie.

Simon tourna la tête. Sylvie le laissa se ressaisir, puis lui demanda s'il pourrait reconnaître ses agresseurs.

— Pas les deux. J'ai bien vu le premier, mais ça s'est passé tellement vite ! Je ne suis pas sûr que je pourrais l'identifier dans un autre contexte. Ils étaient jeunes, en tout cas. Pas plus de vingt-cinq ans, je dirais. Et ils avaient des couteaux. Je ne sais même pas comment il se fait que je sois encore en vie.

Sylvie le lui expliqua.

— Ton partenaire, dit Simon. Ma tante m'a dit qu'il voulait me parler. Sais-tu pourquoi ?

Sylvie s'aperçut alors que Daniel ne lui en avait rien dit.

— Il pense que c'est à cause de son appel que tu as été attaqué, que quelqu'un l'a intercepté et a eu peur de ce que tu pourrais lui révéler.

— Mais je ne peux rien vous dire sur ces gens, je ne les connais pas ! s'agita Simon.

— Ne t'énerve pas comme ça. Tu es encore très faible, tu dois garder tes énergies pour guérir.

Simon lui offrit un sourire pâle, puis sombra de nouveau dans le sommeil.

Daniel assurait à Johanne que madame Boyer ne ressemblait en rien à son fils lorsque retentit la sonnerie de son téléphone cellulaire. Il tendit la main vers sa table de chevet et s'empara prestement de son gadget favori, tandis que Johanne maugréait contre ces technologies qui dérangeaient l'intimité des gens.

— Allô! fit Daniel, tout en pointant à son épouse l'appareil décoratif, mais tout aussi capable d'interrompre leurs discussions, sommeil ou ébats, qui trônait sur sa table, à elle.

Johanne comprit le message et haussa les épaules avec humeur. Puis, la curiosité prit le dessus et elle écouta sans gêne. « Sylvie », lui mima Daniel.

— Il est réveillé?... As-tu pu le voir?... Lui as-tu demandé pour la lettre?... Ah! ben oui, niaiseux! J'ai oublié de t'en parler.

Il la mit au courant quant au passage intrigant d'une vieille lettre de Simon, puis lui demanda si les résultats des tests étaient rentrés. Sylvie lui dit que non, qu'elle les attendrait avant de partir, puis elle lui rapporta son entretien avec la tante de Simon.

— As-tu réussi à avoir Sébastien? l'interrogea-t-elle ensuite.

— Oui, il est ici. Il dort.

— Bien. C'est drôle, juste avant d'aller voir Simon, j'ai lu plusieurs messages qu'Arianne avait envoyés à Estéban. Et tu sais quoi? Elle lui contait plein de menteries sur Sébastien!

— J'espère que tu as pris tout ça en note.

— Oui. Jusqu'ici, il n'y a rien pour t'empêcher de suivre ton plan. Même qu'il y a pas mal de faussetés qui jouent en ta faveur. Il faut croire que, même si elle se prétendait très ouverte, elle avait des préjugés. Elle avait peur que son copain homo essaie de lui chiper son bel ado.

— Possible. Mais il se peut aussi qu'elle ait juste voulu le protéger de quelqu'un en qui elle n'avait pas tout à fait confiance, ou plus aussi confiance qu'avant.

Après un moment d'hésitation, Sylvie offrit d'exploiter sa ressemblance avec Arianne afin d'appâter Estéban.

— Tu as une idée précise ?

— Pas encore. Mais si ça t'intéresse, je peux y réfléchir plus sérieusement.

Ne voulant pas se compromettre, Daniel répondit qu'il n'était *a priori* ni pour ni contre.

— Il faudrait d'abord déterminer la nature de cette ressemblance, pour savoir en quoi elle pourrait nous être utile. Une séance de pose avec Sébastien, ça te dirait ? proposa-t-il. Il est bon pour capter l'essence d'une personne.

— S'il est d'accord, moi, je n'ai pas d'objection.

— Parfait. Je vais lui en parler demain. Rien d'autre ?

— Pas pour l'instant.

— Essaie de te reposer un peu. Et tiens-moi au courant s'il y a du nouveau.

— Toi aussi. *Bye.*

Daniel coupa le contact, satisfit autant qu'il le pût la curiosité de sa femme, et s'endormit sitôt la tête posée sur l'oreiller.

12

Sébastien se leva très tôt et roula jusqu'au bureau de Daniel. Bien qu'il y fût passé rapidement la veille, il avait eu le temps de voir, par la porte patio, quelque chose qui l'attirait tel un aimant : une piscine creusée. Sébastien adorait nager. À l'établissement où on lui avait appris à vivre avec son handicap, et où il avait donné à plus d'un thérapeute l'envie de lui tordre le cou, seul son moniteur de natation avait maîtrisé sa rage dès le début. Il lui avait dit : « Mon gars, quand bien même tu tempêterais toute l'année, je ne peux pas te redonner tes jambes. Mais si tu acceptes d'y travailler avec moi, les gars sur pattes vont avoir l'air de manchots à côté de toi ».

Et Sébastien l'avait cru, parce que cet homme avait le même handicap que lui. Au début, avancer dans l'eau par la seule force des bras lui avait été si difficile qu'il avait cru ne jamais y arriver. Mais, au bout de quelques mois, il s'était même pris à compétitionner avec son maître. Il était bien sûr conscient que ce dernier le laissait parfois gagner mais, aujourd'hui, il réussirait peut-être à le battre réellement.

Ces deux dernières années, depuis qu'on l'avait déclaré complètement autonome, il n'avait pas nagé une seule fois. Ni à la campagne, parce que sa mère paniquait à la seule idée qu'il s'aventure dans l'eau sans sauveteur à portée ; ni dans les piscines municipales, parce que l'attention qu'y recevaient ses membres coupés le gênait trop. Ici toutefois, il pourrait profiter du sommeil de ses hôtes pour se baigner sans être regardé avec dégoût ou commisération, si seulement il pouvait sortir sans aide. Mais les rainures et moulures de la porte coulissante l'en empêchaient. Chez lui, Sébastien en aurait pleuré de frustration. Mais pas ici. Il craignait trop de perdre l'estime de sa nouvelle idole.

— Besoin d'un coup de pouce ? lui demanda Daniel en surgissant dans la pièce.

— Pas le choix. Si je me donne un assez bon élan pour en venir à bout tout seul, je ne donne pas cher de votre bas de porte !

Malgré le sourire du garçon, Daniel sentit combien lui cuisait ce premier échec à vivre dans la « normalité ». Il lui promit donc d'installer au plus tôt une rampe qui lui donnerait accès à l'extérieur. Il n'aurait alors qu'à contourner la maison pour se rendre à la piscine. Lorsqu'ils en eurent atteint le bord, Daniel plongea, invitant Sébastien à le rejoindre.

Mais l'adolescent, de nouveau envahi par la gêne, prétexta n'avoir pas son maillot de bain.

— Raison de plus. Tu ne trouveras jamais meilleur moyen de faire oublier tes moignons. Et pense à toutes les heureuses que tu ferais dans le coin, le taquina Daniel en l'éclaboussant.

Gratifiant l'enquêteur d'un large sourire, Sébastien retira son T-shirt et son bermuda avec des gestes d'effeuilleuse. Il feignait de vouloir enlever également son boxer, lorsqu'il vit Johanne l'observer de la fenêtre. Le feu aux joues, il se jeta à l'eau.

Ils déjeunaient tous les trois sur la terrasse du patio, lorsque la sonnerie du téléphone cellulaire interrompit leur conversation.

— Je déteste ce machin ! Depuis qu'il a ça, il n'y a plus moyen d'avoir la paix, confia Johanne à Sébastien, tandis que Daniel répondait à l'appel.

L'adolescent sourit et déclara que lui-même préférait se faire traiter de dinosaure à l'école à l'idée que sa mère puisse le rejoindre n'importe où. Puis, captant par les propos de Daniel que l'interlocutrice était Sylvie, il se tut et écouta avec intérêt.

— Ah oui ? Pas de virus ? disait Daniel. Je suis bien content d'apprendre ça. T'en retournes-tu chez toi ?... Pourquoi ?... Et alors, tu vas faire quoi ? Rester à côté de lui toute sa vie ? Il te faudra bien lui lâcher la main à un moment donné... O.K., O.K., je finis de déjeuner et je m'en viens. Je devrais être là dans à peu près trois quarts d'heure.

— Je veux aller avec toi ! s'exclama aussitôt Sébastien.

Sylvie, qui avait entendu, demanda à Daniel s'il avait l'intention d'emmener son invité.

— Je ne sais pas, on va en discuter. Mais si je l'emmène, il s'appelle Alexandre devant toute personne étrangère, c'est compris ? On se voit tantôt.

Daniel referma le téléphone cellulaire et se tourna vers Sébastien. Et si Estéban ou l'un de ses sbires surveillait l'endroit ? Sébastien fit valoir qu'un type ordinairement vêtu et poussant une personne en fauteuil roulant risquait moins d'être remarqué dans un hôpital qu'un type s'y baladant avec le mot « flic » écrit sur le front. Et puis, Johanne ne se sentirait peut-être pas à l'aise de rester si tôt seule avec lui. Daniel s'inclina et lui dit d'aller s'habiller. Dès que Sébastien disparut, il se pencha vers sa femme et l'embrassa à pleine bouche.

— Ça devrait être défendu, dit-il ensuite.

— De s'embrasser ?

— Non. D'être aussi belle quand on boude.

— Ne pense pas t'en tirer à si bon compte, Daniel Asselin ! l'avertit Johanne, souriant malgré tout.

De son lit, dont Sylvie avait relevé la tête, Simon contemplait Sébastien qui, assis face à lui, le regardait tout aussi intensément. Pendant un long moment, ils s'observèrent ainsi, sans mot dire, deux rivaux unis par l'amour d'une même femme, par le souvenir chéri d'une même disparue. Puis, un sourire approbateur se dessina sur les lèvres de Simon et il fit signe à l'adolescent d'approcher. Ce dernier s'exécuta et sortit la croix de sous son T-shirt en demandant à Simon de la bénir.

— Pourquoi ? Es-tu croyant ?

— Je ne sais pas.

— Et moi, je ne sais plus. Enfin, oui, je suis croyant, je le serai toujours. Mais je ne sais plus si je suis encore digne de bénir quoi que ce soit.

— Je veux juste...

Sébastien s'interrompit, ne sachant comment exprimer son désir. Mais Simon dut le comprendre malgré tout, car il l'invita à approcher la croix de sa main, puisqu'il ne pouvait la lever beaucoup. Lorsque ses doigts touchèrent la croix, Simon la caressa brièvement, puis il dit :

— Seigneur, bénis et protège ce garçon, parce qu'Arianne l'aimait. Merci.

— Tu ne dis pas « *Amen* » ? s'étonna Sylvie.

— « *Amen* » veut dire « Ainsi soit-il », expliqua Simon. Là, je demande une faveur. Donc, ce n'est pas à moi de décider ce qu'il en sera, mais à Celui à qui je la demande.

Daniel haussa les sourcils. Bien qu'il eût été servant de messe pendant des années, lui-même n'avait jamais douté de la pertinence du « *Amen* ». Si Simon questionnait tout de la sorte, l'emprise intellectuelle qu'il avait eue sur Arianne n'avait rien d'étonnant. Ce qui l'était plus, c'était qu'on l'eût accepté dans un milieu qui exigeait, à la souvenance de Daniel du moins, une grande soumission d'esprit.

Lui-même s'était détourné un peu plus de la religion chaque fois qu'une de ses questions n'avait eu pour toute réponse : « C'est un mystère ». Le limier qu'était déjà Daniel à ce jeune âge s'accommodait mal de ce qu'on pût se trouver devant un mystère et refuser toute tentative de le percer. Sa curiosité avait même été considérée comme arrogante. Et pourtant, Simon, qui questionnait jusqu'au « *Amen* », avait été reçu prêtre. Ou bien l'Église avaient les vues plus larges qu'en son temps, ou elle était vraiment à court d'effectifs.

— As-tu apporté la lettre ? lui demanda Sylvie, le ramenant au but de sa visite.

Daniel s'approcha du lit et tira la missive de Simon de la pochette accrochée au fauteuil de Sébastien.

— Monsieur Pratte, avant l'emploi dont elle vous a parlé à votre retour, Arianne avait-elle déjà travaillé, ou pensé à travailler avec des handicapés ?

— Pas que je sache.

— J'ai ici une lettre que vous lui avez écrite le 13 mai 1997, donc peu de temps après l'avoir appelée pour son anniversaire, dans laquelle vous lui mentionnez que c'est bien de vouloir aider des malades, mais qu'elle ne devrait pas s'embarquer les yeux fermés dans un organisme dont elle ne connaissait pas grand-chose. Vous souvenez-vous à quoi ça se rapportait ?

— Oh ça ! Elle voulait être bénévole pour un centre où on traitait des problèmes d'impotence, d'ordre psychique surtout.

— De dysfonctions érectiles, le corrigea Sébastien du ton qu'avait dû employer Arianne pour lui en parler.

Simon sourit.

— Arianne était moins politiquement correcte avec moi. Et l'impotence nous était un sujet familier.

— Pourquoi ? Vous l'êtes ? demanda Daniel sans gêne.

— Non, ce serait trop simple, soupira Simon. Mais monsieur LeSieur avait ce problème, lui. Toutes les femmes du coin le pensaient froid, mais c'était faux. Il préférait simplement avoir cette réputation-là à avouer qu'il était incapable d'avoir une érection sans user de pompes ou d'autres gadgets.

— Comment le savez-vous ?

— C'est Arianne qui me l'a dit, un soir où j'avais eu droit à encore plus d'animosité que d'habitude. Je ne comprenais pas qu'il me déteste à ce point-là et je commençais à devenir soupçonneux de ses motifs. Arianne s'en est aperçue et c'est là qu'elle m'a expliqué, pour son père. Elle pensait que, du fait qu'il avait dû travailler si fort pour la concevoir, et qu'il était si fier du résultat, il était plus possessif envers elle qu'un père normal ne l'aurait été. Et vu comme ça, c'était plausible.

— Mais elle avait un frère aîné, non ? se souvint Sylvie.

— Benoit, oui. Annette voulait des enfants, mais elle se pensait incapable d'en avoir, à cause de son problème, à elle. Alors, ils l'ont adopté. Mais là, le bruit s'est mis à courir que « le beau Ronald n'avait même pas le cœur de faire ses "p'tits" lui-même ! » Annette avait beau le défendre de son endométriose, les autres coqs de la place n'arrêtaient pas de le « picosser ». Vous autres, dans les grandes villes, vous n'avez pas idée de combien ces choses-là comptent dans un petit bled où tout le monde se connaît. Ça peut vite devenir infernal, la vie de village.

— Dommage que le Viagra n'ait pas existé dans ce temps-là, compatit Sylvie.

— Non, mais ils ont fini par concevoir quand même. Et après, le monde leur a foutu la paix. Ils avaient fait « leurs preuves », conclut Simon avec un rictus amer.

Sébastien buvait ses paroles, fasciné. De toute évidence, Arianne n'avait jamais abordé ce sujet avec lui.

— Donc, poursuivit Daniel, Arianne voulait aider d'autres impotents, par association sympathique avec son père ? Elle comptait s'y prendre comment ?

— Apparemment, le centre en question recherchait des danseuses de baladi dans un but thérapeutique. C'était une copine de cours qui lui en avait parlé. En tout cas, c'est ce qu'elle m'a dit.

— Dan ! s'exclama Sylvie, excitée. Le baladi ! Salomé !

— Ne t'emballe pas trop vite, on ne sait pas encore s'il y a un rapport.

— Ne sois pas de mauvaise foi, Dan ! Il faut que ça en ait un ! Sinon, pourquoi aurait-on attaqué Simon juste après que tu lui as eu laissé un message à propos de cette lettre ? Salomé était son mot de passe pour le site dont elle a été rayée. Elle est reconnue pourquoi, Salomé ? Pour avoir dansé pour obtenir la tête de saint Jean-Baptiste. Même l'ignare en religion que je suis sait ça.

Simon observa cet échange avec stupeur, puis bredouilla :

— Je ne vous suis pas. De quoi parlez-vous ?

— De trucs qu'ils ont trouvé dans son ordi, sans doute, l'informa Sébastien. Tu ne croirais pas les secrets qu'ils peuvent en tirer.

Sylvie questionna Daniel du regard. « Il sait que nous savons ? » Daniel hocha la tête. Sylvie se tourna vers l'adolescent.

— Tu sais, dans notre métier...

Sébastien l'interrompit d'un geste de la main. Cela n'avait plus d'importance.

— Je l'ai déjà dessinée en Salomé, murmura-t-il.

— Vraiment ? Tu ne m'as pas montré celui-là, remarqua Daniel.

— Bien sûr. Je te l'ai même donné.

Sylvie haussa un sourcil. Tiens donc ! Son collègue ne s'en était pas vanté.

— Non, tu te trompes, dit Daniel. Celui que tu m'as donné était un de tes futuristes.

— Licence artistique, dit Sébastien en souriant. Mais si tu regardes comme il faut, les deux monstres extraterrestres portent chacun une couronne et, à l'arrière-plan, il y a un autre monstre en costume de soldat, prêt à couper la tête d'un humain mâle. Arianne adorait ce dessin, et, en même temps, elle le détestait.

— Pourquoi ? demanda Simon.

Sébastien posa sur lui un regard empreint de tristesse.

— Parce que l'humain mâle, c'était toi.

Sur le chemin du retour, Sébastien se fit d'amers reproches.

— Je n'aurais pas dû lui dire, se gourmanda-t-il en caressant sa croix. Il venait de me faire une faveur, et moi, pour le remercier, je l'écrase.

Daniel lui dit de ne pas se fier à la réaction de Simon, il était plus solide qu'il n'en avait l'air. Il était facile à bouleverser, mais il se reprenait vite. Ce dessin était-il bien l'idée d'Arianne, comme l'avait, de toute évidence, compris Simon ? Sébastien hocha la tête, tout en se portant à la défense de sa dame.

— C'était juste un exercice d'exorcisme, tu sais. Elle l'aimait bien trop pour souhaiter qu'il meure. C'était son sentiment amoureux, à elle, qu'elle voulait tuer.

— Elle te l'a dit, ou tu fais ton petit Freud ?

— Avoir un peu de psychologie n'est pas ton privilège exclusif, lui fit remarquer Sébastien.

— Tu as raison, excuse-moi.

Sébastien haussa les épaules.

— Pourquoi m'as-tu donné ce dessin-là ? reprit Daniel après un silence. Chargé comme il l'était de ses émotions, j'aurais pensé que tu voudrais le garder.

— Tiens donc ! Et qui joue au psy maintenant ? ironisa l'adolescent. Je te rappelle que je l'ai encore à l'ordi. Et, contrairement à Arianne, je ne l'aimais pas, moi, ce dessin. Il me faisait sentir coupable. Et puis, le Jean-Baptiste était trop fade à mon goût. Je n'ai pas l'habitude de travailler à partir d'une photo. En plus, c'était un de ces clichés sans âme. Si j'avais pu saisir l'essence de Simon, ç'aurait été différent.

— Parce que tu l'aurais fait quand même, si tu l'avais connu ?

— Je ne sais pas. Probablement que oui, si elle avait insisté. Ça m'aurait déplu, mais il n'y a pas grand-chose que j'aurais refusé à Arianne, admit Sébastien avec franchise.

— Savais-tu qu'elle dansait le baladi ?

— Non, mais ça ne me surprend pas. Je sais que son père lui avait fait prendre des cours de ballet et de flamenco. Elle disait que de la voir danser était son plus grand plaisir. Mais elle me parlait rarement de choses que mon handicap m'empêche de faire. Elle avait peur que ça me blesse.

Il se tut et plongea dans ses souvenirs. De son côté, Daniel songea à Arianne et à Salomé. Qu'avaient-elles en commun ? Toutes deux dansaient ; l'une pour le plaisir de son père, l'autre pour celui de son beau-père. Toutes deux étaient belles et plus ou moins exhibitionnistes. La Salomé biblique avait sûrement eu une relation à connotation sexuelle avec son beau-père. Après tout, il ne lui aurait pas offert tout ce qu'elle voulait, ni accordé la tête d'un prophète qu'il craignait et estimait, pour un gentil numéro de claquettes. Ce comportement ressemblait plutôt à celui d'un homme qui pensait avec sa queue, se dit Daniel. La danse de Salomé avait donc dû être très lascive. Arianne avait-elle, consciemment ou non, fait de même pour son père ? Comment avait-elle su pour son impotence ? Daniel imaginait mal un père discutant d'une telle chose avec sa fille. Qu'est-ce qui l'y avait poussé ? À moins que ce ne soit sa mère qui le lui ait révélé afin d'expliquer pourquoi leur mariage tenait en dépit de la douleur reliée, pour elle, au sexe.

Oui, cela se pourrait, si Arianne l'avait appris peu de temps avant d'en parler à Simon. Elle s'était peut-être confiée à sa mère de son amour pour lui, et, vu la similitude des symptômes menstruels de sa fille et des siens, Annette l'avait mise en garde quant au sexe, en se donnant elle-même en exemple. Arianne avait sans doute répliqué que cela ne l'avait pas empêchée d'épouser son père et d'avoir des enfants. Et Annette lui avait alors révélé ce secret, qu'Arianne avait par la suite partagé avec Simon. Cette hypothèse était d'autant plus plausible que la discrétion d'Arianne avait été la qualité la plus prisée de sa mère, si l'on se fiait à son insistance là-dessus lors de l'entrevue.

Enfin, qu'elle eût ou non dansé lascivement pour son père, Arianne devait en avoir eu envie, puisqu'elle avait été prête à le faire pour d'autres dans la même condition que lui.

Après le coup asséné, sans le vouloir, par Sébastien, Simon les avait congédiés d'un ton las, disant qu'il n'en savait pas plus au sujet de l'emploi, de la fille qui l'avait offert ou du centre concerné, mais qu'Arianne lui avait promis de suivre son conseil. Il l'avait crue alors ; aujourd'hui, il ne savait plus. Sa douce ne lui aurait jamais fait subir un sort indigne, pas même en dessin. Il s'était détourné d'eux et avait dit à Sylvie de rentrer chez elle, qu'il avait assez abusé de sa bonté.

Comprenant qu'il n'y aurait plus rien à tirer de Simon tant qu'il n'aurait pas composé avec sa peine, Daniel avait poussé Sébastien hors de la chambre et attendu avec lui dans le corridor que Sylvie les rejoigne. Cette dernière avait récupéré la boîte contenant les documents et ses notes, et l'avait remise à Daniel, disant ne pas vouloir la laisser traîner chez elle, de crainte que les jeunes n'y fouillent. Puis elle s'était penchée sur Sébastien, qui avait l'air misérable, et l'avait embrassé sur la joue. Alain était arrivé à ce moment, et Sylvie s'en était allée avec lui, souriante, quoique brûlée de fatigue.

Sébastien, qui était demeuré silencieux pendant toute la réflexion de Daniel, remarqua tout haut que Sylvie, une fois détendue, avait la même démarche qu'Arianne.

— Détendue ? dit Daniel en souriant, amusé. Dis plutôt à moitié morte !

— Non, je ne parle pas de l'élément fatigue. Je parle de son abandon quand elle laisse ressortir sa féminité, comme avec Alain tantôt. Dans ce temps-là, elle a la même démarche gracieuse et un brin chaloupante qu'Arianne avait.

Daniel saisit l'occasion de lui demander s'il accepterait qu'elle pose pour lui, afin de déterminer si elle avait d'autres affinités avec Arianne qui pourraient être utilisées dans le cadre de l'enquête.

— Mais ne te sens pas obligé, insista-t-il. Si c'est trop te demander en ce moment, oublie ça.

— Non, ça me plairait d'essayer. Mais je ne garantis pas le résultat.

— Marché conclu ! Quand aimerais-tu commencer ?

13

Tôt après le dîner le lendemain, Sylvie se présenta chez Daniel. Ils étaient en congé et, comme Sylvie aurait eu scrupule à poser pour Sébastien durant ses heures de travail, elle profitait, pour ce faire, de ce qu'Alain était parti jouer au golf. Daniel l'accueillit avec fébrilité. Bernie avait reçu l'ordinateur commandé, et, Johanne ayant été appelée à sa boutique, l'enquêteur n'attendait que l'arrivée de sa collègue pour aller chercher son « matériel de chasse ».

Sitôt Daniel parti, Sébastien entraîna Sylvie dans sa chambre et la plaça à un endroit bien éclairé par le soleil. Puis il tourna autour d'elle, l'étudiant sans mot dire, s'approchant, s'éloignant, la mirant avec un fusain. Elle commençait à se sentir tel un insecte sous un microscope lorsque ces préliminaires cessèrent enfin. Sébastien lui sourit et remarqua que sa salopette courte était sans doute très confortable, mais qu'un vêtement plus moulant lui aurait permis de mieux voir bouger ses muscles.

— Ah ? Ils ne bougent pas de la même façon chez tous les humains ? s'étonna Sylvie, se souvenant qu'il avait déjà fait cet exercice avec Arianne.

— Pour la mécanique, oui, mais on a tous nos subtilités individuelles. Sinon, tout le monde aurait la même démarche, les mêmes postures, les mêmes expressions faciales.

— « Ouache » !

— Comme vous dites. Ce serait d'un ennui mortel.

— J'ai apporté mon bikini, vu que je pensais profiter de la piscine après. Je pourrais le mettre pour poser, si ça te convient mieux.

— Si ça ne vous gêne pas.

— Non, mentit-elle. Tu peux me tutoyer, ça me fait trop bizarre de m'exhiber devant quelqu'un qui me vouvoie.

Sébastien rit et l'invita à aller se changer dans la salle de bain. Lorsqu'elle revint, il avait préparé son matériel et fermé le store de façon à conserver la luminosité tout en protégeant son modèle du regard de voisins curieux. Sylvie lui sut gré de cette attention. Pendant ce qui lui sembla une éternité, Sébastien la harcela d'instructions. « Lève le bras. Plie la jambe. Cambre les reins. Tourne la tête. Renverse-la. Penche de côté. Penche vers l'avant. Accroupis-toi. Souris. Fais la grimace. Tends les mains. Pointe le pied. » Bref, il fit travailler chaque muscle, et, malgré les protestations de son corps, Sylvie se soumit à chaque commande avec le désir sans cesse croissant de plaire à son bourreau, d'entendre dans sa voix une note de satisfaction. Lorsqu'il décréta enfin une pause, elle fut surprise de constater qu'à peine une heure s'était écoulée.

— Je ne regarderai plus jamais un portrait de la même façon, lui avoua-t-elle lorsqu'il revint du cabinet d'aisances.

Sébastien sourit et se dirigea vers la glacière que Daniel, dans sa prévoyance, avait laissée dans le coin de sa chambre.

— Aimerais-tu boire quelque chose? offrit-il. J'ai des boissons gazeuses, du thé glacé et de la bière légère. Moi, je te conseillerais la bière. Ça te détendrait un peu.

Sylvie lui assura qu'elle se sentait maintenant tout à fait à l'aise. Sébastien haussa les sourcils et lui fit signe d'approcher. Sylvie s'exécuta, mais recula instinctivement lorsqu'il lui prit les mains.

— Là, tu vois comme tu es sur la défensive? lui reprocha Sébastien avec un brin de moquerie. Je voulais juste te faire sentir tes mâchoires, expliqua-t-il en joignant le geste à la parole. C'est dur, dur, non?

Sylvie dut admettre qu'il avait raison, bien qu'elle n'en eût pas été consciente. Sébastien la contourna, lui renversa la tête, et lui pétrit délicatement le visage, du menton aux joues.

— C'est bon, hein?

— Super ! râla Sylvie, les yeux fermés. Où as-tu appris ça ?

— Au centre de réadaptation. On y avait des séances de relaxation en groupe. Je n'ai jamais voulu qu'on me touche, mais la thérapeute était une petite maligne. Elle a deviné que j'aurais moins de réticence à toucher et elle m'a entraîné à devenir son assistant.

— Sage décision. Tu fais très bien ça, apprécia Sylvie. Je me laisserais tripoter toute la journée. Le visage, je veux dire, précisa-t-elle en rougissant de sa bévue.

Sébastien rit et lui tendit une bière. Il prit un thé pour lui-même et lui parla de la façon dont il avait découvert au centre sa passion pour le dessin. Puis le tyran du fusain et du pastel revint en force, et Sylvie se plia, avec abandon cette fois, à toutes ses exigences.

Lorsque la caresse de ses « Parfait. C'est très bien, ça. Super ! » cessa de pleuvoir sur elle, Sylvie rompit la pose et se tourna vers Sébastien. Il avait les yeux clos et l'air béat. Elle s'approcha de lui et s'agenouilla à ses côtés. Sur la tablette qui reposait sur ses cuisses, elle se vit comme elle ne s'était encore jamais vue. Même pas lorsqu'elle s'examinait, nue devant la glace après la douche ou le bain, guettant les premiers signes du vieillissement. La femme du dessin était à la fois elle et pas elle. Elle avait ses traits, son corps, mais elle était infiniment plus belle. Elle était d'une exquise féminité, et, en la contemplant, Sylvie s'en voulut de ne pas avoir permis à Sébastien de la révéler dans son intégralité.

— Ça te plaît ? lui demanda ce dernier en rouvrant les yeux.

— Si ça me plaît ? Sébastien, tu es génial ! Tu es de la trempe d'un Michel-Ange ou d'un Léonard de Vinci !

Flatté, mais réticent à le montrer, Sébastien para le compliment.

— Bah ! Tu as eu de la chance, c'est tout. J'aurais pu tenir de Picasso et te voir avec un nez dans le front et un œil dans le nombril.

— Tu as étudié l'art ? dit Sylvie.

— Non, pas vraiment. J'ai lu quelques ouvrages là-dessus, mais je n'ai pas encore pris de vrais cours.

— Tu devrais. Ce serait un crime de laisser se perdre un talent pareil.

Il y eut un silence pendant lequel Sylvie passa en revue les toiles de nus qui lui revenaient à l'esprit, puis elle s'étonna tout haut du peu d'érotisme émanant de ces œuvres.

— C'est bizarre. La plupart des peintres de nus étant des hommes, j'aurais pensé que leur excitation transparaîtrait plus que ça.

— Quelle excitation ? Il n'y a rien d'excitant à se trouver devant un modèle, lui expliqua Sébastien. Pas dans le sens où tu l'entends, en tout cas. Tu vois, quand je te dessinais tantôt, je ne voyais pas une femme, je voyais un agencement de lignes et de courbes, d'ombres et de clartés, de textures et de couleurs, d'inertie et de mouvement. L'excitation pour un artiste est dans le défi de saisir tout ça et d'en recréer la femme sur le papier ou la toile. Un coup qu'on a fait ça, on n'a plus besoin de rien. C'est comme...

Sébastien se tut, incapable de trouver le mot qui exprimerait sa pensée. « Un orgasme », songea Sylvie en revoyant l'expression d'ultime bien-être de Sébastien. Pour chasser cette pensée gênante, elle badina :

— Avoir su que ça ne te donnerait pas d'idées, j'aurais laissé faire le bikini.

— Pourquoi ? demanda Sébastien, nullement dupe de la légèreté de son ton.

Sylvie y alla d'une demi-vérité.

— Parce qu'Alain aimerait me voir comme ça, mais au complet.

— Je suis sûr qu'Alain te voit tout le temps comme ça. Et en vrai.

— Peut-être. Mais un jour, je vais flétrir.

— Et moi, je pourrais t'immortaliser en pleine gloire, comprit Sébastien.

Leurs regards se croisèrent et, dans celui de Sylvie, Sébastien lut l'angoisse et la tristesse d'une jeunesse qui se sait sur le déclin.

— D'accord, lui murmura-t-il. Je vais le faire pour toi.

Lorsque Daniel revint avec sa panoplie d'infiltration, Sébastien dessinait Sylvie sortant de la piscine.

— Hum ! pas mal du tout ! admira Daniel, par-dessus son épaule, avant de jeter un regard neuf sur l'original. Tu as juste fait ça ?

— Non, mais le reste ne te regarde pas, répondit Sébastien sans lever les yeux de son travail.

Le regard de Daniel se porta vers les feuilles roulées qu'il voyait dépasser du fourre-tout de Sylvie.

— Que je te voie y toucher ! l'avertit cette dernière. Je peux lâcher la pose ? demanda-t-elle à Sébastien. J'ai des crampes.

— Petite nature, mais excellent modèle, fit Sébastien à l'intention de Daniel.

— Vrai tyran, mais tout un artiste ! riposta Sylvie. Alors, je peux ?

— Une minute, j'achève.

Daniel le regarda avec envie compléter son pastel. Quel talent ! Sylvie, dégoulinante dans son bikini vert lime et noir, semblait plus vraie que nature. Sébastien lui signala enfin qu'elle pouvait bouger. Sylvie s'avança vers eux en se massant les bras. Sébastien lui montra son œuvre.

— Superbe, maître, dit Sylvie en s'inclinant devant lui.

— Il est si dur que ça ? s'étonna Daniel.

Sylvie haussa les épaules.

— Disons que j'ai changé ma perception des modèles. Je leur lève mon chapeau ! Bon, il faut que j'y aille, dit-elle après avoir renfilé son T-shirt et sa salopette par-dessus son maillot de bain, maintenant presque sec. Je veux prendre des nouvelles de Simon avant de rentrer.

— J'ai demandé qu'on fasse un balayage chez lui. Pour les micros, expliqua Daniel en voyant l'air perplexe de Sébastien. On y va demain, informa-t-il sa collègue. Mais ne lui en parle pas. On le lui dira après.

— Comme tu veux.

— Dis-lui que je m'excuse pour hier, dit Sébastien.

— Je suis sûre qu'il ne t'en veut pas.

— Et toi ? M'en veux-tu ?

— Non plus, lui répondit Sylvie avec douceur.

Ignorant l'interrogation muette de son collègue, elle le salua et s'en fut. Frustré, Daniel se tourna vers l'adolescent, mais ce dernier s'était déjà éclipsé.

Après le souper, Sébastien rejoignit Daniel dans son bureau et le regarda installer l'ordinateur portatif.

— Qu'entends-tu faire avec ça ?

— Pour l'instant, juste l'explorer. Mais d'ici quelques jours, quand on aura compilé tout ce qu'Arianne a pu dire de toi à Estéban, je vais me faire passer pour toi.

— Toi ? dit Sébastien, moqueur.

— Oui, moi. Pourquoi pas ? Avec tous les mensonges qu'elle lui a contés sur toi...

— Elle lui mentait sur moi ? l'interrompit le garçon.

— Mets-en ! Il croit que tu es un handicapé d'âge mûr et en instance de divorce. Alors, tu vois, je vais être tout à fait plausible à ses yeux.

— Tu crois ça ? Viens ici. Non, avec ta chaise, ajouta-t-il en voyant Daniel s'apprêter à se lever.

Des pieds, Daniel se donna un élan et roula jusqu'à lui. À la demande de l'adolescent, il l'installa sur la chaise de bureau et prit place dans le fauteuil roulant.

— Essaie de le manœuvrer, maintenant, le défia Sébastien sans dissimuler son amusement.

Daniel s'y évertua, mais ne réussit à avancer que de quelques pouces en dix minutes. Quant à tourner ou à reculer, le fauteuil s'y refusa obstinément.

— Tu es pathétique ! s'esclaffa Sébastien.

— Tu as mis le frein ?

— Oh non !

— Merde ! Je ne pensais pas que c'était si dur !

— Ça m'a pris des mois à en maîtriser toutes les possibilités. Et j'avais des moniteurs. Et je n'avais pas le choix. Tu t'imaginais qu'il suffisait de s'asseoir là-dedans pour savoir comment bouger avec ?

— Pas très brillant de ma part, hein ? Que me suggères-tu ?

— De pratiquer avec le pliant, si tu le dois. Il a juste la base, mais il est plus léger. Celui-là, tu devrais être capable de le manœuvrer au bout de quelques jours.

— Là, tu parles ! Au fait, si Arianne n'en dit rien de particulier, je pourrais louer un fauteuil électrique.

— Même si tu réussis à leur passer le fauteuil électrique, il reste le dessin. Que vas-tu faire si on t'en demande un ?

— Te le faire dessiner, bien sûr.

— Tu pourras t'en tirer à distance, mais suppose qu'on te le demande en personne ?

— Je vais prétendre ne pas être dans le *mood*, que la mort d'Arianne m'a trop déboussolé.

— Et si on t'y oblige sous la menace ?

— Fils, si on en arrive là, je suis cuit de toute façon. Si je leur donne ce qu'ils veulent, ils vont me tuer en croyant t'éliminer, toi. Sinon, ils vont me tuer pour les avoir infiltrés.

— Je ne veux pas que tu coures de risques, dit Sébastien.

— Je n'y tiens pas particulièrement non plus, mais je ne vois pas d'autre moyen de remonter à eux. Et de toute façon, je ne suis pas fou. Je vais prendre toutes les précautions nécessaires.

Il expliqua qu'une fois l'infiltration en marche, il n'irait rencontrer personne sans micro sur lui et sans l'assistance d'un groupe de surveillance prêt à intervenir en cas de pépin.

— Je n'aime quand même pas ça, insista Sébastien en reprenant possession de son fauteuil.

Daniel sourit et lui tendit le téléphone cellulaire.

— Tiens, appelle ta mère. Ensuite, tu me raconteras comment ça s'est passé avec Sylvie.

Assis dans leur cour, Alain contemplait, envoûté, le nu de Sylvie. Il avait commenté les autres esquisses, celles où Sébastien avait dessiné des morceaux de Sylvie et la première en bikini, avec un intérêt admiratif, mais le nu le laissait sans voix, empli d'une émotion proche du recueillement. Dans celui-là, Sébastien s'était vraiment surpassé. C'était comme s'il avait tordu Sylvie jusqu'à en extraire toute son essence, et qu'il s'en était ensuite servi comme matériau pour la dessiner, tant son amante lui semblait prête à surgir du papier pour l'embrasser.

— Trouves-tu que ça me ressemble ? lui demanda finalement cette dernière.

— À en faire mal, répondit Alain. S'est-il passé quelque chose entre vous deux ?

Alain avait peine à croire qu'un artiste, même aussi doué, puisse ainsi représenter une femme sans l'avoir connue intimement.

— Rien avant, jura Sylvie. Et pas grand-chose après, s'empressa-t-elle d'ajouter devant le regard ombrageux de son conjoint.

Elle lui raconta alors que, excité de la voir se découvrir belle par son dessin, Sébastien n'avait pu s'empêcher de lui presser un sein et de l'embrasser. Il s'en était justifié du fait qu'Arianne avait toujours été consciente de sa beauté. Ses dessins l'avaient flattée, mais ne lui avaient rien appris en ce sens. L'adolescent n'avait donc pas su, avant de l'expérimenter avec Sylvie, que révéler un sujet à lui-même pouvait être si érotique. Mais malgré sa grande force physique et l'impétuosité de sa nature, il n'avait pas insisté lorsqu'elle s'était refusée à aller plus loin. En fait, une fois son excitation tombée, il en avait même été plutôt soulagé, car il aurait eu l'impression de tromper Arianne.

— Pauvre « ti-gars », dit alors Alain. Il lui faudra bien en venir là un jour ou l'autre, quoique je suis bien content qu'il ne se soit pas dépucelé avec toi.

Sylvie sourit et l'embrassa.

— M'aurais-tu pardonné si je lui avais cédé ?

— Dans ces circonstances-là, probablement, répondit Alain après réflexion. Parce que c'est quelque chose qui vous a pris par surprise tous les deux. Mais je ne te pardonnerais pas de le séduire délibérément, par exemple.

Sylvie se le tint pour dit.

Seul dans la pénombre de sa nouvelle chambre (sa tante avait tiré le rideau le séparant de l'autre patient, afin qu'il se repose, tandis qu'elle allait souper), Simon poussa un profond soupir. Il se sentait si vide qu'il en regrettait presque que l'attentat eût échoué. Une jeune infirmière entra avec un plateau et le tira de ses sombres réflexions.

— Bonsoir, Monsieur Pratte ! dit-elle gaiement. C'est le temps de vous faire un petit fond.

Simon considéra d'un œil morne la coupe de gelée rouge et le verre de lait.

— Je vous remercie, mais je n'ai pas faim, dit-il à l'infirmière.

— Je sais, répondit cette dernière. C'est toujours comme ça quand on sort des soins intensifs. Mais il faut vous forcer à manger.

— Bon, laissez-le là et j'essaierai plus tard.

— Oh non ! On ne me la fait plus, celle-là. Vous allez le jeter, ou l'offrir à quelqu'un d'autre.

Simon sourit et lui donna sa parole de prêtre qu'il n'en ferait rien. Mais pour l'instant, la seule idée de se nourrir lui soulevait le cœur.

— Juste le lait alors, insista l'infirmière en amenant le verre aux lèvres de son patient.

Mais Simon s'obstina à ne pas boire et renversa même une partie du contenu sur lui.

— Oh ! franchement ! Vous agissez en bébé ! dit l'infirmière avec humeur.

Honteux, Simon s'apprêtait à boire le reste, lorsque le patient de l'autre côté du rideau sonna l'infirmière. Au lieu de se rendre au chevet de l'autre malade, cette dernière remit le verre sur le plateau et quitta prestement la chambre. Simon en fut d'abord stupéfait, puis il comprit et frissonna.

Penchés sur un dessin d'Arianne émergeant d'un bain moussant et sur celui de Sylvie se hissant hors de la piscine, Daniel et Sébastien commentaient l'extraordinaire ressemblance de deux filles pourtant si différentes au premier coup d'œil.

— Incroyable ! disait Daniel. Pour moi, ce qu'elles ont en commun, c'est toi. Tu transfères *ta* sensualité sur elles.

— C'est peut-être vrai en partie. Mais tu oublies que Simon aussi la voit, cette ressemblance. Et pas dans mes dessins.

— Tu marques un point.

— Et je suis sûr que si tu demandes à Alain, il va te dire que c'est sa blonde tout craché.

— Possible. Moi, je ne l'avais jamais vue comme ça.

Sébastien lui fit remarquer qu'à force de travailler dans un milieu d'hommes, Sylvie s'était peut-être habituée à réprimer sa sensualité. Sans doute était-ce même devenu un automatisme défensif. Mais, lorsqu'elle relâchait la bride, sa féminité valait celle d'Arianne, même s'il s'y trouvait moins d'innocence. Sébastien ajouta que cette ressemblance ne serait sans doute d'aucune utilité, car à son avis, c'était précisément l'innocence d'Arianne qui l'avait rendue attirante pour ces gens-là.

— On pouvait raconter n'importe quoi à Ari. Pas à Sylvie. Et je ne suis pas convaincu qu'elle saurait feindre. Mais je peux me tromper. Après tout, je ne la connais pas tant que ça.

— Ah non ?

— Non, lui répondit Sébastien en le fixant droit dans les yeux.

Daniel fut tiré d'embarras par l'appel fébrile d'Adèle Durocher. On venait de tenter d'empoisonner Simon ! Pressée par l'enquêteur, la vieille dame lui relata ce qui s'était passé en son absence entre Simon et l'infirmière. Elle ajouta qu'elle avait changé Simon

elle-même et avait conservé la jaquette souil-
lée de lait.

— Merveilleux ! dit Daniel. Cette infirmière, pourrait-il la reconnaître ?

— Il dit que oui, répondit son interlocutrice après avoir relayé la question à Simon.

Daniel dit à madame Durocher de ne pas
quitter le chevet de son neveu, qu'il arrivait
et s'arrangerait ensuite pour qu'il y ait une
garde policière. Puis il appela l'Identité judiciaire et raccrocha à peine une minute plus
tard, frustré.

— Qu'est-ce qui se passe ? s'alarma
Sébastien.

Daniel lui dit que leur technicien en portraits-robots était en vacances.

— Vous en avez rien qu'un ? s'étonna
l'adolescent.

— Oh ! tu sais, tout est informatisé, maintenant, et on ne se sert pas de lui assez souvent pour en avoir plus qu'un. Je vais devoir
appeler celui d'un autre service. Ça m'écœure !

— Laisse-moi essayer ! S'il te plaît ! sup-
plia Sébastien, qui brûlait de se racheter aux
yeux du jeune prêtre.

Daniel considéra la proposition. Il n'avait
rien à y perdre après tout. Au mieux, il sau-
verait du temps et de l'argent. Au pis, il pourrait toujours appeler quelqu'un d'autre. Il hocha la tête. Sébastien partit aussitôt ramasser
sa tablette, ses crayons fusains et sa gomme.

Johanne les regarda, l'air malheureux, se préparer à partir. Daniel la prit en pitié. Il l'avait
beaucoup négligée ces jours-ci.

— Tu peux venir avec nous, si tu veux,
offrit-il.

Ravie d'être incluse, Johanne bondit de
son fauteuil.

— Apporte-toi de la lecture, lui conseilla Daniel. La veillée risque d'être longue.

Simon dormait à l'arrivée de la petite
troupe. Sa tante le secoua avec tendresse.

— Simon, réveille-toi. Tu as de la visite,
mon trésor.

Le jeune prêtre ouvrit les yeux sur les
traits tirés de fatigue de sa parente. Il la sup-
plia d'aller se reposer chez elle, mais elle s'obstina à rester jusqu'à la fin des visites, puis
se retira dans un coin de la chambre. Daniel
s'avança vers Simon et lui présenta son
épouse.

— J'en dérange, du monde ! s'excusa
Simon.

— C'est pas grave, ça fait partie du métier. Sébastien va essayer de dessiner votre
suspecte.

— Si lui ne le peut pas, je ne vois pas qui
le pourrait, dit Simon en songeant au portrait d'Arianne.

— Notre pro avec son ordi, mais il est en
vacances. Bon, si on veut avoir une chance

de le faire avant qu'on nous mette dehors, on est mieux de commencer tout de suite.

— Quand tu seras prêt, dit Simon à Sébastien.

— Ça me prendrait quelqu'un avec une forme de visage semblable pour faire la base.

Simon sourit à Johanne et l'invita à s'avancer du côté gauche du lit. Un peu intimidée, Johanne s'exécuta. Il lui demanda ensuite de s'asseoir et de prétendre qu'elle voulait le faire boire. Comme elle mimait le geste, il étudia son visage.

— Ce sera parfait, dit-il à Sébastien. La forme est presque identique. Celui de l'infirmière était juste un peu plus carré au niveau des mâchoires.

Sébastien adressa à Daniel un large sourire, cala sa gomme à effacer entre ses dents, et se mit au travail. Il se sentait enfin utile.

Vingt minutes seulement restaient à la période de visite lorsque Sébastien eut complété le portrait-robot. Simon l'en félicita, disant qu'il était aussi précis qu'une photo. Sébastien accepta le compliment avec fierté, mais déplora que le résultat eût si peu d'âme.

— Je t'aurais bien dit de lui en mettre une diabolique, mais je suis biaisé, dit Simon en souriant. Elle avait l'air très crédible comme infirmière, ajouta-t-il à l'intention de Daniel.

Croyez-vous qu'ils pourraient m'avoir envoyé quelqu'un qui travaille ici ?

— Ça m'étonnerait beaucoup, mais c'est facile à vérifier. Êtes-vous certain que c'était une fille ? Ce que je vois là pourrait aussi bien être un joli garçon.

— Je sais. Je n'étais pas sûr non plus avant de l'entendre, mais elle a une voix très féminine. Et puis, l'épinglette sur son uniforme disait « Michelle ».

Daniel prit note de ces détails, puis, ordonnant aux autres de l'attendre dans la chambre, il partit avec le dessin voir l'infirmière-chef du plancher. Cette dernière affirma que cela ne ressemblait à aucune de ses subalternes, ni à quiconque d'autre de ses connaissances.

— Puis-je parler à l'infirmière qui s'occupe du 423?

L'infirmière-chef appela l'employée concernée à son bureau. Une jeune femme, dont le visage n'avait rien en commun avec celui du dessin, s'y présenta. Daniel s'identifia et l'informa qu'il avait des raisons de croire Simon Pratte en danger.

— Un policier devrait être à la porte de sa chambre à ce moment même, dit-il en consultant sa montre. J'aimerais que vous veniez avec moi pour que je vous présente à lui comme étant l'infirmière en charge de ce patient pour ce soir.

— Mais je n'ai pas que lui comme patient !
protesta la jeune femme.

— Je sais. Je veux juste que mon policier
soit conscient que *vous* êtes la personne dési-
gnée et qu'il doit demander à toute autre
de s'identifier.

La sécurité de son neveu étant ainsi
assurée, madame Durocher consentit à rentrer chez elle. Daniel l'y reconduisit, monta
avec elle le temps de vérifier qu'aucune surprise désagréable ne l'y attendait, et prit enfin
la direction de son domicile. Sur la banquette
arrière, Sébastien, épuisé par les émotions de
la journée, dormait d'un sommeil profond.
De son côté, Johanne souriait, rêveuse.

— À quoi penses-tu ? lui demanda Daniel.

Johanne tourna vers lui son sourire mutin.

— Je me disais que si notre curé de paroisse était comme lui, j'irais à la messe plus
souvent.

Intrigué, Daniel lui demanda ce qu'avait
donc Simon pour faire ainsi fondre toutes les
femmes. Il n'était même pas beau, tout juste
pas trop moche. Et elles étaient toutes pâmées
sur ce prêtre ; il n'y comprenait rien.

— C'est sa voix, expliqua Johanne.

— Pour ça, je t'accorde qu'il a une très
belle voix.

— Et son regard aussi. Cet homme-là
respire la bonté. C'est apaisant.

— Bon atout dans son métier, je suppose.

— Il a du charisme.

— Ah non ! Là, je t'arrête. Le charisme, ça fonctionne sur tout le monde, pas juste sur le sexe opposé. À la rigueur, je veux bien lui concéder le charme, mais pas le charisme.

— Il fonctionnerait sur toi aussi, si tu cessais de lui résister. Mais tu es biaisé, comme il dit.

— Biaisé ? Moi ?

— Oui. En sa faveur, dit Johanne en désignant du pouce Sébastien. Mais tu n'as pas de parti à prendre, Daniel. Leur cause de dispute est morte. Elle est morte ! Alors arrête d'agir comme si elle pouvait encore préférer son prêtre à ton petit chéri !

La perspicacité de Johanne saisit Daniel comme une gifle. Le reste du trajet se déroula dans un silence rompu seulement par le souffle régulier de Sébastien.

14

Sylvie trouva Daniel seul au bureau.

— On y va quand pour le balayage ? lui demanda-t-elle, tout excitée.

— Dans à peu près une heure. Il faut bien laisser à madame Durocher le temps de se lever.

— Elle n'est plus à l'hôpital ? Ah ! c'est vrai, je suis donc bête ! Il n'est plus aux soins intensifs, donc elle a juste droit aux visites normales. C'est bien qu'il récupère aussi vite, non ?

— Sylvie...

Le ton de Daniel alarma sa collègue.

— Ne me dis pas qu'ils lui ont trouvé quelque chose !

— Non. Mais il y a eu un autre attentat contre lui hier soir.

— Quoi ? Et tu ne m'as pas appelée ? s'indigna-t-elle.

— Il ne voulait pas qu'on te dérange. La tentative a raté, et t'énerver avec ça n'aurait servi à rien. Il m'a fait promettre de ne pas t'en parler avant aujourd'hui.

Furieuse, Sylvie abattit sa main sur le pupitre de Daniel.

— Hé ! Si c'était moi qui l'avais su, et que je ne t'en avais pas parlé tout de suite, tu aurais grimpé dans les rideaux ! Je suis un enquêteur au même titre que toi, Daniel Asselin ! Que lui me traite en faible femme qu'il faut protéger, passe encore. Mais de toi, je ne le prends pas !

Daniel accepta le reproche et la pria de l'excuser. Travailler avec une femme était encore nouveau pour lui, et il était peut-être un brin vieux jeu. Sylvie se radoucit aussitôt.

— Et moi, je suis peut-être un peu trop susceptible, admit-elle.

— Non, tu as entièrement raison. C'est vrai que j'aurais sauté si tu m'avais fait la même chose. Mais ça m'a semblé logique quand Simon me l'a demandé.

— Comment est-ce arrivé ?

Daniel lui narra les événements de la veille et lui montra le portrait-robot effectué par Sébastien.

— J'ai envoyé la jaquette au labo. On devrait savoir sous peu de quelle sorte de poison il s'agissait.

Sylvie ne répondit pas. Elle était toujours absorbée par le dessin.

— C'est curieux, murmura-t-elle. Je ne la connais pas, et pourtant, je suis certaine de l'avoir déjà vue.

— Une serveuse ou une vendeuse à un endroit où tu vas régulièrement, peut-être.

Souvent, on ne les replace pas, en dehors de leur contexte.

Sylvie fronça les sourcils, puis secoua la tête. Non, ce n'était pas cela.

— Avec une autre coiffure, une autre couleur de cheveux, des lunettes ? suggéra Daniel.

Sylvie se concentra, puis son visage s'éclaira.

— Je sais ! C'était au Jardin botanique. Quand je parlais à Simon de mes fantasmes de jeunesse sur les nénuphars. Elle était juste un peu plus loin, avec une petite fille.

Daniel dressa l'oreille. Avec une petite fille ? Se pourrait-il que ce soit la même qui eût ensuite approché Sébastien ? Sylvie avait quitté Simon tard dans l'après-midi, et Sébastien avait échangé avec la fillette peu avant le souper. Oui, cela pouvait correspondre.

— Simon ne les a pas remarquées, lui ?

Sylvie lui rappela en rosissant que l'attention du jeune prêtre était rivée sur elle à ce moment-là.

— Pouvaient-elles vous entendre ?

— Peut-être pas tout, mais sûrement une bonne partie. On ne parlait pas fort, mais on ne chuchotait pas non plus, et Simon a une voix qui porte. Je veux dire, on l'entend très bien, même quand il parle bas.

— Oui, j'ai remarqué. Vous n'avez pas parlé de Sébastien ?

— Non, je te l'ai déjà dit !

— De dessin ?

— Non plus.

— De parcs ?

— Oui, répondit Sylvie après réflexion. Simon a mentionné qu'Arianne aussi aimait la verdure et qu'elle lui écrivait souvent d'un parc. Pourquoi ? Est-ce important ?

Daniel lui fit part de sa supposition quant à la petite fille.

— Mais Sébastien aurait cliqué en dessinant ce portrait, non ?

— Pourquoi ? Est-ce que la petite ressemblait à la grande ?

Sylvie avoua qu'elle ne saurait le dire. Elle avait plus remarqué ses vêtements que ses traits. Elle l'avait trouvée si mignonne dans sa salopette de denim et son chapeau de paille ! On aurait dit une petite fermière. Elle avait voulu la pointer à Simon, mais il s'était alors mis à la complimenter, et Daniel connaissait la suite.

— Mais je suis sûre qu'elles sont parties avant nous, lui assura-t-elle. Elles n'étaient plus là quand...

— À la fin de votre pause, compléta gentiment Daniel.

Sylvie lui adressa un sourire reconnaissant. Le téléphone de Daniel sonna. L'équipe de surveillance était arrivée.

Ennuyée, mais désireuse que soient punis les agresseurs de son neveu, Adèle Durocher endura avec stoïcisme le balayage, méticuleux et indiscret, de son appartement. Les voisins, elle le savait, en commérereraient dans son dos pendant des mois, mais elle n'en avait cure. Ce qui la dérangeait, c'était qu'on fouille partout. Et pour rien, s'avéra-t-il, car aucun micro ne fut détecté. Daniel ne dissimula pas sa contrariété.

— On peut recommencer, si tu veux, offrit le chef d'équipe. Mais on a déjà tout couvert. Et l'équipement a été testé avant de partir, ajouta-t-il en voyant Daniel ouvrir la bouche.

— Merde ! pesta l'enquêteur.

— Il l'avait peut-être sur lui, suggéra l'un des techniciens. Dans son portefeuille, une montre, quelque chose comme ça.

— Le porte-clés ! s'exclama Sylvie.

Elle expliqua que Simon avait acheté, la veille de l'attaque, un affreux porte-clés porte-bonheur, d'un de ces ex-détenus qui vendaient toutes sortes de babioles. Alors qu'ils étaient au Jardin botanique, il avait échappé son trousseau de clés en fouillant dans sa poche pour de la monnaie. Ledit porte-clés y était attaché, et Sylvie lui avait demandé en riant où il avait déniché une pareille horreur. Il le lui avait dit, prétendant l'avoir acheté par seul esprit de charité. Sylvie l'avait taquiné en disant qu'il le gardait par superstition, et, pour lui prouver qu'elle avait tort, Simon l'avait détaché et jeté dans la première poubelle venue.

— Et on l'a poignardé quelques heures plus tard. C'est peut-être ma faute en fin de compte, murmura-t-elle. Si le micro était sur lui, et pas sur le téléphone, alors ils savaient que j'étais de la police.

— Sylvie, ne commence pas à culpabiliser ! Tu ne pouvais pas savoir. Et de toute façon, tout ça, c'est de la conjecture. On n'est même pas sûrs qu'il y en avait un. O.K., les *boys*! dit Daniel en se tournant vers ses collègues de la surveillance électronique. On va aller faire sa chambre d'hôpital aussi, tant qu'à y être.

Mais la pièce ne contenait pas le moindre micro espion. Déçu, Daniel renvoya l'équipe technique et expliqua à Simon qu'ils s'étaient livrés au même exercice chez sa tante et n'avaient rien trouvé là non plus.

— Il était sûrement dans le porte-clés, s'obstina Sylvie.

— S'il y en avait un, murmura Simon.

— Mais il faut qu'il y en ait eu un ! Il n'y a pas d'autre explication.

— Crois-tu ? Ça pourrait être juste un hasard. Je suis peut-être tombé sur deux asociaux qui attaquent des gens juste parce qu'ils ne leur aiment pas la face.

Daniel lui dit qu'il en doutait beaucoup. Ces attaques gratuites n'étaient pas aussi prépondérantes que ne le donnait à penser leur couverture médiatique. Et, plus probant encore, il y avait le deuxième attentat.

— Oui, je suppose, soupira Simon. Je trouve ça bizarre, c'est tout. Vous ne trouvez pas ça étrange, vous, la différence entre l'assassinat propre et net d'Arianne, et les trente-sept coups de couteau que j'ai reçus sans qu'un seul ne me touche à la bonne place ?

— Le Seigneur veille peut-être à son rare personnel, avança Daniel avec quelque ironie.

Simon eut un sourire bref.

— Ce membre particulier de son personnel ne méritait pas tant de bienveillance à ce moment-là, répondit-il. Je pense plutôt que mes agresseurs étaient singulièrement maladroits.

— Possible. Mais c'était peut-être une erreur de parcours provoquée par la panique. S'ils savaient que Sylvie était de la police, et qu'ils ont entendu ce que vous vous êtes dit chez Arianne, ça peut les avoir assez énervés pour qu'ils se rabattent sur le premier plan venu. Et je vous ferai remarquer que, même bâclé, il aurait réussi, ce plan, si Sylvie n'avait pas fait envoyer les patrouilleurs. Et ça aurait réussi hier aussi, si votre camarade de chambre n'avait pas sonné l'infirmière. Vous voyez bien que vous avez de la protection haut placée.

— Oui. Je me demande juste si c'est une bonne chose, dit Simon avec tristesse.

Pour chasser ses idées noires, Sylvie lui demanda s'il voulait qu'elle lui rapporte quelque chose lorsqu'elle reviendrait. Simon lui sourit et répondit qu'il apprécierait avoir un combiné radio et lecteur de disques compacts, ainsi que le dernier Santana. Il la rembourserait.

— Ça te manque, hein, l'Amérique du Sud ?

— Je voudrais n'être jamais revenu, avoua Simon.

Devinant qu'il associait ce retour au sort d'Arianne, Sylvie lui dit avec douceur que son amie serait morte quand même. Les yeux de Simon s'embuèrent. Sylvie lui pressa la main et sortit à la suite de Daniel.

Une fois dans l'auto, Sylvie se rendit compte du malaise de son collègue.

— Qu'est-ce qu'il y a ? Tu as l'air de quelqu'un qui a quelque chose de désagréable à dire.

— Tu es brûlée, Sylvie. Pour l'infiltration, précisa-t-il devant son regard inquisiteur. Ils savent qui tu es, on ne pourra pas t'impliquer.

— Es-tu en train de me dire que tu veux changer de partenaire ? s'inquiéta la jeune femme.

— Mais non. Tu es ma coéquipière et tu le restes. Mais tu vas devoir travailler dans l'ombre pour ce qui est d'Estéban et compagnie.

Sylvie fit la moue. Daniel la consola du mieux qu'il le put. Elle aurait sûrement plusieurs filons à exploiter discrètement lorsqu'ils en sauraient plus sur lui. Et puis, il restait Simon. Qu'il eût été lui-même victime d'attentats ne le disculpait pas du meurtre d'Arianne.

— Admets que ça parle en maudit en sa faveur, le défendit Sylvie.

— Bien sûr que je l'admets. Mais il reste que quelqu'un pourrait craindre ses révélations sans être nécessairement coupable du meurtre. Et Simon avait le motif, l'opportunité et pas d'alibi.

— Autrement dit, tu veux que je me tienne devant lui avec une grosse cible pour attirer l'attention pendant que toi, tu vas fouiner dans les vraies choses, fit Sylvie avec amertume.

— Juste pour un temps. Ne t'en fais pas, je vais te tenir au courant de tout et te donner tout ce que tu pourras creuser sans danger. Promis.

Sylvie soupira, puis se laissa aller contre le dossier de son siège et chanta avec Tracy Chapman.

Après le dîner, Daniel et Sylvie épluchèrent les documents remis par Bernie. Vers le
milieu de l'après-midi, Daniel demanda à
Sylvie de lui passer ses échanges entre
Arianne et Estéban, car il avait décelé un point
intéressant dans ceux qu'il venait de lire.
Sylvie les récupéra dans sa pile de documents
pertinents et les tendit à Daniel. Ce dernier
les feuilleta rapidement et dit :

— Estéban. C'était toujours lui qui initiait l'échange. Jusqu'ici, je n'en ai pas vu un
seul où c'était le contraire. Mais si je me fie
aux premiers qu'on a, Arianne et lui avaient
une relation enjouée et très complice. Et ça
se poursuit jusqu'à l'arrivée de Sébastien.
À partir de là, pouf ! Arianne se ferme comme
une huître ou ment. Pourtant, d'après ses
anciens voisins, elle était encore très copine
avec son Latino au moins jusqu'au printemps
dernier. Vraiment bizarre.

Sylvie remarqua qu'il était curieux aussi
qu'Arianne n'eût pas conservé sur disquette
ses conversations avec Estéban. Elle l'avait
pourtant fait avec ses deux autres correspondants. Daniel se traita de triple buse.
Comment une telle absence avait-elle pu lui
échapper ?

— Elle les avait. Et Estéban les a empor-
tées, affirma-t-il.

— Si Estéban est l'assassin, objecta Sylvie.

— Même s'il ne l'est pas, insista Daniel. Il avait rendez-vous avec Arianne, sa dernière missive le dit. Suppose qu'il soit arrivé et l'ait trouvée fraîchement morte, il a pu effacer le message à l'écran et emporter tout ce qui pointait vers lui.

— S'il n'avait rien à voir avec le crime, pourquoi n'aurait-il pas plutôt appelé la police ?

— Parce qu'il faisait quand même partie de quelque chose d'illicite.

— Peut-être, dit Sylvie. Mais on peut aussi aller plus loin et supposer qu'Arianne n'ait *pas* écrit le message.

— Pardon ?

Sylvie précisa que, puisqu'il s'agissait d'un texte tapé, rien ne les assurait qu'il l'avait été par la victime. L'assassin aurait pu l'avoir écrit aussi bien qu'effacé, afin de diriger les soupçons sur un autre. Après tout, si Arianne avait vraiment attendu Estéban, aurait-elle proposé à Simon de lui présenter Sébastien et couru le risque qu'il accepte, et reste ensuite pour veiller avec elle jusqu'aux petites heures du matin ?

— Elle ne l'attendait peut-être pas à l'heure du souper, raisonna Daniel. Il a pu lui laisser un message pendant qu'elle était au parc, ou l'appeler à son retour.

Un léger cognement à la porte interrompit cet échange d'idées. Daniel s'étira et ouvrit.

— Oui, Choupette ? dit-il en apercevant la préposée qui prenait souvent leurs messages.

— Tu as le labo en ligne, l'informa-t-elle.

— Oh ! merci. J'y vais tout de suite.

Il revint au bout de quelques minutes et regarda Sylvie dans les yeux.

— Ton Simon, dit-il, il nous cache quelque chose.

Sylvie réprima son agacement devant l'usage de ce possessif et demanda à son collègue ce qui lui permettait d'affirmer une telle chose.

— Ce n'était pas du poison, c'était un barbiturique hypnotique.

— Une drogue de vérité ?

— Tu as tout compris. On ne voulait pas le tuer, juste le faire parler.

Daniel trouva son épouse à la cuisine, en train de préparer des trempettes pour crudités. Elle l'embrassa et lui dit qu'il arrivait à pic pour allumer le barbecue.

— Tu as passé une belle journée ? demanda-t-il.

— Super ! Et toi ?

— Productive, je crois. Où est Sébastien ?

Johanne pointa vers la piscine. Daniel sortit et se dirigea vers le barbecue. Flottant sur un fauteuil pneumatique, Sébastien jasait au téléphone avec sa mère. Daniel lui envoya la main et s'activa à sa tâche. Puis il rentra, enfila un maillot de bain, et se tapa quelques longueurs. Sébastien se joignit à lui. Ils s'éclaboussèrent un peu, puis s'adossèrent au rebord de la piscine. Daniel voulut savoir comment s'était passée sa journée seul avec Johanne. Bien, lui dit le garçon. Ils avaient magasiné, puis ils étaient allés au cinéma. Regardant ensuite l'enquêteur dans les yeux, il avoua d'un ton embarrassé qu'il avait fouillé dans la boîte d'Arianne. Elle était trop tentante, comme ça, bien à la vue sur le bureau. Il n'avait pas lu les lettres, par manque de temps, mais il avait reconnu la fillette sur le signet. C'était elle qui l'avait approché au parc.

— Tu en es sûr ? demanda vivement Daniel.

Sébastien hocha la tête. Daniel se hissa hors de la piscine et se précipita vers la porte patio de son cabinet de travail.

— Hé ! Tu vas dégouliner partout ! lui cria Johanne du barbecue.

Daniel sortit le signet de la boîte et verrouilla cette dernière, ainsi que la correspondance d'Arianne et de Simon, dans le grand tiroir de son pupitre. Puis il compara la fillette au portrait-robot. Si ressemblance il y avait, elle était minime. La couleur des cheveux, peut-être. Difficile à voir avec cette matière plastique à effet vieillot. Daniel attira vers lui le téléphone et appela Sylvie. Il s'excusa de la déranger à l'heure du souper et lui demanda si elle avait l'intention de visiter Simon au cours de la soirée. Sylvie répondit qu'elle avait prévu y aller le lendemain. Pourquoi ? Y avait-il urgence ? Daniel lui raconta l'histoire du signet.

— J'aimerais que tu le lui montres, pour voir ce qu'il va en dire.

— Parfait. Tu as juste à l'apporter demain. Ce sera assez vite ?

— Oui. Bonne soirée.

— À toi aussi.

Daniel raccrocha, heureux d'avoir un élément concret à lui confier. Il rangea le signet dans son porte-documents, puis alla rejoindre les autres.

15

Fidèle à l'entente conclue avec son collègue, Sylvie se présenta seule à l'hôpital le lendemain matin. Elle commença par déballer ce que lui avait demandé le jeune prêtre.

— C'est bien de profiter de ta position officielle pour venir en dehors des visites, la taquina-t-il.

Sylvie lui répondit qu'elle venait, hélas ! en tant que détective. Toute lueur rieuse disparut du regard de Simon.

— Je vois, soupira-t-il. En quoi puis-je t'aider ?

— En me disant tout ce que tu sais.

— Mais j'ai déjà dit tout ce que je savais !

— On a reçu la réponse du labo, Simon. Il n'y avait pas de poison dans le lait. Il y avait une drogue pour te faire parler. On ne se donnerait pas tout ce mal pour rien. Tu dois savoir quelque chose que tu ne nous as pas dit.

Simon ferma les yeux et poussa un profond soupir. Il reconnut ensuite avoir tu quelque chose, mais il ne pouvait pas en parler. Arianne le lui avait confié en tant que prêtre, il était donc tenu d'en garder le secret. Sylvie pesta. Simon pouvait-il au moins leur dire si la confession d'Arianne était liée au groupe qu'ils recherchaient ?

— Si un tel lien existe, je ne le vois pas.

— Est-ce que ça en a un avec le crime ?

— J'espère que non. Je me sens assez coupable comme c'est là. C'est idiot, je le sais, mais je ne peux pas me débarrasser du sentiment que tout est ma faute. Que si je n'étais pas revenu, ou n'étais pas parti le soir du crime, ce ne serait pas arrivé.

— Ce n'est rien qu'un sentiment, ou c'est lié à ce que tu sais ?

Simon lui jeta un regard implorant. Sylvie eut pitié de lui et changea de sujet.

— On a trouvé ça parmi les trésors d'Arianne. Sais-tu qui c'est ?

Le jeune prêtre prit le signet et l'examina. Puis il le rendit à Sylvie en disant :

— C'est probablement Catherine, sa filleule. Je ne l'ai pas revue depuis son baptême.

— C'est toi qui l'as baptisée ?

Simon hocha la tête.

— Je n'étais pas encore ordonné, mais Arianne y tenait. Alors je l'ai fait sous la tutelle du curé de la paroisse.

— C'était la fille de qui ? De son frère ?

— Non, de camarades d'université. La mère s'appelait Élodie et le père... Stéphane, il me semble. Je ne me souviens pas de leurs noms de famille, je les ai peu connus. J'étais au séminaire dans le temps, et j'avais commencé à me distancier. Mes professeurs n'aimaient pas tellement ma relation avec Arianne, même si elle était très chaste, comparé à ce qu'on avait connu avant.

Cette dernière phrase évoqua le souvenir de leurs propres baisers. Le regard chaleureux de Simon lui donnant envie de récidiver, Sylvie en contra la tentation en s'enquérant du lieu du baptême, afin de pouvoir retracer l'identité des parents de Catherine via les registres. Simon l'informa que le tout s'était déroulé à Sainte-Blandine au printemps 1993, mais il ne pouvait être plus précis. Sylvie le remercia de sa collaboration et se leva. Elle avait presque atteint la porte lorsqu'elle revint sur ses pas.

— Simon ? Si tu défroquais...

— Ce n'est pas dans mes projets immédiats, l'informa Simon avec un sourire triste. Il ne faut jamais prendre de décisions importantes en période de détresse ou de confusion. On ne te l'a jamais dit ?

— Oui. Mais si tu défroquais, s'obstina-t-elle, est-ce que ça te relèverait de l'obligation de garder le silence ?

— Sur ce qu'on m'a dit en confession ? Non. De toute façon, ne me dis pas que tu serais prête à m'induire à ça juste pour satisfaire ta curiosité, plaisanta-t-il pour cacher à Sylvie les espoirs romanesques insensés qu'un tel scénario faisait naître en lui.

— Tu sais ce qu'on dit de la curiosité des femmes, dit-elle en souriant.

— Dans mon milieu, on dit qu'elle nous a coûté le paradis, la taquina Simon.

— Preuve que ce n'est pas d'hier que les hommes se défendent sur les femmes de leur faiblesse, lui décocha Sylvie avant de s'enfuir.

Sylvie s'arrêta à une cabine téléphonique et fit à Daniel son rapport de l'entrevue. Ce dernier chercha Sainte-Blandine dans son livre de cartes routières et vit que ça se trouvait près de Rimouski. Heureusement, il pourrait sauver de la distance, car, Catherine étant née avant 1994, son certificat de baptême faisait également office de certificat de naissance et serait donc disponible au bureau du Directeur de l'état civil de Québec. Daniel demanda à sa collègue ce qu'elle avait au programme le lendemain.

— Je vais à la cour.

— Encore ? Il t'en reste beaucoup, de ces anciennes causes ?

— Trois ou quatre. Mais tu sais comment c'est, c'est tout le temps remis.

— Tant pis. J'irai avec Sébastien.

— Tu vas courir là-bas juste pour ça ? Tu pourrais appeler pour qu'on nous en faxe une copie, ça irait plus vite.

— Il faut débourser, lui rappela Daniel. Et puis, ça va donner un *break* à Johanne. De toute façon, si c'est le gaspillage d'heures qui t'énerve, ne t'inquiète pas, je vais les déduire des deux cents et quelques de temps en noir que le *boss* me doit encore.

— Monte pas sur tes grands chevaux, je sais que le Service n'est pas perdant avec toi. Et ta comptabilité, ça te regarde. Mais tu avais dit que tu me laisserais ce qui ne touchait pas directement l'opération, lui rappela Sylvie.

— Ah ! *Come on*! Je veux juste aller chercher les coordonnées, on verra après ce qu'il y aura à en faire.

— Bon, d'accord. Mais pas d'entourloupes, Dan. Je t'ai à l'œil. Que fais-tu en ce moment ?

— Je finis ce qu'il reste de la boîte.

— Bien. Je vais dîner et vérifier deux ou trois petites choses, puis je te rejoins.

— O.K. À tout à l'heure !

Lorsqu'elle arriva, Sylvie lui dit qu'elle avait dîné au restaurant où travaillait Laurie, dans l'espoir de la questionner sur la filleule d'Arianne et de ses parents, mais la jeune serveuse était en congé. Elle n'était pas chez elle non plus. Elle avait ensuite fait un saut chez l'ex-voisin de palier d'Arianne, au cas où il serait revenu plus tôt de voyage, mais pas de chance là non plus. Finalement, elle avait porté quelques ensembles chez le nettoyeur où travaillait madame Boyer.

— Pourquoi celui-là ? lui demanda sèche-ment Daniel. Sébastien est innocent, Sylvie. Ça ne donne rien de le cacher si tu l'enquêtes et attires l'attention sur lui.

— Je ne l'enquête pas, se défendit-elle. Mais merde, il n'y a pas juste toi qui as un cœur, Dan ! J'avais besoin de comprendre pourquoi elle avait accepté ça, pourquoi elle ne s'était pas enfuie avec son fils plutôt que de le voir se faire battre.

— Elle te l'a dit ? lui demanda Daniel, radouci.

Sylvie hocha la tête. Elles étaient seules dans le commerce et avaient pu bavarder un bon moment. Madame Boyer avait eu une peur bleue de son ex-époux. Elle avait sou-vent songé à disparaître avec le petit, mais il disait que si elle partait et qu'il les retrouvait, il les tuerait tous les deux. Et elle était cer-taine qu'il le ferait. Il avait pourtant été gen-til au début de leur relation. Beau, fin, drôle, plein de fantaisie. Puis, peu après la nais-sance de Sébastien, il s'était mis à boire et était devenu violent. Mais Dieu merci, l'ac-cident l'avait tué et avait épargné son enfant.

Lors des premières années qui avaient suivi l'accident, madame Boyer avait cepen-dant craint que Sébastien ne devienne aussi violent que son père. Son handicap l'avait plongé dans une telle rage qu'elle-même l'avait maintes fois fui en pleurant. Il ne l'avait jamais attaquée, mais il faisait des crises épouvantables. Mais, au fil du temps, ces crises s'étaient espacées. Sa dernière remontait à presque deux ans. Même la mort de cette amie qu'il lui avait cachée n'en avait pas suscitée. Elle avait toutefois remarqué que Sébastien s'entraînait beaucoup plus qu'à l'ordinaire, signe de son agitation intérieure. Au centre, on lui avait appris à canaliser sa colère dans son art ou dans l'effort physique.

— Merde ! Ses exercices ! s'exclama Daniel. Je n'y avais pas pensé. Ça doit lui manquer.

— Bof ! Il en a peut-être moins besoin chez vous, il s'y exprime plus, et la nouveauté lui change les idées. Et puis, il a la piscine et les rampes d'escaliers.

— Oui, je suppose. As-tu appris autre chose ?

— Non, pas vraiment. Rien qui m'ait frappée en tout cas. Des anecdotes de mère qui montrent que, sur bien des côtés, Sébastien est un adolescent comme les autres.

— Comme quoi ?

— La préférence pour telle marque de vêtement plutôt qu'une autre, le mépris pour les adultes en général et les parents en particulier, les raids dans le frigo, les bandes dessinées avec des héroïnes plantureuses habillées moulant, la surdité sélective, l'interdiction d'entrer dans sa chambre sans frapper, etc.

— Je n'ai rien remarqué de tout ça, moi.

— Il n'est pas chez lui, lui rappela Sylvie. Et il veut t'impressionner par sa maturité. Tandis que sa mère lui est acquise. Et crois-moi, il n'y a rien de pire pour s'attirer le mépris d'un ado que de lui être acquis !

Daniel en prit bonne note.

— Quelque chose m'est revenu à l'esprit. Quand tu as parlé devant Simon de Salomé et du site, il a eu l'air surpris. Sur le coup, j'ai cru que c'était à cause du mot de passe, mais d'après sa réaction au dessin décrit par Sébastien, je pense que le mot de passe l'aurait choqué plutôt que surpris. Je peux me tromper, mais je crois que ce qui l'a vraiment sonné, c'est d'apprendre qu'Arianne fréquentait *réellement* un site secret. Pourtant, c'est lui qui a attiré notre attention là-dessus. Bizarre, non ?

Ce disant, Daniel guetta à la dérobée la réaction de sa collègue. Sylvie fronça les sourcils, mais ne parut pas autrement troublée de l'hypothèse de son coéquipier.

— Intéressant, dit-elle enfin. Je vais devoir le cuisiner là-dessus.

Daniel sourit. Voilà qui était parler ! La relève de soir arriva, sonnant la fin de la journée. Les enquêteurs échangèrent un moment avec leurs confrères, puis quittèrent le bureau. Ils se saluèrent, et Daniel gagna son véhicule, tout en regardant sa collègue monter dans le sien. Deux ou trois ensembles fraîchement nettoyés pendaient derrière la vitre de la portière arrière, témoignant de sa visite à madame Boyer. Daniel s'assura que personne ne prenait sa collègue en filature et quitta à son tour le stationnement.

16

Daniel s'éveilla à l'aube et se leva délicatement afin de ne pas perturber le sommeil de son épouse. Johanne s'amusait plus qu'elle ne l'aurait cru avec Sébastien, mais elle avait malgré tout accueilli avec plaisir la perspective d'une journée à elle seule. Il s'habilla sans bruit et sortit de la chambre. En se dirigeant vers la cuisine, il entendit du mouvement dans la chambre de Sébastien. Daniel sourit. Excité à l'idée de l'accompagner, le garçon avait dû attendre son réveil. Ils déjeunèrent dans un silence complice. Une demi-heure plus tard, ils étaient prêts à partir. Daniel regarda le ciel et en déplora tout haut la grisaille. Sébastien ne répondit pas. Daniel se tourna vers lui. L'adolescent, pourtant si ravi la veille, avait soudain la mine sombre. La nouveauté lui avait fait perdre la notion du temps, mais la date affichée sur l'horloge du tableau de bord venait de lui rappeler que ce 3 août 2000 marquait le premier anniversaire de sa rencontre avec Arianne. En l'apprenant, Daniel offrit de plutôt le distraire, mais Sébastien refusa. Il voulait qu'on attrape le salaud qui avait tué sa blonde. Daniel hocha la tête et démarra. Ils roulèrent en silence jusqu'à ce que Sébastien se dît prêt à converser. Daniel lui demanda si Arianne lui avait déjà parlé de sa filleule.

— Oui, elle me contait souvent des trucs sur elle. Tu sais, le genre de choses qu'une fière « matante » va rapporter pour montrer quelle enfant brillante est sa nièce. Mais je ne l'avais jamais vue. Pour ça que je ne l'ai pas reconnue.

— Aussi bien. Si tu l'avais reconnue, on aurait su qui tu étais. Bizarre quand même qu'une fière « matante » ne t'ait pas montré de photos d'elle.

— C'est justement par fierté qu'elle n'en montrait pas ; elle la trouvait trop fade en photo. Elle avait raison d'ailleurs. Catherine est beaucoup mieux en personne.

— Ça t'aurait plu de la dessiner, hein ? devina Daniel.

— En d'autres circonstances, oui. D'une certaine façon, elle était le contraire d'Ari. Ari avait l'air d'une grande gamine, et Catherine, d'une petite femme.

— Hum ! je ne suis pas sûr d'aimer ce que ça implique peut-être.

— Quoi ?

— Sexualité précoce. Chez de jeunes enfants, c'est souvent signe d'abus. Que sais-tu de ses parents ?

— Pas grand-chose. Sa mère était une copine d'Ari depuis le collège. J'ai déjà dessiné une murale pour elle. Ari voulait lui en faire cadeau. Mais elle non plus, je ne l'ai jamais vue. Je sais juste qu'elle s'appelait Élodie. Le père ne doit plus être dans le paysage, parce qu'Ari n'en a jamais parlé.

— Arianne les voyait-elle souvent ?

Sébastien haussa les épaules.

— Elles se parlaient régulièrement, en tout cas, sinon Ari aurait été à court d'anecdotes. Mais à quelle fréquence elles se voyaient, je ne pourrais pas dire. Ari m'avisait quand elle sortait, mais elle me disait rarement avec qui.

Daniel lui jeta un regard perçant.

— Ça ne te fatiguait pas ?

— Oui, mais je ne la questionnais pas.

— Pourquoi ? Peur de la réponse ?

— Oui, avoua Sébastien avant de se taire pour le reste du trajet.

Les registres de baptême, tout comme ceux de naissance, de mariage ou de décès, étaient classés par région et par année. Le préposé aux archives téléchargea donc les microfiches des registres de 1993 pour la région de Rimouski, et laissa l'écran à Daniel et à Sébastien, leur disant de l'appeler lorsqu'ils auraient trouvé ce qu'ils cherchaient.

— Je l'ai ! s'exclama l'adolescent à peine un quart d'heure plus tard. « *Le dix-huit avril mil neuf cent quatre-vingt-treize*, lut-il, *nous, prêtre vicaire soussigné, assisté de Simon Pratte, aspirant prêtre, avons baptisé Marie Clarissa Catherine, née le deux mars courant, fille de Stéphane Turgeon, ingénieur-programmeur, et de Élodie Ménard, étudiante. Parrain : Eugène Turgeon, guide touristique, oncle de l'enfant ; marraine : Arianne LeSieur, étudiante, amie des parents, lesquels, ainsi que les parents ont signé avec nous. Lecture faite. »*

Daniel appela le préposé aux archives et lui en demanda la copie. Il défraya le coût du document, se fit remettre un reçu, puis demanda s'il était possible de retracer la date de naissance des parents de Catherine.

— Peut-être, s'ils étaient de cette paroisse ou du coin, répondit le préposé. Mais s'ils ont choisi de baptiser leur fille là juste parce qu'ils trouvaient l'église belle...

Ce disant, il s'installa au terminal et entama la recherche. Il tapa d'abord le nom de la mère, la localité, puis demanda à Daniel quel rayon de kilométrage il voulait autour.

— Bof ! Disons cinquante, répondit ce dernier.

— Avez-vous des paramètres pour la date ?

— Pardon ? demanda Daniel, pas très doué pour le jargon informatique.

— Entre quelles années voulez-vous qu'on cherche ?

— Oh ! Entre 1965 et 1975.

Le préposé entra ces données, puis lança la recherche. Une seule Élodie Ménard apparut à l'écran. Elle était née le 4 septembre 1970.

— Même chose pour le père ? demanda le préposé, après avoir imprimé le résultat.

Daniel hocha la tête. Le résultat fut négatif. Le préposé augmenta le rayon de vingt-cinq kilomètres et élargit les paramètres de cinq ans. Il obtint alors deux Stéphane Turgeon, l'un né le 15 juin 1968, et l'autre, le 7 décembre 1962. Daniel remercia le préposé avec chaleur.

— Que préfères-tu ? demanda-t-il à Sébastien une fois dehors. Un vrai repas au restaurant ou une bouchée rapide avec petite promenade dans la vieille ville ?

— D'après toi ?

Daniel sourit. Il connaissait un endroit où l'on préparait de fabuleux sandwichs.

Sylvie revint au bureau quelques minutes après Daniel.

— Ç'a été long, ta cause ! remarqua ce dernier. J'espère au moins qu'elle est finie.

— Oui. Et le voyage à Québec ?

— On a identifié les parents de la petite. J'ai fait sortir quelques dates de naissance pour essayer de les retracer par le C.I.P.C.[2]

— Sébastien n'est pas avec toi ?

2. Système informatisé dans lequel les policiers enquêtent des plaques, permis, personnes, etc.

— Il est en haut avec Bernie. Je me suis dit que le fait de voir comment fonctionne la fouille informatique lui changerait peut-être les idées.

— Pourquoi ? Il n'est pas dans son assiette ?

— Ç'aurait fait un an aujourd'hui qu'il a rencontré Arianne.

— Pauvre chou, fit Sylvie.

— As-tu eu le temps d'aller cuisiner Simon ?

— Non. C'est au programme de demain.

Daniel donnait à sa collègue les informations recueillies à Québec lorsque Sébastien les rejoignit.

— Bernie a été appelé pour une perquisition, s'excusa-t-il.

— C'est correct, fils. Notre journée achève, de toute façon.

— Comment ça va ? lui demanda Sylvie.

— Pas fort, mais ça va passer.

— Je sais que tu ne veux pas d'argent, mais Alain et moi, on aimerait vraiment beaucoup t'offrir quelque chose pour tes dessins. Qu'est-ce qui te plairait ?

— Aller voir le village où Ari a grandi. Avec Simon, pour qu'il me montre les endroits où elle se tenait et me raconte ce qu'elle y faisait. J'aimerais dessiner sa maison, son coin de mer, les goélands dont elle ramassait les plumes.

Sylvie laissa redescendre le nœud qui lui était monté à la gorge, puis lui promit qu'elle l'y emmènerait dès qu'elle le pourrait sans danger pour lui. Avec ou sans Simon.

— À demain, Dan ! dit-elle ensuite, avant de lui souffler « gym » à l'oreille.

Daniel comprit le message et s'en fut avec Sébastien.

17

À son arrivée au bureau le lendemain, Daniel trouva sur son pupitre le résultat des recherches dans la banque de données provinciale. Il examina les relevés. Il avait de la chance, les trois sujets possédaient un permis de conduire. Si ce n'avait pas été le cas, il aurait été impossible de retracer leur plus récente adresse. Élodie Ménard résidait à Pointe-aux-Trembles, l'aîné des Stéphane Turgeon se trouvait à Rimouski, et le cadet, à Charlemagne. Donc, si l'un des deux était le père de Catherine, les époux étaient effectivement séparés.

Il en était là dans ses réflexions lorsque Sylvie arriva. Sitôt après avoir salué son collègue, elle s'enquit de Sébastien. Daniel répondit qu'il avait suivi son conseil et avait, après le souper, emmené Sébastien avec lui au « gym », où ils s'étaient tapé deux bonnes heures d'entraînement. Cela semblait l'avoir requinqué, mais Daniel le sentait encore fragile. Johanne et lui comptaient l'emmener à Toronto pour la fin de semaine.

Ils se partagèrent ensuite les tâches. Sylvie irait d'abord voir Simon, puis tenterait de contacter le père de la petite. Daniel, quant à lui, irait observer discrètement le voisinage de la mère, afin de voir s'il s'y trouvait une femme ressemblant au portrait-robot. Ils convinrent de s'appeler s'ils avaient besoin l'un de l'autre, et quittèrent le bureau chacun de leur côté.

À l'arrivée de Sylvie, le garde, surpris en grande conversation avec Simon, retourna précipitamment se poster dans le couloir.

— Ai-je interrompu quelque chose ? demanda la jeune femme.

— Rien qui ne puisse reprendre plus tard, la rassura Simon. Sympathique, ce jeune homme ! Viens-tu encore en ta fonction officielle ?

— Eh oui ! Mais l'amie peut bien t'accorder quelques minutes, fléchit-elle.

Ils causèrent des progrès de Simon et des projets de Sylvie pour la fin de semaine, puis la conversation tomba à plat. Voyant qu'elle cherchait un moyen d'aborder le sujet qui motivait sa visite, Simon la prit en pitié.

— Tu peux ouvrir la séance de mitraille, lui dit-il, je suis prêt.

Sylvie lui adressa un sourire reconnaissant, puis l'informa que son collègue avait noté une contradiction à son sujet.

— Ah ? Laquelle ?

— Ta réaction quand on a discuté ici, l'autre jour, du site secret avec Salomé comme

318

mot de passe. Tu avais l'air de tomber des nues. Pourtant, c'était toi qui avais attiré notre attention dessus, Simon. Tu es la seule personne à avoir su que son nouveau travail était lié à un site Internet à accès restreint. En tout cas, tu es le seul à nous en avoir parlé. Alors comment expliques-tu ta surprise ?

— C'est le mot de passe qui m'a choqué, et ce qu'il sous-entendait. Pas l'existence du site, répondit Simon au bout d'un moment.

— Tu mens mal, Simon. Oh ! je suis sûre que ça t'a réellement choqué d'imaginer Arianne en Salomé, dit Sylvie comme il ouvrait la bouche pour protester. Mais à te voir l'air en ce moment, je ne suis plus du tout certaine que tu savais pour le site. En fait, mon petit doigt me dit que tu as inventé cette histoire pour « X » raison et tu es tombé pile par hasard, d'où ton choc.

— Non ! Tu te trompes !

— Ça m'étonnerait, insista Sylvie, avec douceur mais fermeté.

— Tu as raison, admit finalement Simon. Je ne le savais pas. J'ai improvisé parce que je croyais que Sébastien l'avait tuée.

Sylvie le considéra avec perplexité.

— Pourquoi voulais-tu le protéger ? Tu ne le connaissais même pas ! Et tu as dit toi-même que tu étais jaloux de lui !

— Parce qu'Arianne, *mon* Arianne en tout cas, l'aurait voulu, soupira le jeune prêtre.

— Une minute ! l'arrêta Sylvie. Comment as-tu pu croire que Sébastien avait tué Arianne quand tu le pensais invalide ?

— Je disais ça par dépit, Sylvie, avoua Simon avec un sourire triste. Mais au fin fond, je savais que s'il existait, il ne pouvait pas être comme je l'imaginais. Arianne était comme toi. Trop femme, trop sensuelle pour se contenter d'une épave. Évidemment, je ne le pensais pas si jeune, j'ai eu un choc quand ton collègue me l'a dit. C'était encore un enfant ! Mais c'est justement en le réalisant que j'ai compris qu'Arianne voudrait que je le protège.

— Ça n'explique pas pourquoi tu pensais que c'était lui qui l'avait tuée.

Simon haussa les épaules.

— Je savais que ce n'était pas moi, et je savais qu'elle l'avait vu après moi, alors j'en ai déduit que c'était lui.

— Et tu as inventé cette histoire de site secret pour détourner les soupçons de lui ? Qu'est-ce qui t'en a donné l'idée ?

— La caméra et l'histoire des vidéoconférences.

— Ah ! Parce que ça, c'était vrai ?

— Je n'ai pas menti plus que nécessaire, répondit Simon, blessé. Et je ne regrette pas de l'avoir fait, ajouta-t-il avec défi. Je le regrette d'autant moins que je ne crois plus à sa culpabilité.

— Pourquoi ? l'interrogea Sylvie, curieuse. Tu le croyais coupable quand tu le soupçonnais seulement d'être mobile, et tu le crois innocent maintenant que tu as vu qu'il l'était encore plus que tu le pensais ? Pas très logique, ton affaire.

Simon lui sourit avec douceur.

— Tu « farfines », Sylvie. Je ne suis ni aveugle ni idiot. Je vois bien comment ton collègue le regarde. Et il serait en sérieux conflit d'intérêt si l'innocence de Sébastien était sujette à doute.

Sylvie ne confirma ni n'infirma les déductions du jeune prêtre.

— Nous as-tu menti sur autre chose, Simon ?

— Je suppose que je mérite cette question, mais j'aurais franchement préféré qu'elle ne vienne pas de toi.

Il eut alors l'air si malheureux que Sylvie dut se retenir de l'étreindre. Simon perçut l'élan refréné de la jeune femme et en éprouva une vive déception. « Hé ! ça va faire ! se gourmanda-t-il. Prends-toi en mains ! »

— Aimerais-tu mieux que je cesse de venir te voir pendant un bout de temps ? lui demanda Sylvie, consciente de son conflit intérieur.

— Non ! s'écria Simon. Non, répéta-t-il d'un ton plus calme, avec un sourire d'excuse. Je ne sais pas ce que je deviendrais sans tes visites. Mêmes officielles, ajouta-t-il, une lueur malicieuse dans le regard.

Oppressée par sa propre attraction envers lui, Sylvie décida d'en rester là pour le moment. Elle lui souhaita une bonne fin de semaine et sortit se rafraîchir les idées.

Daniel se gara dans la rue Victoria, à quelque distance de la maison qu'il voulait y observer. Il fit tout de suite la mise au point focale, au cas où il aurait à prendre rapidement une photo, posa l'appareil sur ses genoux et attendit.

Une dizaine de minutes plus tard, une jeune femme, qui n'était pas celle du portrait-robot, en émergea, accompagnée de la fillette du signet. Daniel les photographia et les suivit discrètement. La jeune femme le guida sans méfiance à une autre maison dans la rue de Montigny, où elle laissa la fillette après l'avoir embrassée. Le domicile de la gardienne, présuma Daniel en notant l'adresse.

Il poursuivit ensuite sa filature jusqu'au stationnement d'un supermarché, où s'arrêta la jeune femme. Daniel se gara non loin et l'observa, tandis qu'elle verrouillait son véhicule et marchait, à pas pressés, vers l'épicerie, dans laquelle elle pénétra par une porte réservée aux employés. Daniel nota la raison sociale et l'adresse du commerce, puis il attendit l'arrivée de quelques clients, parmi lesquels il se glissa. Une fois à l'intérieur, il nota avec satisfaction que celle qui l'intéressait travaillait à la caisse jumelée au comptoir de tabagie. Cela lui éviterait d'aller dans les rayons acheter n'importe quoi et il avait justement besoin de cigarettes.

— Un carton de *Players*, s'il vous plaît.

— *Lite*? demanda-t-elle.

— Non, merci. J'aime mes clous de cercueil *straight*, répondit Daniel en souriant. Joli nom que vous avez, ajouta-t-il en désignant la barrette de poitrine sur laquelle il pouvait lire «Élodie». Ça sonne musical.

La caissière, qui avait sans doute entendu cela des milliers de fois, sourit poliment et lui rendit sa monnaie. Puis elle lui souhaita une bonne journée et se tourna vers un autre client. Daniel retourna à son véhicule en se bidonnant. Et Johanne qui s'imaginait que toutes les femmes étaient prêtes à lui tomber dans les bras !

La femme du portrait-robot était la gardienne. Daniel la mitrailla au zoom, alors qu'elle surveillait une petite marmaille s'arrosant au boyau. Lassée de ce jeu, Catherine se détacha du groupe et disparut à l'intérieur. Elle ressortit bientôt, habillée comme Daniel l'avait vue plus tôt, et mit, avec un soin qui fit sourire l'enquêteur, son maillot de bain à sécher sur la balustrade de la galerie. Puis elle empoigna un vélo et cria qu'elle allait au parc. Daniel supposa, avec raison, qu'elle parlait du plus proche. Il lui laissa donc le temps de s'y rendre et l'y rejoignit par un autre chemin. Le parc en question n'étant pas très grand, il n'eut aucun mal à la retrouver. Elle se balançait en chantant.

Il s'installa plus loin, à un endroit où il lui serait visible, sortit une tablette de papier brouillon et un crayon à mine qu'il s'était procurés juste avant d'aller guetter la maison de la gardienne, et se mit à dessiner. Il voulait ainsi voir si la fillette aurait la même réponse qu'avec Sébastien. Il n'était pas aussi doué que l'adolescent, bien sûr, mais il n'était pas complètement pourri non plus. Ses caricatures de profs avaient eu beaucoup de succès au collège. Surpris de l'immense plaisir avec lequel il redécouvrait ce passe-temps, il se promit de s'y remettre à la retraite. Cela chasserait peut-être sa rogne lorsqu'il cesserait de fumer.

Il ne lui fut pas permis d'aller plus loin dans ses réflexions. Sa manœuvre avait rapporté. Il avait à peine esquissé quelques traits que la gamine se trouvait à ses côtés et lui demandait :

— C'est quoi tu dessines, Monsieur ?

— Un phoque avec un ballon, répondit Daniel, qui avait voulu se délier la main avec un sujet facile.

— Je veux voir !

Daniel se dit qu'ou bien Sébastien s'était énervé sans raison, ou bien on avait exploité la curiosité naturelle de la gamine. Hypothèse qui, vu son jeune âge, était d'ailleurs plus plausible que de l'imaginer en espionne accomplie. Il devait en apprendre plus sur son entourage sans éveiller sa méfiance, et, plus important encore, la leur. Il compléta son dessin en quelques coups de crayon et le lui montra. La fillette battit des mains, ravie.

— *T'es* bon ! Peux-tu me dessiner ?

— Si tu veux. Mais je t'avertis, quand je dessine des gens, j'ai tendance à les déformer un peu. Je suis un caricaturiste.

— C'est quoi, un caricu... un carita...

— Un caricaturiste ? C'est quelqu'un qui exagère les traits les plus marqués d'une personne. Si quelqu'un a des gros sourcils, par exemple, je vais les faire gros comme des buissons ! Ou s'il a un grand sourire, il va lui remplir toute la face.

— C'est des dessins méchants, tu veux dire ?

— Un peu, oui. Pour la personne sur le dessin. Mais les autres les trouvent drôles.

— Pourquoi ?

— Bonne question, approuva Daniel. Peut-être parce qu'on aime tous un peu rire des autres. Ou parce que ça rassure les gens ordinaires de voir que les gens célèbres ont des défauts aussi. Parce que, tu sais, c'est à peu près juste des gens connus qui se font caricaturer. Tu en as toujours envie ?

Catherine eut une moue délicieuse. Sébastien avait raison. Elle était bien plus ravissante en personne.

— Ça dépend, répondit-elle avec coquetterie.

Sébastien avait vu juste là-dessus aussi. Elle ressemblait à une petite femme. Mais pas de la façon dont l'avait craint Daniel. Soulagé, il lui sourit.

— De quoi ?

— De ce que tu vas exagérer.

— Tes yeux. Tu as de très beaux yeux. Je vais te les faire grands comme ceux de Bambi.

— Oh oui !

— Bien. Assis-toi là et ne bouge pas.

— Je peux parler ?

— Quand j'aurai fini la bouche. Je te le dirai.

Devinant qu'elle ne se tairait pas longtemps, il esquissa le visage et y dessina aussitôt la bouche.

— O.K., tu peux parler. Mais reste là, lui dit-il ensuite.

— Comment tu t'appelles ?

— Michel. Et toi ?

— Catherine.

— C'est très joli.

— Ma mère, elle a un bien plus beau nom. Elle s'appelle Élodie.

— Ah oui ! c'est vrai que c'est beau. Et ton père, il s'appelle comment ?

— Mon vrai père, il s'appelle Stéphane. Je le vois presque jamais, il reste trop loin. Mais ça me dérange pas, parce que j'ai Estéban.

Daniel faillit en lâcher son crayon. Il le tenait enfin, cet élusif personnage ! Dissimulant son excitation, il dit :

— Estéban, c'est ton nouveau papa ?

La fillette soupira comiquement.

— Non. J'aimerais ça, mais maman veut rien savoir de lui. Elle dit que c'est un P.D. C'est quoi, un P.D.?

— Euh… un gars qui aime mieux les gars que les filles, expliqua Daniel.

Voilà qui confirmait la version de la jeune serveuse. Esté et Estéban étaient donc bien la même personne.

— Alors, c'est pas vrai ! triompha Catherine, coupant court aux pensées du détective. Estéban, il joue toujours avec moi quand il vient. Il m'appelle sa princesse. Et il dit que, quand je vais être grande, je vais pouvoir être dans ses films, comme ma tante Arianne.

— Tu as une tante qui est actrice ?

— Pas tout le temps. Mais elle pourrait ! Elle est super-belle, ma tante !

Daniel nota l'usage du présent. Ou bien la fillette ignorait la mort d'Arianne, ou elle n'en saisissait pas le concept. Elle commença à se tortiller, et Daniel sut qu'il ne pourrait la retenir encore longtemps. Aussi cherchat-il à en apprendre le plus possible sur Estéban avant de devoir la libérer. Mais il lui fallait y aller prudemment, car Catherine était bavarde, et il ne voulait pas alerter Estéban.

— Tu es chanceuse d'avoir un ami espagnol, remarqua-t-il. C'est une langue que j'ai toujours rêvé d'apprendre.

Catherine le regarda, perplexe.

— J'ai pas d'ami espagnol, dit-elle enfin.

— Ah ? Excuse-moi. Estéban est un nom espagnol, alors je croyais...

— Non, lui, il est anglais. Il a déjà vu la reine en personne, tu sais !

— Ça doit être impressionnant, répondit Daniel, pas impressionné une miette. Où l'as-tu rencontré ?

— Chez ma gardienne. C'est son cousin. Il vient souvent et il m'apporte toujours une surprise !

— Tu es une petite veinarde, toi ! J'ai fini, tu peux venir voir.

La fillette se précipita sur lui et admira le dessin avec un grand sourire.

— C'est beau ! dit-elle.

— Tu vois ? Ce n'est pas toujours méchant, les caricatures. Tiens, je te la donne. Et le phoque aussi. Tu pourras les colorier toi-même.

— Tu les signes pas ? s'étonna la fillette. L'autre jour, il y a un presque monsieur qui m'a dessiné un écureuil et il a signé son nom.

— C'est quoi ça, un « presque monsieur » ? demanda Daniel, amusé et curieux de voir comment elle décrirait Sébastien.

Catherine expliqua sentencieusement que c'était quelqu'un qui avait l'apparence d'un monsieur, mais qui était encore trop jeune pour se qualifier au titre. Daniel fut heureux de constater que le « presque » ne se référait pas à la partie manquante de Sébastien. C'était là ce qu'il aimait des enfants, le naturel avec lequel ils acceptaient à peu près tout. Il regarda, attendri, Catherine s'éloigner sur son vélo. Elle était par trop confiante, cette petite ! Il se promit d'en avertir sa mère... dès que l'enquête serait terminée.

Après avoir quitté Simon, Sylvie revint au bureau afin d'établir si l'un des Stéphane Turgeon issus de leurs recherches était le père de Catherine. Elle dut composer trois numéros avant de rejoindre celui de Charlemagne, qui ne connaissait pas Élodie Ménard. Quant à l'autre, il participait à un congrès à Cleveland et ne serait de retour que mardi. Sa secrétaire confirma toutefois qu'il avait bien une fille nommée Catherine et s'assura qu'il ne lui était rien arrivé. Sylvie prit en note le numéro de téléphone de l'hôtel où il était descendu et laissa ses propres coordonnées à la secrétaire afin que monsieur Turgeon la rappelât à son retour si elle ne l'avait pas rejoint d'ici là. Daniel arriva comme elle raccrochait, frustrée, après avoir fait chou blanc à l'hôtel aussi. Il lui raconta comment il avait retracé Estéban. Maintenant qu'ils savaient qui leur sujet fréquentait, il leur fallait, rapidement et persuasivement, remplir une demande de surveillance physique et électronique. Sylvie le félicita, puis lui fit part du résultat décevant de ses propres démarches.

— Tu le crois ? demanda Daniel en parlant de Simon.

— Oui. Je n'exclus pas qu'il puisse nous cacher autre chose, mais pour le site, je pense qu'il dit la vérité.

— Moi, je réserve mon opinion. Il pourrait aussi bien avoir inventé cette histoire pour détourner les soupçons de lui-même. La grandeur d'âme existe peut-être, mais je n'ai encore jamais rencontré personne qui en ait au point de protéger un parfait inconnu, qui serait un rival pour commencer et un assassin possible.

— Présenté de cette manière, c'est vrai que ça ne semble pas très plausible. Mais je pense qu'il l'a réellement fait pour protéger Sébastien.

— Peut-être, mais alors il avait une raison plus sérieuse de le soupçonner que le « c'est pas moi, donc c'est lui ».

— Je le crois aussi. Mais il ne l'admettra pas, parce que je suis à peu près sûre que cette raison est liée à la confession d'Arianne.

— Peut-être. Mais le secret de la confession peut aussi être un refuge commode.

— Tu es vexé parce qu'il a raison pour ce qui est de toi et Sébastien.

— Et toi, tu es biaisée parce qu'il te plaît. Donc, ça s'équilibre, la taquina Daniel. Bon, on s'y met, à cette demande ? J'aimerais que tout soit en place au plus tard lundi.

Au grand soulagement de Daniel, bien que madame Boyer les eût accompagnés dans leur virée à Toronto, la fin de semaine s'était déroulée comme un charme. Johanne l'avait bien collé plus qu'à l'accoutumée, mais outre cela, elle s'était montrée exquise. Et même si elle avait rechigné à inviter la mère de Sébastien, elle avait été rassurée de la découvrir si fade d'apparence. Ravie aussi de ce que sa présence lui eût permis l'intimité nocturne avec son époux, ce qui n'aurait pas été le cas si Sébastien n'avait eu personne avec lui. Daniel n'aurait jamais voulu le laisser seul dans une chambre d'hôtel. Pas après ce qui était arrivé à Simon.

Ils étaient maintenant de retour et, tandis que Johanne se prélassait dans un somptueux bain moussant, Daniel entraîna

Sébastien dans son antre, afin d'initier un contact avec Estéban.

— Je vais écrire en ton nom, mais tu vas me guider pour que je ne commette pas d'erreur flagrante, d'accord ? Bon, le prétexte de départ, c'est que tu as hérité de l'ordi d'Arianne et que tu essaies les deux autres icones par curiosité et par envie de jaser d'elle avec d'autres personnes qui en étaient proches. Plausible ?

— Oui. Je l'aurais fait si j'en avais hérité pour de vrai.

— Bien. Estéban est un « Brit ».

— Comment le sais-tu ?

Daniel lui relata sa rencontre avec Catherine.

— Ah oui ? Il serait aux gars ? Il va falloir qu'on pratique ton contrôle alors, roucoula Sébastien en pressant d'un de ses moignons le genou de l'enquêteur.

Daniel recula vivement, sous le regard amusé du garçon.

— Je disais donc qu'Estéban est un « Brit », reprit Daniel pour masquer sa gêne, mais il doit parler français aussi, puisqu'il joue souvent avec Catherine. Dans quelle langue crois-tu qu'on devrait commencer ?

— En français, répondit Sébastien sans hésiter.

S'il avait bien compris le principe de la duperie, il était censé partir à la découverte en cliquant sur les icones, et non pas savoir au départ à qui ils correspondaient. Il entamerait donc toute conversation dans sa langue maternelle. Si son correspondant ne le comprenait pas, il serait alors temps de s'excuser de sa piètre maîtrise de l'anglais. Daniel s'inclina devant la logique de cet argument. Ils concoctèrent ensemble l'introduction, puis Daniel cliqua sur le petit panneau d'interdiction avec les initiales S.T., et écrivit :

« *Bonsoir. Je m'appelle Sébastien. Arianne vous a peut-être parlé de moi, j'étais son fiancé. On m'a livré son ordinateur il y a quelques jours (elle me l'a laissé en souvenir avec quelques autres objets personnels), et depuis, je jonglais avec l'idée de vous écrire. Ça m'a pris un peu de temps à me décider, parce qu'Arianne était très réservée, et je respectais ça. Je ne suis toujours pas sûr qu'elle approuverait ce que je fais en ce moment, mais elle me manque tellement ! J'ai besoin de parler à d'autres qui l'ont connue. Je ne sais pas qui vous êtes, mais vous avez un icone comme le mien. Je suppose donc que vous êtes un ou une ami(e). Vous seriez bien gentil(le) de me répondre. Merci.* »

Estéban devait être devant son écran, car Daniel et Sébastien virent aussitôt s'écrire sur le leur :

« *Sébastien, how nice ! Oui, Arianne m'a parlé de toi.* »

« *Es-tu anglo ?* »

« *Britannique. Je ne vis ici que depuis un an, mais je parlais déjà français avant, alors l'adaptation n'a pas été trop difficile.* »

« *Tu viens d'où ?* »

« *Dagenham. C'est en banlieue de Londres.* »

« *Comment t'appelles-tu ?* »

« *Estéban.* »

« *Ça ne sonne pas très anglais.* »

« *Mon père est anglais, mais ma mère est espagnole. Mon père l'a rencontrée en vacances à Barcelone.* »

« *Difficile de résister à une jupe à froufrous et à une rose entre les dents, hein ?* »

« *Tu as déjà dessiné Arianne comme ça, elle m'a montré. Tu as un foutu talent !* »

« *Merci. T'en a-t-elle montré d'autres ?* »

« *Juste un où elle était une sorcière. Tu en as d'autres ? Je peux voir ?* »

« *Je ne sais pas. On verra. Tu la connaissais depuis longtemps ?* »

« *Environ cinq ans.* »

« *Tant que ça ? Je devrais être vexé, elle ne m'a jamais parlé de toi.* »

« *Jamais ?* »

« *Si elle l'a fait, je ne m'en souviens pas. Et je m'en souviendrais, tu n'as pas un nom très courant par ici.* »

« *Je devrais être vexé alors, pas toi.* »

334

« *Elle ne m'a jamais dit non plus qu'elle était déjà allée en Angleterre.* »

« *Non, elle n'est pas venue. On s'est rencontrés sur un forum Internet.* »

« *Ah oui ! elle m'a dit qu'elle y avait été très accrochée à un moment donné. Ça l'empêchait de trop penser à son crétin de prêtre.* »

« *My opinion too ! Ha ! Ha ! Mais ça ne l'empêchait pas de penser à lui, elle en parlait tout le temps. Avant toi, je veux dire. Tu es un homme chanceux.* »

« *J'étais.* »

« *Oh ! Je suis désolé! De parler d'elle avec toi l'avait comme... ressuscitée dans mon esprit.* »

Daniel regarda Sébastien. La conversation prenait un tour pénible pour lui. Il fallait en changer la direction, ou y mettre fin.

« *Sébastien ? Es-tu encore là?* »

« *Oui.* »

« *J'aimerais qu'on se rencontre.* »

Daniel fut pris de court. Il ne s'était pas attendu à ce que cette demande vînt si tôt. Sébastien le poussa doucement et prit sa place sur le clavier.

« *Peut-être. Pas tout de suite. Je ne me sens pas encore prêt. Je préférerais qu'on en reste au « clavardage » pour l'instant. Si ça ne te dérange pas.* »

« *Du tout. Tu m'écris quand tu veux.* »

« *Merci. Tu peux le faire aussi, mais il se peut que je ne te réponde pas toujours tout de suite.*

J'ai des traitements, et l'ordi est souvent fermé quand je me repose ou quand je travaille. »

« *O.K.* Take care. »

Sébastien le salua en retour et rompit la communication. Daniel le gratifia d'une étreinte paternelle, puis le libéra et se dirigea vers la porte patio.

— Tu viens te baigner ?

18

Dans les jours qui suivirent son premier contact avec Estéban, Daniel fit mettre la ligne téléphonique de la gardienne sous écoute et, à la première opportunité venue, fit placer des micros dans la maison. Des policiers de la surveillance physique se relayèrent à proximité afin de photographier toutes les personnes qui fréquentaient cette adresse et de prendre en filature les sujets d'intérêt.

Pendant ce temps, Daniel communiqua quotidiennement avec Estéban, qui, comme Arianne, parlait beaucoup mais disait peu. Il apprit aussi à manier le fauteuil roulant électrique qu'il avait loué. Comme il ne pouvait se livrer à ces activités au bureau, il s'y présentait le matin et discutait avec Sylvie de pistes à suivre. Puis ils repartaient chacun de leur côté jusqu'à la fin de l'après-midi, où ils se retrouvaient pour le bilan de leur journée.

Le père de Catherine rappela Sylvie dès son retour de Cleveland. Il avait essayé plusieurs fois auparavant, mais n'avait pas laissé de message, car il était difficile à rejoindre lors du congrès. Malgré tout, il était fort curieux de ce que pouvait lui vouloir une enquêteuse des homicides du S.P.C.U.M. Sylvie l'informa qu'elle désirait lui causer de son ex-épouse.

— Pourquoi ? Elle est morte ? demanda-t-il avec plus d'espoir que de chagrin.

— Non, ce n'est pas elle qu'on a tuée, mais Arianne LeSieur, la marraine de votre fille.

Choqué, Stéphane Turgeon l'interrogea sur les circonstances du crime. Sylvie les lui résuma, puis dit :

— C'était dans les journaux, vous ne l'avez pas vu ?

— Non. J'étais en camping avec Catherine. C'est à peu près le seul temps de l'année où je peux l'avoir, alors je décroche complètement et je m'occupe juste d'elle.

— Vous la connaissiez bien, Arianne ?

— On a sorti ensemble un bout de temps, quand elle était à l'université. Pas sérieusement, juste en copains. Elle était amoureuse d'un gars qui voulait être prêtre. J'espérais le supplanter, mais quand elle a vu que je m'attachais, elle a pris ses distances. J'ai fini par comprendre qu'elle ne reviendrait pas sur sa décision et je me suis tourné vers sa copine. C'est là que je me suis fait avoir.

— En quel sens ?

— Élodie, elle se fichait bien de moi. Tout ce qu'elle voulait, c'était avoir un enfant. Oh !

je sais ce que vous pensez ! dit-il, sur la défensive. Vous vous dites : « Encore un mâle jaloux du bébé ! » Ben, c'est pas ça, *pantoute* ! J'ai adoré Catherine à la minute où je l'ai eue dans les bras. C'est elle, la vache, qui était jalouse ! Elle me l'arrachait chaque fois que je la prenais, me traitait de cochon si j'étendais la poudre avec mes mains quand je la changeais de couche. Une vraie folle ! Et malgré ça, c'est elle qui a obtenu la garde ! *Pis* elle s'est poussée avec la petite, et je ne l'aurais plus jamais revue, si je ne m'étais pas battu. Trente mille piastres d'avocat, que ça m'a coûté, juste pour avoir ma fille deux fois par année ! *Y* a pas de justice pour les pères !

— Je sais, le plaignit Sylvie. Mon conjoint s'est presque ruiné avant de finalement obtenir la garde partagée. Et il ne l'aurait pas eue si ses enfants ne l'avaient pas appuyé.

— Il a de la chance, soupira son interlocuteur avec envie.

— Arianne, de quel côté était-elle dans votre dispute ?

— J'aime à penser qu'elle aurait été du mien, mais elle était déjà partie quand notre ménage a foiré. Son Simon avait accepté une mission au diable vert et elle a « capoté ». Elle a tout « sacré » là pour s'en aller en ville.

— C'est la dernière fois que vous l'avez vue ?

— Non. Je l'ai revue l'été passé. Elle allait en vacances chez ses parents et avait accompagné la petite jusqu'à Mont-Joli, où j'étais allé la chercher.

— Quelle a été son attitude envers vous ?

— Très cordiale. Son père avait eu une crevaison en s'en venant à l'aéroport, et je suis resté à jaser avec elle au restaurant en l'attendant.

— De quoi avez-vous parlé ?

— Du genre de trucs qu'on se dit entre personnes qui ne se sont pas vues depuis longtemps. Comment ça va, qu'est-ce qu'on fait de bon, les menteries d'usage sur le fait qu'on n'a pas changé. Quoique, dans son cas, je peux dire que c'était une menterie à l'envers, elle était encore plus belle que dans mes souvenirs ! Mais elle avait l'air triste, je trouvais. Le croiriez-vous ? Même après toutes ces années, elle avait encore son maudit prêtre dans la tête ! Elle m'a dit qu'elle ramassait de l'argent pour aller le rejoindre là-bas et travailler bénévolement avec lui. Au fond, je pense qu'elle était aussi cinglée qu'Élodie. Mais elle l'était de façon plus gentille. J'espère qu'elle n'a pas souffert.

— Non, elle est morte sur le coup. Vous a-t-elle dit sur quoi elle les réalisait, ces économies ?

— Non. J'ai présumé que c'était sur les pourboires. Elle m'a dit qu'elle était serveuse dans un restaurant. Ça m'a fait quelque chose, je l'avoue. C'était une fille brillante, elle aurait pu faire tellement mieux !

— Vous a-t-elle parlé d'un certain Estéban ?

— Elle, non. Mais Catherine m'a cassé les oreilles avec lui durant tout notre voyage de camping. Qui c'est, ce type ? Il était déjà là l'an dernier ? Catherine m'a donné l'impression qu'il n'était pas ici depuis longtemps.

— Non, mais on cherche à établir si Arianne le connaissait avant, mentit Sylvie.

— Il ne m'inspire pas confiance. Je n'aime pas les idées qu'il met dans la tête de ma fille. Il lui dit que, quand elle va avoir des seins comme une madame, elle pourra jouer dans ses films. Quelle sorte de films il fait pour vouloir des seins absolument, hein ? En plus, il lui donne plein de cadeaux, je n'aime pas ça. Ce qui m'enrage le plus, c'est qu'Élodie le laisse faire ça, et si moi, son père, j'en faisais autant, elle m'accuserait de tous les vices.

— Estéban est gay et votre « ex » le sait. Et le français n'est pas sa langue maternelle, alors il s'est peut-être juste mal exprimé pour ce qui est des seins. Je ne pense pas que votre « ex » laisserait votre fille le fréquenter si elle craignait pour elle.

Monsieur Turgeon admit avec réticence qu'il ne le croyait pas non plus.

— Votre séparation date de combien de temps ? lui demanda Sylvie.

— Quatre ans.

— Avez-vous revu votre ex-femme depuis ?

— Seulement à la cour, et à Dorval quand je vais chercher et ramener ma fille. On se parle le moins possible.

— Donc, vous ne pouvez pas me dire qui elle voit et fréquente ici ?

— Arianne était la seule que je connaissais. Mais d'après Catherine, elle invite parfois chez elle des copines de travail.

— Pas d'hommes dans le paysage ?

— Sûrement pas ! Catherine me l'aurait dit. D'ailleurs, je plaindrais le pauvre diable !

Sylvie lui dit que ce serait tout pour l'instant et le remercia.

— Madame Grosbois ? lui dit-il comme elle allait raccrocher. Vous m'avez l'air d'une bonne personne. Puis-je vous demander une faveur ? Si ma fille se ramasse dans quelque pétrin que ce soit, pourriez-vous m'en aviser ?

Sylvie le lui promit et nota les numéros qu'il lui donna. Elle appela ensuite Daniel pour lui rapporter cette conversation, puis elle se rendit voir Simon, à qui elle tenta de nouveau de soutirer le secret confessé par Arianne.

— Que je suis bête ! s'exclama-t-elle. Elle t'a dit que Seb avait tué son père, bien sûr !

Simon s'étouffa avec sa gorgée d'eau.

342

— Il a fait quoi ?

Soucieuse de ne pas soumettre l'adolescent à un jugement hâtif, elle raconta à Simon
ce qu'ils avaient découvert à ce sujet dans
l'ordinateur d'Arianne.

— Pauvre enfant, compatit Simon.

— J'étais sûre que c'était ce qu'elle t'avait
confessé, dit Sylvie. Qu'elle le croyait un assassin, mais l'épouserait quand même.

— Arianne ne m'aurait jamais répété un
tel aveu. Ce n'était pas dans son caractère.

— Même pas en confession ?

— Sylvie, on ne se confesse pas des fautes
des autres. À quoi ça rimerait ? L'absolution
ne se donne pas par personne interposée.

— Tiens donc ! C'est pourtant ça que font
les prêtres, non, pardonner pour Dieu ?

— C'est fou ce que tu lui ressembles !
C'est en plein ce qu'elle aurait répondu.

Sylvie s'empressa de changer le cours de
la conversation. Pourquoi alors Simon avait-
il cru Sébastien coupable ? Sa propre innocence n'impliquait pas forcément la culpabilité
du garçon. L'assassin pouvait être n'importe
qui.

— Non, parce qu'elle n'a pas été violée.

— Ah ! C'est donc ça, la vraie raison !

— Oui. À ce moment-là, je le pensais
physiquement incapable de se mouvoir aussi
bien. Et puis, je voulais qu'il soit coupable,
avoua Simon.

— C'est un sentiment que Daniel comprendrait. Mais il a du mal avec le fait que tu aies voulu le protéger en pensant ça de lui. Il se méfie de la grandeur d'âme.

— Il a raison. Je peux bien te le dire maintenant, avant de le connaître, mes motifs n'avaient rien de noble. Je le protégeais parce que je crois en l'immortalité de l'âme, Sylvie. Et je voulais qu'Arianne voie qu'elle avait choisi le mauvais gars. C'est mesquin. Je te déçois ?

— Non, tu me rassures. Ça prouve que tu es humain.

— Après l'autre jour, je ne pensais pas que tu en doutais. Mais je n'ai pas le droit de l'être autant.

— Je ne sais pas ce qu'on vous apprend dans les séminaires, mais moi, si j'étais croyante, je ne voudrais pas d'un guide spirituel toujours au-dessus des failles humaines, parce qu'il ne comprendrait pas les miennes. Et s'il n'était pas au-dessus, mais me sermonnait comme si, il serait un maudit hypocrite ! Je pense que les meilleurs prêtres sont comme toi, Simon. Bons parce que faillibles et prêts à l'admettre, pas seulement à eux-mêmes.

— Tu es encore plus motivante que l'aumônier, dit Simon avec gratitude. Et tu as raison, j'aime être prêtre. J'aime les autres. J'aime être là pour eux et partager leurs élans mystiques, c'est en moi. Mais comment est-ce que je réconcilie ça avec... ce que je ressens pour toi ? acheva-t-il en détournant son regard d'elle.

— Mais tu n'es pas amoureux de *moi*, le raisonna Sylvie. Tu es amoureux de la Arianne que tu retrouves en moi !

— Que tu aies raison ou pas, je suis quand même dans le tort.

— Tu n'as qu'à t'en confesser, le taquina Sylvie.

— Ah ! mais l'absolution n'efface que les fautes, pas les sentiments. D'ailleurs, ça marche juste si on se repent, l'informa Simon avec un sourire en coin.

— C'est ton pardon, à toi, qu'elle voulait, comprit soudain Sylvie. Plus que celui de Dieu.

— C'est très possible, admit Simon.

— Tu ne peux pas me donner juste un petit indice ? plaida-t-elle.

Simon éclata de rire.

— Toi, quand tu as quelque chose en tête, tu ne l'as pas dans les pieds !

Ayant fait chou blanc avec Simon, Sylvie se rendit aux locaux de l'écoute électronique pour y prendre les transcriptions de la journée. Elle retrouva ensuite son collègue au bureau. Une épaisse enveloppe de photos traînait sur le pupitre de Daniel. Il fronça les sourcils, puis il se souvint qu'il avait demandé le développement des pellicules gardées par Sébastien. Il tira les clichés de l'enveloppe, en remit une partie à Sylvie, et examina la sienne avec une moue dégoûtée.

— Quel gaspillage ! dit-il en la rejetant. Avoir un si beau sujet et si peu de talent !

Sylvie sourit. Si Arianne avait aimé développer des photos, elle n'avait en effet pas été très douée pour les prendre. Presque tous les clichés étaient flous. Seuls trois d'entre eux justifiaient l'usage de papier photographique : deux plans éloignés de Sébastien et un buste d'Arianne avec une autre femme qui la tenait par le cou. Toutes deux souriaient à pleines dents.

— Regarde, dit Sylvie en tendant ce dernier cliché à Daniel. Je ne sais pas qui c'est, mais elles avaient l'air proches.

— Élodie, l'informa Daniel. La mère de Catherine. Celui qui a pris cette photo-là était pas mal meilleur qu'Arianne.

— Elle avait peut-être un problème de vision. Ou la lentille était défectueuse. De proche, en tout cas, car les plans éloignés sont clairs. As-tu réussi à avoir autre chose sur Estéban ?

— Pas vraiment. À part insister en douce pour qu'on se rencontre, il jase sans rien dire. Il s'arrange pour que ce soit moi qui parle, comme il le faisait avec Arianne dans les derniers temps.

— Il se méfie peut-être.

— Je me méfierais aussi, si j'avais quelque chose à cacher. Tu as les transcriptions ?

Sylvie hocha la tête. Ils les épluchèrent ensemble, mais n'y virent rien d'intéressant, outre la mention par la gardienne, que les enfants appelaient Mimi, qu'Estéban passerait le lendemain. Sylvie dit qu'elle se joindrait peut-être à l'équipe de surveillance.

— Il n'en est pas question ! lui défendit Daniel. Mimi sait qui tu es. Si elle te voit dans les parages, tout tombe à l'eau.

— Ce n'est pas juste ! s'indigna Sylvie. Simon ne veut pas parler ; toi, tu es occupé avec Estéban et Sébastien ; et moi, je ne peux rien faire !

— Oui, tu peux, Sylvie. Demain, va à l'écoute. Si Estéban se présente chez sa cousine ou prétendue cousine pendant que tu es là, je veux que tu écoutes. Les transcriptions, ça donne le texte, mais je veux plus. Je veux que tu me dises comment il sonne, comment tu as interprété ce qui s'est dit ou pas dit, tout ce que tu en auras absorbé, quoi.

— D'accord.

— En passant, Sylvie, je pense que tu as tort. À mon avis, Simon *veut* parler, mais il ne peut pas. Si vraiment il ne voulait pas parler, il aurait sauté sur la perche que tu lui as tendue avec l'histoire du père de Sébastien.

Sylvie haussa les épaules.

— Il a manqué de s'étouffer. Il pouvait difficilement prétendre après ça qu'il le savait.

— Mais il aurait pu prétendre être surpris que toi, tu le saches. Il est capable de mentir quand il le pense nécessaire, il l'a déjà fait. Non, je suis sûr qu'il meurt d'envie de te le dire, où à tout le moins, de t'aider à le découvrir par toi-même.

— Il n'a même pas voulu me donner un indice, dit Sylvie.

— Erreur, il t'en a déjà donné deux. Un, qu'il ne voyait pas de rapport avec le groupe du site, mais peut-être un avec le crime. Deux, qu'on ne se confesse pas des fautes des autres. N'y vois-tu pas quelque matière à réflexion ?

Assise au coin de la table, Sylvie sirotait, songeuse, sa tisane digestive.

— À quoi penses-tu ? lui demanda Alain en remplissant le lave-vaisselle.

Il craignait que ce ne fût à Simon, car l'attraction exercée par le jeune prêtre sur sa conjointe l'inquiétait d'autant plus qu'elle ne lui en parlait pas. Mais Sylvie, l'esprit absorbé par les paroles de Daniel, ne se rendit pas compte de l'anxiété d'Alain.

— Aux indices, lui répondit-elle.

348

Elle lui expliqua de quoi il s'agissait et lui demanda quelle faute valait, à son avis, la peine d'être confessée à un prêtre. Après tout, Arianne avait passé l'âge, si elle l'avait jamais eu, de vouloir être absoute de péchés véniels. Alain lui fit remarquer qu'une faute vénielle pour une personne pouvait en constituer une grave pour une autre. Tout dépendait de l'échelle personnelle des valeurs.

— Sais-tu, dit-il, il te donne peut-être un troisième indice en insistant tellement sur votre ressemblance. Que confesserais-tu, toi ?

— Quelque chose que je voudrais que *lui* me pardonne, pas n'importe quel prêtre. Donc, il faudrait que ce soit un acte qu'il aurait personnellement désapprouvé. Mais je ne vois pas quoi, il m'a l'air du genre à accepter beaucoup des autres.

— Les photos ? suggéra Alain, faisant allusion à celles avec la croix.

— Non. Il n'était pas au courant avant de les recevoir par la poste. Et puis, il a dit que ça n'avait pas de rapport avec le site.

— Correction, il a dit qu'il ne voyait pas le rapport. Ça ne veut pas dire qu'il n'y en a pas un. Après tout, ces gens-là ne s'acharnent pas sur lui pour rien. Ils craignent ce qu'il sait. Ils ne croiront sûrement pas qu'il a inventé cette histoire de site secret. Ils ne prendront peut-être même pas le risque d'essayer de lui reparler. L'éliminer serait plus simple pour eux. Vous ne pourrez pas le protéger durant toute sa convalescence, ça coûte trop cher. Et il sort d'hôpital bientôt, non ?

— Demain matin. Oh ! zut ! Il faut que j'appelle Dan.

Elle téléphona à son collègue et l'informa de la sortie prochaine de Simon. Elle avait promis de le reconduire chez sa tante. Pouvait-il se rendre lui-même à l'écoute électronique jusqu'à ce qu'elle l'y relevât ? Une fois ce détail réglé, elle lui fit part des réflexions d'Alain quant à la protection du prêtre.

— C'est « plate », mais Alain a raison, Sylvie. À moins d'un autre attentat, la garde s'arrête là. De toute façon, si tout ce qu'on voulait de lui était remonter à Seb, il n'est plus vraiment en danger.

— Ou il l'est plus, vu qu'il n'a plus d'utilité.

— C'est là qu'on va le savoir.

— Tu n'es pas drôle, Dan. Tu ne prendrais pas ça à la légère si on parlait de Sébastien.

— Je ne prends pas ça à la légère, Sylvie. Je ne tiens pas à ce qu'il lui arrive quoi que ce soit, moi non plus. Mais que veux-tu que je fasse ? Lui engager un garde privé ?

Sylvie s'excusa et dit qu'elle songerait à une solution. Ils en reparleraient le lendemain.

— Pourquoi ne l'emmènes-tu pas ici ? suggéra Alain lorsqu'elle raccrocha.

Sylvie secoua la tête. Cela ne lui serait d'aucun secours, puisqu'elle partait toute la journée, et que lui-même retournait à l'école la semaine suivante, afin de préparer ses classes. Et puis, Simon serait mieux avec sa tante, qui était ex-infirmière et pourrait lui changer ses pansements. Ce raisonnement pratique rassura Alain. Un peu.

Sylvie se présenta à l'écoute électronique une heure plus tôt que ne l'y attendait Daniel.

— Quelque chose ne va pas ? demanda-t-il devant sa mine ombrageuse.

Sylvie, qui n'avait guère envie de se confier à portée de tant d'oreilles, lui répondit qu'elle lui en parlerait plus tard.

— Pourquoi pas tout de suite ? offrit Daniel. D'après ce qu'on a entendu tantôt, Estéban devrait arriver juste après le dîner. Et j'ai accepté hier soir qu'on se rencontre mardi prochain, donc je n'ai pas besoin de lui reparler aujourd'hui.

— Si vite que ça ? Vas-tu être prêt ? s'inquiéta Sylvie.

Daniel grimaça. Il avait sur la cuisse un énorme bleu découlant d'un coup de poing que Sébastien, dans sa panique d'avoir bientôt à retourner dans son univers oppressant, lui avait asséné en hurlant : « Tu vois bien que tu n'es pas encore prêt ! Tu es supposé être paraplégique ! Tu n'es pas supposé rien sentir ! Penses-tu qu'il ne te testera pas, *crisse* de con ? » Johanne et lui n'étaient parvenus à le calmer qu'en lui assurant qu'ils négocieraient avec sa mère pour qu'il puisse fréquemment séjourner chez eux.

— Ne t'inquiète pas, Seb et ma femme se chargent de me préparer, informa-t-il sa collègue en frottant son bleu. De toute façon, on ne peut pas attendre indéfiniment, madame Boyer va finir par se lasser et réclamer son fils. Je ne peux pas le garder contre sa volonté et j'aimerais être certain qu'il ne sera plus en danger quand je vais le ramener chez lui.

Il se leva et alla remettre aux préposés à l'écoute son numéro de téléavertisseur, avec instructions de l'appeler immédiatement si Estéban se pointait plus tôt que prévu, ou si une conversation pertinente à l'enquête s'amorçait. Puis il emmena Sylvie à un petit restaurant du voisinage.

— Alain voulait que j'emmène Simon chez nous, lâcha-t-elle lorsqu'ils furent seuls.

— Pour sa protection ? C'est très chic de sa part.

— Ne te moque pas de moi. Je sais ce que tu penses de la grandeur d'âme. D'ailleurs, même Simon te donne raison, ajouta-t-elle avec un sourire sans joie.

Daniel haussa les sourcils, et Sylvie lui révéla le motif caché derrière la générosité initiale du prêtre envers son rival.

— Sais-tu, il commence à m'être presque sympathique, dit l'enquêteur. Si je comprends bien, tu es fâchée parce que le vrai motif d'Alain, c'est de l'avoir à l'œil ?

Sylvie admit que telle était la raison de sa mauvaise humeur. Toute leur relation reposait sur la confiance qu'ils avaient l'un en l'autre. Elle n'appréciait pas qu'il se mît à douter d'elle. Daniel la raisonna. Qu'Alain craignît l'attraction entre elle et Simon était bien naturel. Elle était si criante qu'un enfant la verrait !

— Alain t'aime, Sylvie, il serait bien fou de ne pas lutter pour garder sa place. Au lieu de dramatiser, tu devrais être contente qu'il essaie de neutraliser Simon en l'amenant à se rapprocher de votre couple, plutôt que de toi seule. C'est un moyen intelligent de s'y prendre, je trouve. Bien plus que les crises et les menaces. Sans compter que ça pourrait être bénéfique pour tout le monde.

— Autrement dit, tu approuves ?

— Son choix d'arme, oui, précisa Daniel. L'idée d'emmener Simon chez vous, non. Pour la bonne raison que, *si* on a encore l'idée de s'en prendre à lui, on va le surveiller et savoir où tu habites. Et ça ne me plaît pas du tout.

— À moi non plus. Surtout qu'on a les jeunes une semaine sur deux. Je ne voudrais pas risquer qu'on s'en prenne à eux, j'ai eu assez peur pour Olivier l'autre fois.

Les craintes de Sylvie étaient légitimes car, menacé, Simon devenait un risque pour tous ceux qui l'entouraient.

— L'idéal serait de le cacher là où personne ne songerait à le chercher.

— Dommage que notre chalet soit si loin, dit Sylvie.

— Il ne l'est pas tant que cela. Tu m'as déjà dit que vous y étiez en une heure.

— Je te rappelle que Simon a encore besoin de soins, qu'un déplacement de plus d'une demi-heure risque de lui être douloureux, et qu'il doit être à portée d'un hôpital, en cas de réouverture d'une plaie.

— Je sais ! s'exclama alors Daniel en claquant des doigts. Rodge !

Son ex-partenaire et son épouse s'apprêtaient à partir en voyage, expliqua-t-il. Ils seraient absents de cinq à six semaines. Roger étant un fervent botaniste amateur, il serait ravi d'avoir un surveillant plus intéressé que Daniel à soigner ses plantes. Et Simon se sentirait en territoire familier dans cette jungle.

— Il habite où?

— À trois rues de chez moi, et à quelques minutes de l'hôpital Le Gardeur. Ça te va ?

— Oui. Mais es-tu sûr qu'il va vouloir ?

Daniel la rassura. Roger serait d'accord. Sylvie se détendit et se déclara prête à le relever à l'écoute s'il voulait aller poursuivre son entraînement. Daniel grimaça et lui avoua

qu'il en prendrait volontiers congé quelques
heures de plus.

— Avoue-le donc que tu meurs d'envie
de l'entendre, toi aussi, le taquina Sylvie en
parlant d'Estéban.

— Coupable, admit Dan. Ça te fâcherait
beaucoup que je reste ?

— Du tout, répondit Sylvie en pinçant
sournoisement son bleu.

— Estéban ! s'écria Catherine à l'heure
de la sieste des plus petits.

— Salut, ma princesse ! répondit une
agréable voix masculine, à l'accent britannique. Regarde ce que j'ai pour toi.

— Un vrai chien ! s'extasia la fillette.

— Chut ! Pas si fort ! Tu vas réveiller les
autres, la gronda la gardienne.

— Tiens, princesse, va jouer avec lui dans
le parc. J'ai à parler à Michelle. Je te rejoindrai
plus tard et on lui trouvera un nom. *Alright*?

— *Alright*, répondit Catherine.

De la salle d'écoute, les enquêteurs
entendirent se refermer la porte et s'éloigner
le babil de la fillette qui parlait à son chien.

— Élodie va te tuer, remarqua alors
Michelle.

— Ça lui apprendra à raconter à sa fille
que je suis un pédé, répondit Estéban, l'air
content de lui.

— Qu'est-ce que ça peut te faire ? Tu n'as jamais caché tes préférences.

— Non. Mais elle a un sacré culot de me mépriser pour mon orientation, quand elle-même aurait voulu pulvériser tous les gars qui approchaient Arianne.

Sylvie échangea un regard avec Daniel.

— Ça me fait penser à ce qu'on disait quand on était petits, remarqua Michelle. « Ceux qui le disent, c'est eux autres qui le sont ! »

— C'est bien vrai. Mais je ne peux pas dire ça à Cathie, alors j'ai trouvé un autre moyen de me venger.

Ils rigolèrent, puis Estéban annonça que Sébastien avait accepté de le rencontrer le mardi suivant. Il avait très hâte de le voir. Sylvie vit Daniel grimacer et sourit.

— Ce serait bien, continua Estéban, si on pouvait le convaincre de se joindre à nous. Il nous resterait juste à trouver une fille qui bouge comme Arianne, et avec ses dessins, on aurait des possibilités infinies ! Pense à tout ce qu'on pourrait créer comme scénarios ! Évidemment, ç'aurait été encore mieux si on les avait eus, elle et lui. Si j'attrapais le fumier qui l'a tuée, je lui ferais regretter d'être né !

Daniel et Sylvie se regardèrent, désolés. Estéban avait prononcé ces paroles avec une telle conviction !

— Moi, je dis que c'est le prêtre, affirma Michelle.

— Ah oui ? Et il l'aurait tuée pourquoi ? Pour sauver son âme ? *Anyway*, on n'a plus besoin de lui.

— Mais si c'est lui qui a la caméra et les disquettes...

— Michelle, arrête ! Il ne les a pas. On a fouillé partout, tandis qu'il était à l'hôpital.

— Je préfèrerais quand même m'assurer qu'il ne les a pas cachées ailleurs avant de l'éliminer.

— Trop risqué. Cette foutue flic lui tourne toujours autour.

— Peut-être, mais je ne pense pas que ce soit pour le travail, ricana Michelle.

Sylvie se pencha pour fouiller dans son sac. Daniel réprima un sourire.

— On ne prendra pas la chance. On l'élimine. Ce soir.

— Mais la police ?

— Il n'est plus gardé. Johnny surveille l'appartement et il me l'a confirmé. Il a juste sa vieille, et elle va brûler avec lui.

Un des bambins que gardait Michelle s'éveilla en pleurant. Estéban la quitta en disant qu'il la rappellerait plus tard. Daniel pressa le bras de Sylvie, ramassa les transcriptions et sortit avec sa collègue.

Moins d'une heure plus tard, deux confrères de Daniel et de Sylvie se rendirent chez
Simon et l'emmenèrent comme s'il était en
état d'arrestation. Ils appelèrent Daniel par
téléphone cellulaire, et ce dernier, garé à
quelques centaines de pieds de l'immeuble,
leur confirma que l'espion d'Estéban les avait
pris en filature.

— Il est dans le deuxième véhicule derrière vous, les informa-t-il. Laissez-le vous
suivre jusqu'à Place Versailles pour qu'il soit
certain qu'on l'arrête.

Daniel coupa la communication et monta
rejoindre madame Durocher. Il la calma, puis
lui expliqua que l'arrestation de son neveu
n'était qu'une ruse destinée à le transporter
là où il serait plus en sécurité. Il prépara
ensuite le bagage de Simon, tandis qu'elle
s'occupait du sien, et l'emmena à leurs
bureaux. Sylvie et Simon les y attendaient.
Daniel appela à l'écoute électronique et sourit :

— Le tam-tam marche déjà, leur dit-il.
Estéban vient d'être informé de l'arrestation.

— Comment a-t-il réagi ? demanda Sylvie.

— Il se méfie. Il a dit à son copain de
retourner surveiller la maison et de l'avertir
s'il s'y passe quoi que ce soit.

Roger arriva sur les entrefaites, accueilli
avec enthousiasme par ses ex-collègues.
Daniel le laissa plaisanter un moment avec
eux, puis l'entraîna vers Simon et madame

Durocher. Lorsqu'il leur eut été présenté, Roger se tourna vers Simon et lui demanda de but en blanc :

— Jeune homme, trouvez-vous ridicule de parler aux plantes ?

— Non. Elle écoutent certainement plus que bien des gens à l'église, commenta Simon.

Roger le gratifia d'une large sourire et d'une vigoureuse tape à l'épaule. Simon grimaça.

— Je sais que ça fait ton bonheur, mais modère tes transports, Rodge, lui recommanda Daniel. N'oublie pas qu'il est blessé. Bon, tu les emmènes tout de suite, et j'irai porter leur bagage tantôt.

— O.K., Dan. À tout à l'heure !

— Merci. Je te revaudrai ça.

Dès qu'ils furent partis, Sylvie s'isola avec son collègue.

— Si ce qu'Estéban dit d'Élodie est vrai, ça explique son attitude envers son « ex », dit-elle. Crois-tu qu'Arianne et elle...?

Daniel secoua la tête.

— Ça me surprendrait. Quel qu'ait été le sentiment d'Élodie, Arianne aimait les gars.

— Dan, ils cherchent une fille qui bouge comme elle.

— Sylvie...

— Non, écoute ! Je bouge comme elle ! Sébastien me l'a dit. Je pense même comme elle sur certaines choses. Du moins, si je me fie à Simon.

— Mais ils savent qui tu es !

— Je peux modifier mon apparence. Me faire couper et teindre les cheveux, porter des lentilles cornéennes colorées, me maquiller différemment. On ne peut pas laisser passer une occasion pareille ! C'est le meilleur moyen de voir dans quoi Arianne était impliquée.

— Et tu vas te présenter à eux comment ?

— L'équipe de surveillance physique va sûrement pister Estéban. Je m'arrangerai pour le croiser quelque part.

— Les femmes risquent de ne pas y être bienvenues, remarqua Daniel, sardonique. Tu serais peut-être mieux d'attirer l'attention de Michelle.

— Alors tu es d'accord ?

— Est-ce que ça changerait quelque chose si je disais non ?

— Non.

— Pourquoi le demandes-tu alors ?

— Parce qu'on travaillerait mieux de concert, Dan.

Daniel soupira. Elle le soutenait dans ses combines, il aurait mauvaise grâce à lui refuser son appui.

— O.K. Trouve-toi un nouveau *look*, mais n'entreprends rien avant que je te le dise. Estéban va peut-être fournir à Sébastien l'occasion de t'introduire.

En mentionnant Estéban, Daniel eut l'air ennuyé. Sylvie devina sa pensée et compatit.

Elle aussi aurait préféré qu'il fût l'assassin. D'autant plus qu'il n'avait pas l'air d'un enfant de chœur. Mais il n'avait aucune raison de feindre devant une complice.

— À moins, avança Daniel, qu'il ne veuille pas que les autres membres du groupe sachent que c'est lui. Si Arianne leur était profitable, et qu'il l'a tuée pour une raison personnelle, il n'ira pas s'en vanter. C'est peut-être même pour ça qu'il tient à éliminer Simon sans lui donner la chance de parler. Il a peut-être peur qu'Arianne lui ait révélé quelque chose à son sujet. Quelque chose que ses complices ne savent pas.

— Si tu dis vrai, ça pourrait expliquer la contradiction entre les attaques. Bizarre, non, que Michelle s'inquiète de ce qui est arrivé de la caméra, et que Simon ait été agressé juste après m'en avoir parlé ? Elle lui a peut-être fait le rapport de ce qu'elle a entendu, et Estéban a eu peur que Simon en ait plus à lui apprendre, alors il a payé deux jeunes voyous pour qu'ils l'attaquent.

— Possible. Coupable ou pas, je n'aime pas que la petite soit en adoration devant ce gars-là. Je vais recommander qu'on lui prête une attention spéciale. S'il s'avise de lui faire quoi que ce soit...

Sylvie frissonna devant son regard. Elle ne le lui avait encore jamais vu si dur.

19

Sylvie semblait toute fière d'elle-même lorsqu'elle arriva au bureau en ce vendredi matin. Daniel la regarda avec méfiance. Sylvie sourit et sortit de son sac une coupure de papier journal, qu'elle glissa sous les yeux de son collègue. C'était une annonce classée : « *Cours de baladi. En privé ou en groupe de 3 pers. max. 85$/10 sem. Appeler Élodie après 18 h 00, 642-2837* ».

— Où as-tu pris ça ? lui demanda Daniel après avoir lu.

— Dans l'hebdo de quartier d'Élodie, l'informa Sylvie.

Elle s'était souvenue que Simon avait parlé d'une copine avec qui Arianne avait suivi des cours de baladi, et elle avait demandé à Stéphane Turgeon si son ex-épouse s'était déjà intéressée à la chose. Ce dernier lui ayant appris qu'elle l'enseignait à temps partiel, Sylvie s'était procuré le journal dans lequel il y avait le plus de chances qu'elle l'eût annoncé et elle s'était inscrite.

— Je t'avais dit d'attendre, soupira Daniel.

— J'ai le droit de me divertir. Le baladi, c'est bon pour la santé. De toute façon, ne t'inquiète pas, je n'ai pas donné mon vrai nom. En plus, je vais y aller sous mon autre *look*.

— Et comment s'appelle cette autre Sylvie ?

— Andréane Lanctôt.

— Tu aurais pu choisir un nom qui ressemble moins à celui d'Arianne. Ça peut leur mettre la puce à l'oreille.

Sylvie, contrite, expliqua qu'elle avait donné le premier nom qui lui était venu à l'esprit. Daniel accepta en grognant l'excuse de sa collègue, puis lui tendit la chemise contenant le premier rapport de filature. Sylvie l'ouvrit et examina d'abord les clichés.

— J'ai mis les parents des bouts de choux à part, lui dit Daniel. Je ne les écarte pas complètement, mais je ne crois pas qu'ils soient mêlés à l'affaire. À l'exception d'Élodie, peut-être. Elle, je l'ai laissée avec les sujets d'intérêt.

— Hum ! pas laid *pantoute* ! commenta Sylvie en arrivant au portrait d'Estéban. Presque aussi beau que Sébastien, et le nombril plus sec.

— Le cœur aussi, lui rappela Daniel d'un ton désapprobateur.

Sylvie lui sourit et remit la photo dans le dossier. Selon le rapport de ceux qui avaient filé Estéban, son nom de famille était Baxter. Un membre de l'équipe de surveillance l'avait vérifié sur sa boîte aux lettres, qu'un collant identifiait aux noms de E. Baxter et de H. Petitclerc. Il habitait un luxueux immeuble à condos du quartier Mont-Royal, avec vue sur le mont, à en juger par la disposition de ses fenêtres. Il avait un skye-terrier blanc, qu'il appelait « Blackie ». Après avoir quitté Michelle, il avait joué un moment dans le parc avec Catherine, puis il s'était rendu directement chez lui, d'où il n'était pas ressorti de la soirée, sauf quelques minutes pour promener son chien. Il n'avait adressé la parole à personne lors de cette promenade. Les lumières de son logis s'étaient éteintes vers vingt-trois heures dix. Il n'avait eu aucun visiteur, et son ou sa colocataire (Daniel n'avait pas mentionné Hugo aux agents de surveillance) n'y était pas présentement.

Ceux qui avaient surveillé Michelle relataient que, lorsqu'elle avait vu le chiot, Élodie avait piqué une crise et menacé Michelle de retirer Catherine de sa garderie.

« Essaie pour voir, l'avait défiée Michelle. »

Élodie était repartie, furieuse, en tirant sans ménagement sa fille par le bras. Mais la fillette souriait malgré tout ; elle avait le chien. C'était un épagneul blond qu'elle avait nommé Pif. Cette petite scène n'avait sans doute été incluse au rapport que pour montrer à Daniel que l'on tenait compte de ses directives quant à la gamine, mais elle était quand même intéressante par ce qu'elle révélait de la relation entre Élodie et sa gardienne.

Après le départ du dernier enfant, Michelle était sortie faire des courses. Elle avait effectué un long appel d'un téléphone public du centre d'achat, ce qui avait inquiété les membres de l'équipe qui la talonnaient. Les avait-elle repérés ? Mais Estéban l'avait appelée plus tard en soirée pour l'informer qu'on n'avait pas encore libéré Simon, et elle en avait discuté avec lui sans le moindre signe de méfiance. Elle non plus n'était pas ressortie après son retour du centre d'achat. Elle avait toutefois eu un visiteur nocturne, mais les photos, aussi bien les numériques que celles prises avec un film ultrasensible, étaient trop sombres ou floues pour qu'on puisse distinguer ses traits. On voyait seulement que c'était un homme. Un amant peut-être. Il était resté à peine une heure.

— Tout ça ne nous dit pas grand-chose, soupira Sylvie.

Daniel lui rappela qu'il s'agissait de la première rencontre entre Michelle et Estéban depuis qu'ils surveillaient l'endroit. Elle ne pouvait guère s'attendre à les entendre révéler toutes leurs combines en vingt-quatre heures. La ligne d'Estéban serait placée sous écoute dès aujourd'hui et il tenterait d'obtenir un mandat pour celle d'Élodie aussi, mais c'était moins sûr. Pour l'instant, rien n'appuyait solidement son implication dans cette affaire. Mais il était certain que Michelle la tenait d'une façon ou d'une autre.

— J'irais bien l'asticoter un peu, mais je n'ai pas envie de brûler ma couverture. J'ai déjà pris un risque en rencontrant sa fille.

— Je peux y aller, moi, offrit Sylvie.

— Encore moins ! Elle pourrait te reconnaître ensuite, même déguisée. Ce serait « plate » que nos moineaux s'envolent.

— Contacte Élodie par téléphone, lui suggéra Sylvie. Tu pourrais lui dire qu'on a trouvé une photo d'Arianne et elle, et que Simon l'y a identifiée.

— Bonne idée, dit Dan. Mais tu ferais mieux de l'appeler, toi. Si Estéban a raison sur elle, une femme a plus de chances de la faire parler.

Sylvie remarqua, goguenarde, qu'il était heureux qu'elle eût songé à maquiller sa voix lors de l'inscription. Elle ne l'avait baissée que d'un ton, afin d'être capable de la tenir à long terme. Elle en fit la démonstration à Daniel, qui sourit. Il commençait à trouver dommage que sa retraite fût si proche.

Sylvie s'attendait à parler à un répondeur, mais Catherine décrocha et l'informa que sa mère était malade et couchée.

— Oh ! Peux-tu prendre un message ?

— Bien sûr ! Je sais écrire, je m'en vais en deuxième année, répondit la gamine avec hauteur.

Daniel, qui écoutait sur l'autre appareil dont Sylvie partageait la ligne, adressa un large sourire à sa collègue. Sylvie dicta lentement son numéro et demanda à Catherine de dire à sa mère de l'y rappeler lorsqu'elle se lèverait.

— C'est quoi votre nom ?

— Sylvie Grosbois, sergent-détective.

— Une vraie police ? *Wow*!

Sylvie entendit une voix ensommeillée demander à Catherine à qui elle parlait. Tout excitée, la fillette lui répondit qu'elle conversait avec une policière. Élodie lui enleva aussitôt le combiné des mains et l'envoya jouer dehors.

— Mais maman...

— Dehors, j'ai dit ! Et emmène ce sale chien avec toi !

— *Y* est pas sale ! répliqua la petite d'un ton boudeur.

— Catherine, ne joue pas avec mes nerfs ! l'avertit sa mère.

Sylvie entendit la gamine sortir en maugréant. Elle s'identifia de nouveau et précisa qu'elle enquêtait sur le meurtre d'Arianne LeSieur.

— Mon Dieu ! Vous n'avez pas dit ça à ma fille ?

— Non, et je n'en avais pas l'intention.

— Elle ne sait pas qu'Arianne est morte, vous comprenez. Je n'ai pas encore trouvé le moyen de le lui dire. C'était sa marraine et elle l'aimait beaucoup.

— Oui, c'est comme ça que je vous ai retrouvée, dit Sylvie, qui lui servit l'histoire de la présumée identification de Simon.

— Je suppose qu'il est revenu pour officier à ses funérailles, dit Élodie, amère.

— Pas du tout. Il est revenu un mois avant sa mort. Vous ne le saviez pas ?

— Non.

— Arianne ne vous l'avait pas dit ? Bizarre. Ils s'étaient pourtant rencontrés plusieurs fois.

— Ah ! fit Élodie, d'un ton indéfinissable.

Sylvie, qui sentait le retranchement de son interlocutrice, décida de changer de voie.

— Vous deviez être proche d'elle pour l'avoir choisie comme marraine pour votre fille.

— On a été aussi unies que des sœurs, affirma Élodie. On se connaissait depuis le Cégep, mais on est devenues encore plus proches après le départ de Simon.

— Vous ne semblez pas aimer beaucoup monsieur Pratte.

— Arianne était mon amie, et il l'a fait souffrir.

— Il nous arrive tous de faire souffrir des gens sans le vouloir. Si j'en crois les parents d'Arianne, elle savait dès le départ que son copain se destinait à la prêtrise. Elle aurait pu s'en faire un autre au lieu de s'accrocher à lui. D'autant plus qu'elle était très belle, elle n'aurait eu que l'embarras du choix.

Il y eut un silence pesant au bout de la ligne.

— Madame Ménard, êtes-vous toujours là ?

— Oui, dit Élodie, la voix rauque. Excusez-moi, ça m'est pénible d'en parler.

— Désolée, mais il le faut. Pourquoi s'est-elle accrochée à lui ? Elle a bien dû vous le dire, puisque vous étiez comme des sœurs.

— Parce que les autres pensaient juste à la planter ! dit Élodie avec colère.

Daniel et Sylvie cillèrent devant la violence de son ton.

— Vous ne mâchez pas vos mots, vous ! Mais c'est vrai que ça ne doit pas être drôle d'être belle au point d'être désirée juste pour son corps, dit Sylvie avec une sympathie feinte.

— Les hommes sont tous des cochons ! sanglota Élodie.

— Même votre mari ? Vous devez bien en avoir un, puisque vous avez une fille.

— Lui encore plus que les autres ! Chaque fois qu'il voyait Arianne, c'est tout juste s'il ne lui sautait pas dessus !

— Au moins, il se retenait, fit doucement Sylvie. Mais c'est surprenant, quand même, que vous soyez restées amies. Moi, si une de mes copines excitait ma... tendre moitié, elle prendrait le bord !

La pause avait été juste assez longue pour laisser planer un doute quant au sexe de la « tendre moitié ». Daniel sourit. Sa nouvelle collègue était décidément pleine de surprises. Le stratagème porta fruit, car Élodie avoua s'être mariée surtout pour avoir un enfant. Stéphane lui avait été plus sympathique que d'autres gars, et elle avait cru pouvoir vivre en union cordiale avec lui. Mais elle s'était trompée sur ce fait, aussi bien que sur lui et, lasse de cette fausse relation, elle avait divorcé et était venue retrouver Arianne à Montréal.

— Je vois. Arianne partageait-elle votre orientation ?

— Non. Mais elle la connaissait et ne s'en offusquait pas. Elle n'était pas bornée, elle !

Sylvie se sentit désolée pour Stéphane. Il avait été manipulé d'un bout à l'autre. Arianne avait su et ne l'avait pas averti. Et voilà qu'un étranger aux desseins pas trop catholiques se mêlait en plus de le supplanter dans le cœur de sa fille !

— Êtes-vous sûre qu'elle était hétéro ? Elle était encore vierge, vous savez. Ce n'est pas très naturel, à son âge.

— Elle avait peur de la pénétration. Mais elle tombait toujours amoureuse de gars.

— Mais de gars qui ne menaçaient pas sa virginité, remarqua Sylvie. Un prêtre, un handicapé...

Elle s'attendait à être détrompée sur l'impotence de Sébastien, mais son interlocutrice resta muette.

— Arianne vous a bien parlé de lui, n'est-ce pas ? insista Sylvie.

Élodie répondit d'un ton las qu'il s'agissait d'un artiste. Elle possédait même une murale exécutée par lui, mais il s'agissait d'un cadeau d'Arianne. Il s'appelait Sébastien, elle ignorait son nom de famille, et elle ne l'avait jamais rencontré.

— Arianne vous a-t-elle dit qu'elle avait l'intention de l'épouser ?

— Oui, dès qu'il aurait son divorce. Ils devaient se fiancer le jour de sa fête. Une petite affaire en tête-à-tête, qu'elle m'a dit. Je lui ai dit qu'elle faisait une bêtise. Arianne aimait faire plein de choses qu'il ne pourrait pas. Danser surtout. Et il n'était même pas riche ! Mais elle ne voulait rien entendre. Il était génial et elle l'aimait.

— Le connaissait-elle depuis longtemps ?

— Je ne pourrais pas dire. Elle n'en parlait pratiquement jamais avant d'être prise par sa lubie de le marier. Vous ne pensez pas que c'est lui qui...? Je veux dire, c'est un infirme !

Sylvie ignora la question et demanda à Élodie si Arianne possédait une photo de son fiancé. Ils n'en avaient pas trouvé à son appartement.

— Il n'aimait pas être photographié, paraît-il. Mais elle m'a dit qu'il ressemblait à Brad Pitt.

— Vous avez l'air sceptique.

— Oh ! vous savez, Arianne n'était pas la fille la plus objective en ville quand elle était en amour. Il n'y a pas si longtemps, elle trouvait que Simon était le plus beau gars de la terre. Alors, si vous l'avez vu, ça vous donne une idée de son jugement, fit Élodie avec mépris.

— Alliez-vous chez elle ? poursuivit Sylvie, réprimant sa colère.

— Parfois, mais elle venait plus souvent chez moi. C'était plus pratique, avec la petite.

— Quand l'avez-vous vue pour la dernière fois ?

— Dans la semaine avant son déménagement. Je l'ai aidée à emballer des boîtes.

— Mais pas à les déballer ?

— Non, je travaillais le jour de son déménagement. Et ensuite, elle ne voulait plus de visite avant d'avoir fini sa décoration, répondit Élodie.

Elle en avait été blessée, cela s'entendait dans sa voix. Sylvie ne s'étendit donc pas sur le sujet.

— Un instant, j'ai un autre appel. Y a-t-il autre chose que tu veux savoir ? demanda-t-elle à son collègue.

— J'aimerais savoir ce que Michelle a sur elle, mais je ne vois pas comment l'amener sur le sujet.

— Je peux essayer quelque chose, lui dit Sylvie.

Elle reprit la ligne et parla à Élodie du signet trouvé chez Arianne. Élodie l'informa que c'était un cadeau de Noël de Catherine à sa marraine. Après lui avoir dit qu'elle était très mignonne, Sylvie lui demanda s'il était possible que sa fille fût allée au Jardin botanique environ deux semaines plus tôt. Elle y avait vu une petite fille qui lui ressemblait énormément, accompagnée d'une grande femme aux cheveux châtains. Elle avait regretté de ne pas avoir sa caméra, car elle l'avait trouvée si jolie, dans sa salopette et son chapeau de paille, penchée sur l'étang à essayer d'attirer un canard. Sylvie avait un peu faussé les distances, sachant que l'image de Catherine tout au bord d'un point d'eau serait bien plus apte à susciter l'horreur que la fierté chez une mère surprotectrice. De fait, la réaction d'Élodie ne se fit pas attendre.

— Quoi ? Quand avez-vous vu ça ?

— Pas samedi dernier, l'autre avant.

— Oh ! la vache !

— Vous ne parlez pas de votre fille, j'espère ? dit Sylvie, feignant d'être choquée.

— Non, de sa gardienne. Le samedi, elle a juste Catherine, alors elle la sort parfois. Mais je la pensais plus fiable. Franchement ! La laisser se pencher au-dessus d'un étang ! Elle aurait pu glisser et se noyer !

— À votre place, je changerais de gardienne, lui suggéra sournoisement Sylvie.

Il y eut un silence, suite auquel Élodie bafouilla que trouver une gardienne à proximité de chez soi et prête à garder même le soir et la fin de semaine n'était pas évident. Or, elle travaillait dans une épicerie, et elle n'avait que les dimanches et lundis de congé.

— Vous devriez surveiller les petites annonces de votre journal de quartier, lui dit Sylvie avant de la remercier. Je vous rappellerai si j'ai d'autres questions.

— Tu ne l'aimes pas, remarqua Daniel.

— Pas très, non. Elle a un fichu culot d'en vouloir à Simon pour avoir fait souffrir Arianne, après ce qu'elle-même a fait et fait encore endurer à son « ex » !

— Ouais, et le rôle d'Arianne là-dedans n'est pas trop reluisant non plus, dit Daniel. C'est bien beau de garder les secrets, mais de là à laisser un ami se fourrer dans le pétrin...

— C'est ça ! s'exclama Sylvie, triomphante.

Daniel la regarda sans comprendre.

— Voilà ce qu'Arianne a confessé à Simon, lui expliqua Sylvie. Simon aussi aurait désapprouvé qu'Arianne se débarrasse d'un prétendant dont elle ne voulait pas en le laissant épouser une femme qui ne s'en servirait que pour sauver les apparences. Sûrement qu'elle en a eu du remords, après avoir revu Stéphane et constaté le tort qu'elle avait contribué à lui causer. Et elle aurait voulu que *Simon* pardonne la faute. D'autant plus qu'il avait baptisé le fruit du crime.

— Oui, ça aurait de l'allure. Mais ça ne nous avance pas. L'ex-mari aurait peut-être eu un motif de la tuer, s'il avait su, mais il a un alibi : il était en camping avec Catherine.

— C'est vrai. Et si Arianne l'excitait tant, il l'aurait violée.

Daniel hocha la tête, mais précisa que, selon lui, le jugement d'une femme qui traite son époux de cochon parce qu'il aime poudrer le bébé n'était pas très fiable quant à la mesure de la libido d'un homme. Sylvie en convint. Daniel trouva également étrange qu'Arianne eût servi à Élodie, qui était supposément comme sa sœur, les mêmes mensonges sur Sébastien qu'à Estéban. Elle avait pourtant présenté le vrai Sébastien à Laurie, qui était moins proche d'elle qu'Élodie.

— Oui, moi aussi, ça m'a frappée, dit Sylvie. C'est même Laurie qui aurait été sa demoiselle d'honneur.

— Correction : Laurie le lui avait offert. On ne sait pas qui Arianne aurait choisi.

— C'est vrai. C'était peut-être à cause de Catherine, dit Sylvie en songeant tout haut.

— Quoi ?

— Qu'elle lui contait les mêmes mensonges qu'à Estéban. Catherine est une petite pie, elle raconte tout à tout le monde. Arianne avait peut-être peur qu'Estéban sache par Catherine ce qu'elle contait à Élodie. Alors, elle ne prenait pas de chances et lui en disait à peu près la même chose.

— Si c'est ça, c'est qu'elle se méfiait vraiment d'Estéban. Pourtant, plusieurs témoins disent qu'ils étaient très proches jusqu'à récemment. Ils ne peuvent pas tous se tromper. Je me demande ce qui a bien pu se passer pour changer ainsi son optique.

— Le scepticisme de Sébastien, probablement. Plus elle se rapprochait de lui, plus elle se ralliait à ses vues. Moi, ce que je trouve bizarre, c'est qu'elle ne lui ait pas parlé du retour de Simon. Pourtant, Élodie le connaissait.

— Mais elle ne l'aimait pas, et Arianne le savait. Et elle n'en a pas parlé à son père pour la même raison. Du moins, selon Seb.

— C'est vrai. Je donnerais quand même gros pour savoir à quoi elle pensait en disant ce « Ah ! »

— Moi aussi. Mais tu as bien fait de ne pas insister. Tu l'aurais perdue.

Sylvie sourit du compliment implicite, puis se leva. Elle avait un rendez-vous.

— Avec qui ?

Daniel n'obtint pour toute réponse qu'un sourire à la Mona Lisa.

Noémie était une ancienne pute que Sylvie avait rescapée en l'aidant à se recycler dans la haute coiffure. Elle avait des doigts de fée et une véritable panoplie de perruques. Noémie ne collectionnait que les belles perruques, faites de vrais cheveux. Très peu pour elle, le synthétique. Elle examina la coupe de Sylvie, la teinte et la texture de ses cheveux.

— J'ai ce qu'il te faut, dit-elle ensuite. Mais je vais devoir la tailler un peu.

— Tu es sûre que ça ne te dérange pas ? Je sais combien tu tiens à tes scalps, plaisanta Sylvie.

— Hé ! Je tiens encore plus à mes copines, répondit Noémie. Sans toi, je serais encore dans la rue. Et puis, elle est très bien, ta coupe. Elle ne l'amochera pas trop.

Sous le regard émerveillé de Sylvie, elle sortit une perruque de sa collection et en fit une copie parfaite de la coiffure de son amie. Sylvie lui demanda alors une coupe sur laquelle sa perruque tiendrait bien, et qui changerait complètement son allure sans altérer son essence.

— Tu as une idée, ou tu me laisses carte blanche ?

— Je m'en remets entièrement à toi, ma chère !

Noémie sourit et se mit au travail.

En revenant au bureau deux heures et demie plus tard, Sylvie apprit qu'une dame Boyer l'attendait à la réception. Daniel arriva comme elle redescendait avec sa visiteuse. Ils s'installèrent tous trois dans une salle d'entrevue, où madame Boyer leur tendit une enveloppe de type légal, provenant d'une firme de notaires, et adressée très formellement à monsieur Sébastien Boyer. Daniel et Sylvie se regardèrent, étonnés.

— Il a reçu ça aujourd'hui, par courrier recommandé. Après ce que vous m'avez dit l'autre jour, ça m'inquiète. Pensez-vous que c'est un piège ? leur demanda la mère du garçon d'une voix tremblante.

— On peut s'assurer que c'est une vraie firme. Mais j'aimerais savoir avant si c'est ce que je pense. Vous ne l'avez pas ouverte, remarqua Daniel.

— Non, merci ! s'exclama madame Boyer. La dernière fois que j'ai ouvert une enveloppe adressée à son nom, il m'a piqué une de ces crises !

— Ah ? celle qui remonte à près de deux ans ? dit Sylvie en souriant.

— Oui. Il m'a assez énervée ! Il n'en avait pas eu depuis longtemps, et j'avais peur que ça recommence.

— Dans ce cas, dit Daniel, on va d'abord lui demander la permission. Prendriez-vous un café ?

Madame Boyer secoua la tête. Sylvie en fit autant. La perruque tenait bien, consta-ta-t-elle avec satisfaction. Daniel ne voyait pas la différence. Ce dernier appela Sébastien et l'informa de la situation. Le garçon lui per-mit d'ouvrir l'enveloppe, à la condition de lui en lire le contenu en direct. Daniel déchi-ra le cachet.

— Voilà, dit-il dans le combiné. C'est daté du 7 août et c'est adressé à toi. Objet : Testament légal de madame Arianne LeSieur.
« *Monsieur,*
En tant qu'exécuteur testamentaire de madame Arianne LeSieur, j'ai le plaisir de vous informer que feu ma cliente vous a légué 147 138,23$ (ceci après partage des autres legs et déductions des frais divers), ainsi que tous les livres qu'il vous plaira de garder de sa bibliothèque, à l'exception de celui légué à monsieur Simon Pratte.
Vous pourrez prendre possession desdits biens sitôt les formalités complétées. »
Ça finit par les coordonnées pour prendre rendez-vous et c'est signé « Laurent Jourval, notaire ». Seb ? Es-tu correct ?

— Je suis estomaqué. 147 000 ? Et elle en a d'autres ?

— Les autres, c'est peut-être des petits, dit Daniel.

— Quand même ! Elle était serveuse, Dan ! Il y a sûrement une erreur. La secrétaire a dû se tromper en tapant les chiffres.

— De toute façon, je t'apporte ça tantôt. Je vais vérifier avant si c'est une vraie firme.

— O.K. Passe-moi M'man.

Daniel tendit le téléphone cellulaire à madame Boyer et sortit avec Sylvie.

— Je ne pensais pas que c'était si payant que ça, s'exhiber sur le Net, commenta Sylvie.

— Je ne sais pas si je devrais te laisser rencontrer Estéban. Tu pourrais être tentée de changer de carrière, la taquina Daniel.

Redevenant sérieux, il ajouta :

— Il serait intéressant de savoir quand elle a fait son testament, et pourquoi.

— Et ce qu'il contient d'autre, dit Sylvie, curieuse.

— Oui. Je pense qu'on va aller rendre une petite visite à monsieur Journal.

Lemieux, Journal et Côté, notaires était une vraie firme, ce qui rassura madame Boyer. Les enquêteurs la déposèrent chez elle et poursuivirent leur chemin vers la firme en question. Daniel trouva une place libre, remplit le parcomètre et admira l'architecture de l'édifice où se trouvaient les bureaux de la firme.

— Leurs services doivent coûter un bras, commenta Sylvie, faisant écho à ses pensées.

Monsieur Jourval les reçut sans délai. C'était un homme dans la mi-trentaine, de belle prestance et au regard si pétillant de joie de vivre qu'il devait le dissimuler derrière des verres un peu teintés, afin de se donner plus de gravité. Lui aussi avait connu Arianne à l'université, mais seulement pendant un an, car il achevait sa maîtrise en droit civil au moment où elle était arrivée. Elle s'intéressait, en profane comme lui, à la théologie, et ils avaient fait partie d'un même groupe de discussion sur ce thème. Mais il avait perdu contact avec elle lorsqu'il était venu faire son stage à Montréal, où il était finalement resté. Il ne l'avait revue qu'à la fin de juin dernier, lorsqu'elle était venue pour son testament.

— Avait-elle une raison particulière de vouloir faire un testament à ce moment-là ? Elle était jeune et en santé.

— Quelqu'un lui avait conseillé de clarifier ses volontés pour son assurance-vie.

— Ah ? dit Daniel. Elle avait pris une assurance-vie ?

— Oui, il y a environ trois ans. Une police de 500 000 $.

— Qui en était bénéficiaire ?

— Les héritiers légaux. Comme elle a appris récemment que, si elle écrivait ça sur une police d'assurance, elle était mieux d'avoir un testament pour éviter les chicanes, elle a décidé d'en faire un et m'a trouvé dans l'annuaire.

— Vous a-t-elle dit de qui lui venait ce conseil ?

— Je ne sais pas le nom, mais elle m'a dit que c'était une copine de travail dont la sœur avait eu des problèmes à cause de cette terminologie.

— S'attendait-elle à ce qu'il y ait dispute ?

— Sûrement. Sinon, elle n'aurait pas insisté pour que je procède ainsi.

Monsieur Journal les informa que sa cliente avait tenu à ce que chacune des personnes concernées par son testament soit avisée de son legs par courrier recommandé et à ce que ses légataires soient rencontrés séparément. Elle ne voulait absolument pas qu'ils soient tous réunis pour la lecture dudit testament, comme dans les films. Le notaire avait eu beau lui dire que chaque légataire était en droit d'obtenir une copie du document s'il en faisait la demande, et pourrait ainsi quand même savoir ce qu'elle avait légué aux autres, Arianne s'était entêtée à ce qu'il procédât comme elle l'entendait. Il n'avait aucun motif légal de refuser, aussi s'était-il incliné.

— Comment vous a-t-elle semblé ? Nerveuse ?

— Non. Plutôt fébrile, comme quelqu'un qui attend un heureux événement.

— Connaissiez-vous aussi Simon Pratte ?

— Oui, bien sûr ! Il était souvent là quand on jasait théologie. Un gars très sympathique. Arianne l'aimait beaucoup. J'avoue que j'ai été surpris qu'il ne soit pas le principal légataire.

— Pouvez-vous nous donner la teneur de son testament ?

Monsieur Jourval leur répondit qu'il était malheureusement tenu au secret professionnel, mais qu'il se ferait un plaisir de leur en fournir une copie, s'ils lui amenaient un mandat. Daniel regarda l'heure avec une moue ennuyée. Même en bénéficiant d'un juge coopératif, il doutait de pouvoir revenir avant la fermeture de l'étude.

— Je termine habituellement tôt le vendredi, mais ça ne me dérange pas de vous attendre, si vous y allez tout de suite. Je ne l'ai pas connue longtemps, mais je la trouvais sympa, expliqua le notaire.

Les enquêteurs le remercièrent et revinrent une heure et demie plus tard avec le mandat dûment signé. Monsieur Jourval l'examina, puis, le trouvant conforme, leur remit une photocopie du testament d'Arianne. Les enquêteurs lurent le document en sa présence, au cas où ils auraient eu des questions s'y rapportant.

Le montant de l'assurance était réparti en sept parts : 100 000 $ à Ronald et à Annette LeSieur ; 100 000 $ à Benoit LeSieur ; 150 000 $ à Sébastien Boyer ; 75 000 $ à Simon Pratte ; 40 000 $ à Catherine Ménard-Turgeon, à être mis en fiducie jusqu'à sa majorité ; 25 000 $ à Élodie Ménard ; et 10 000 $ à Laurie Tremblay. D'autres legs mineurs s'y ajoutaient : 8 000 $ en bons d'épargne devaient être remis à Simon pour œuvres de bienfaisance de son choix, ainsi qu'une Bible annotée de commentaires d'Arianne, sa correspondance, ses disques compacts et le dessin d'elle accroché dans sa chambre ; à Sébastien, les livres de son choix, moins la Bible léguée à Simon ; à Élodie, le pendentif en or en forme de papillon et les boucles d'oreilles assorties ; à Catherine, sa collection de poupées et tout le reste des bijoux, à l'exception de la bague à perle qui devait retourner à madame LeSieur si elle vivait encore, ou à défaut, à son frère Benoit ; à Laurie, son système de son. Toutes ses disquettes personnelles devaient être détruites, et tous ses autres biens remis à sa famille immédiate, qui en disposerait comme bon lui semblerait.

Rien à Estéban notèrent tous deux les enquêteurs. Daniel s'en réjouit, car il ne pourrait ainsi savoir que le legs d'ordinateur était mensonger. À moins, évidemment, qu'Élodie ne lui fît part du contenu du testament, mais ils ne semblaient pas en très bons termes. Et Catherine était trop jeune pour en demander une copie.

— Suspectez-vous l'un des héritiers ? leur demanda le notaire.

— À ce stade-ci, on suspecte tout le monde ou presque, répondit Daniel.

— Oh ! Voilà qui est embêtant. Un assassin n'a pas le droit d'hériter de sa victime.

Daniel lui assura que l'enquête progressait et lui demanda d'aviser les légataires qu'ils devraient attendre le feu vert pour toucher leur héritage. Mais cela ne l'empêchait pas de leur faire signer la paperasse nécessaire. Et il pouvait remettre leur part aux LeSieur, ils étaient officiellement hors de cause.

— As-tu d'autres questions, Sylvie ?

— Oui. Comment perceviez-vous Arianne ? Quel genre de fille était-ce ?

— Troublante, avoua le notaire au bout d'un moment. Elle n'était pas beaucoup plus jeune que moi, mais elle avait un côté infantile qui faisait qu'on se sentait presque pédophile à la désirer et, en même temps, c'était excitant. En tout cas, moi, elle me faisait cet effet-là.

— Le savait-elle ?

— Je suis sûr que oui. Elle ne le faisait pas exprès, mais elle en était consciente, j'en mettrais ma main au feu.

— Avez-vous déjà eu une relation physique avec elle ?

— Pas à moins que vous ne considériez une poignée de main comme une relation physique, dit monsieur Journal en souriant.

Aux questions suivantes de Sylvie, le notaire répondit de bonne grâce qu'il n'avait pas revu Arianne suite aux dispositions testamentaires de cette dernière, qu'elle n'y avait apporté aucune modification ultérieure, et qu'elle était seule au moment de sa venue.

— Qui a signé comme témoins alors ?

— Ma secrétaire et celle d'un de mes associés.

— Juste pour la forme, où étiez-vous le mercredi 19 juillet, entre vingt et vingt-deux heures ?

— Chez moi, je suppose. J'y suis pas mal toujours en semaine à cette heure-là.

— Quelqu'un pourrait-il le confirmer ?

Laurent Journal enleva ses lunettes et considéra Sylvie d'un air franchement amusé.

— Nous prélevons des frais, mais je ne suis pas avide d'argent au point d'assassiner mes clients, Madame Grosbois.

Sylvie rougit et le remercia d'avoir bien voulu leur consacrer de son temps. Le notaire lui assura que ce fût un plaisir. Les enquêteurs passèrent à l'écoute pour prendre les transcriptions, puis retournèrent au bureau clore leur journée. Sylvie retira alors des photos du dossier de filature et les glissa dans une enveloppe, informant Daniel qu'elle avait décidé de suivre son conseil et de présenter Alain à Simon. Et puisqu'elle le visiterait ce soir, aussi bien en profiter pour voir s'il reconnaîtrait Élodie et Michelle. À la réflexion, elle y ajouta la photo d'Estéban, au cas où il serait l'un de ses deux agresseurs.

— Si tu veux faire une parade, fais ça dans les règles. Mêle-les à travers d'autres photos, ce n'est pas ce qui nous manque, dit Daniel en désignant l'épaisse liasse de clichés pris par les agents de filature. Et puis, ce serait mieux qu'on soit ensemble. Vers quelle heure penses-tu y aller ?

— Pas trop tard après le souper.

— O.K., j'y serai. À tout à l'heure !

20

Sylvie s'égara quelque peu dans les rues avoisinantes avant de trouver la maison de Roger. Des rires fusaient de la cour lorsqu'elle y arriva. Elle prit son conjoint par la main et contourna le bungalow.

— Tiens, si c'est pas ma belle remplaçante ! lança jovialement Roger en la voyant apparaître. Penses-tu que notre Dan n'est pas mieux avec ça qu'avec moi ? dit-il à son épouse tout en clignant de l'œil vers son ex-collègue.

Sylvie sourit et présenta Alain à ceux qui ne le connaissaient pas déjà. Puis elle demanda à aller aux toilettes. Lorsqu'elle en ressortit, le visage de Sébastien exprima un plaisir non déguisé. Les autres se retournèrent et suivirent son regard. Daniel s'étant ouvert à elle de la jalousie de son épouse à son égard, Sylvie profitait de ce que Johanne vaquait à sa boutique afin de surprendre tout le monde avec sa métamorphose. Sa coupe à la garçonne, striée de mèches blondes, et ses lentilles teintées la changeaient de façon notable. Elle se sentait plus belle, plus *sexy*, et irradiait. Elle s'avança, gracieuse, sous le regard admiratif des mâles et celui, amusé, de l'épouse de Roger et de la tante de Simon.

— Tu aimes ? demanda-t-elle à Alain après l'avoir embrassé sur la joue.

— Beaucoup, répondit ce dernier. Mais ça te rajeunit trop, tout le monde va me prendre pour ton père.

— Tourne, dit Sébastien.

Sylvie s'exécuta et attendit ses commentaires.

— C'est drôle, Arianne avait les cheveux longs et roux, et pourtant, tu lui ressembles plus comme ça.

Simon se déclara du même avis. Daniel, quant à lui, la contemplait dans un silence songeur. Il n'était pas sûr d'aimer cette fusion, à la fois étrangère et familière, d'Arianne et de Sylvie.

— Alors, maître, quel est le verdict ? insista Sylvie.

Daniel sourit et admit qu'en s'habillant et en se maquillant différemment, elle serait effectivement méconnaissable. Puis, la voyant déçue qu'il s'en tienne à un avis professionnel, il ajouta que cela lui allait bien, mais qu'il préférait son *look* habituel.

— Tu es peut-être un « polygraphe », mais tu fais dur comme menteur, commenta Sébastien.

— O.K., s'esclaffa Daniel. Disons que je me sens plus à l'aise avec l'autre. À moi aussi, celle-là me fait prendre un coup de vieux.

Sylvie rit, puis sortit de son fourre-tout l'enveloppe contenant les photos.

— Dis-moi qui tu reconnais là-dedans, dit-elle en les tendant à Simon.

Le jeune prêtre identifia aisément Élodie comme étant la mère du bébé qu'il avait baptisé, et Michelle comme étant l'infirmière qui lui avait offert le lait drogué. Sébastien, qui regardait par-dessus son épaule, sourit en voyant combien son portrait-robot avait été fidèle à la réalité. Simon ne reconnut personne parmi les hommes.

— Et toi, Sébastien ? demanda Sylvie, qui avait vu le regard du garçon s'allumer devant la photo d'Estéban.

Sébastien secoua la tête. Sylvie échangea un regard avec Daniel et n'insista pas. Elle savait que ce dernier interrogerait le garçon plus tard, lorsqu'ils seraient seuls. Elle lui remit les photos et tira une pile de courrier de son fourre-tout. Comme elle savait que Simon recevrait la même chose que Sébastien, elle était passée vider leur boîte. Munie de l'avis, madame Durocher pourrait réclamer au bureau de poste le courrier recommandé envoyé à son neveu. Roger proposa de l'y emmener le lendemain, puisqu'il avait encore quelques courses de dernière minute à effectuer.

Ce détail réglé, il invita Sylvie et Alain à se joindre au souper barbecue qu'il donnerait le lendemain, afin de célébrer son départ en voyage. Sylvie le remercia et répondit qu'ils ne pourraient malheureusement être de la fête, puisque les enfants seraient alors avec eux. Roger balaya l'objection. Cela ferait du bien au jeune d'avoir de la compagnie de son âge, dit-il en désignant Sébastien. Cet argument l'emporta sur la réticence d'Alain. Il aimait bien l'adolescent et l'idée de le voir frayer avec sa progéniture lui plaisait assez.

— Johanne s'en vient, dit Daniel en rempochant son téléphone cellulaire.

Sylvie comprit aussitôt et se leva.

— Simon, puis-je te parler un moment ?

Son ton officiel laissant présager un autre assaut à la confession d'Arianne, Simon poussa un soupir résigné et fit remarquer à Alain que sa blonde était d'une ténacité rare. Puis il se déplia en s'appuyant sur une canne.

— Allons au solarium alors.

— Vas-y, je t'y rejoindrai. Je dois d'abord reprendre mon apparence normale.

Quelques minutes plus tard, redevenue elle-même, Sylvie pénétrait dans le solarium. Simon venait de prendre place sur un petit banc au fond, où Alain, de sa position dans la cour, pourrait les voir de dos. Elle s'assit à côté de lui et lui exposa sa théorie sur ce qu'Arianne lui avait confessé, soit qu'elle avait su qu'Élodie était lesbienne et n'en avait pas averti Stéphane.

— C'est ça, hein ?

— En gros, oui. Mais ça ne s'est pas passé comme tu le crois. Arianne ne *savait* pas, avant le mariage, qu'Élodie était amoureuse d'elle. Elle avait des doutes, mais pas de certitude. Élodie ne lui a jamais fait d'avances, et les soupçons d'Arianne n'étaient basés que sur l'impression sporadique qu'Élodie l'aimait de façon trop intense. Mais quand elle l'a vue accepter d'être courtisée par Stéphane, elle a cru s'être trompée, et a d'autant plus encouragé cette romance qu'elle la soulageait d'un côté comme de l'autre. Ce n'est que lorsqu'elles se sont retrouvées en ville après son divorce qu'Élodie lui a révélé ses motifs pour s'être mariée.

— Et Arianne est quand même restée amie avec elle ?

— Oui. En autant qu'Élodie respectait son refus d'être autre chose qu'une amie. Elle disait n'avoir pas le droit de la blâmer pour ce que la nature l'avait faite.

— Ah bon ? Comme ça, si la nature t'a fait violeur ou meurtrier, les autres n'ont pas à te juger non plus ? ironisa Sylvie, rendue, comme la plupart de ses confrères et consœurs, amère par des lois qui leur laissaient de moins en moins de latitude.

Simon posa sur elle un regard compréhensif et remarqua avec douceur qu'il y avait une différence entre protéger des innocents de prédateurs dangereux et condamner moralement des gens qui n'étaient pas une menace pour la société juste parce que leur différence dérangeait. Sylvie en convint et s'excusa.

— Arianne, lui confia Simon, n'en a pas voulu à Élodie de ce qu'elle était, mais elle s'est reproché à elle-même d'avoir joué à l'autruche et d'avoir contribué au malheur de Stéphane, qu'elle aimait bien aussi.

— Pourquoi penses-tu que ça peut avoir un rapport avec le crime ?

— Je n'ai jamais dit ça !

— Pas en paroles. Mais tu avais l'impression que ton retour y était pour quelque chose. Et quand je t'ai demandé si c'était lié à ce qu'elle t'avait confessé, tu n'as pas nié.

— Élodie me détestait, avoua Simon. Autant que le père d'Arianne, sinon plus. Je n'en connaissais pas la raison à cette époque, mais je me suis toujours senti mal à l'aise en sa présence. C'est pourquoi j'ignorais à quel parent Arianne était le plus liée. Il me semblait que c'était avec la mère, mais je savais qu'elle n'aurait jamais voulu que moi, je baptise sa fille.

— Parce que Stéphane, qui aurait aimé sortir avec Arianne mais a été repoussé à cause de toi, l'aurait voulu, lui ?

— Tu as raison. Ce devait être la volonté d'Arianne seulement. Et on l'aimait tous assez pour céder. Parce que, pour être franc, ça ne me tentait pas non plus.

Sylvie se rendit alors compte de l'extrême pouvoir de séduction de cette fille.

— On ne pouvait rien lui refuser, lui confirma Simon.

— Sauf toi, murmura Sylvie.

Simon répondit qu'il ne lui aurait pas résisté non plus, s'il s'était senti désiré comme elle avait désiré Sébastien.

— Mais elle t'aimait, Simon ! Elle est restée accrochée à toi pendant des années !

— Je ne doute pas qu'elle ait eu un sentiment profond et sincère pour moi. Mais elle ne m'a jamais regardé comme elle le regardait, lui.

— Qu'en sais-tu ? Tu ne les as jamais vus ensemble !

— Non. Mais je l'ai vu sur ce portrait qu'il a fait d'elle. Elle ne m'a jamais regardé comme ça.

Mais elle te l'a légué à toi, songea Sylvie, au lieu de quoi elle dit :

— Tu n'as pas répondu à ma question. En quoi ton retour pourrait-il être lié au crime ?

— Vu la raison pour laquelle Élodie me détestait, je me disais qu'elle avait peut-être tué Arianne de peur que j'essaie de la détourner d'elle.

— Pas très brillant. Après tout, en la tuant, elle la perdait pour de bon.

— Je sais. Mais la jalousie n'est pas toujours rationnelle. Et la peur non plus.

— Peut-être, mais il y a un hic à ton hypothèse. Élodie ne savait pas que tu étais revenu. Arianne ne lui en avait pas parlé.

— Ah ! Dans ce cas, il ne doit pas y avoir de rapport. Dommage. Ça aurait expliqué qu'elle n'ait pas été agressée. Je continue de penser qu'un gars capable de le faire ne s'en serait pas privé.

— Même toi, Simon ?

— Oui, avoua-t-il. Si je l'avais tuée, je l'aurais prise aussi. J'ai dû le faire mille fois dans ma tête, en montant sur la côte Nord. Lui faire l'amour, je veux dire. Pas la tuer.

— Prendre une femme contre son gré n'est pas lui faire l'amour, remarqua Sylvie, d'un ton acide.

— Mais je n'aurais pas eu à la prendre contre son gré, Sylvie. Si je l'avais voulu, elle aurait été prête à se donner à moi avant de s'engager définitivement à un autre. Sébastien l'aurait aimée, qu'elle soit vierge ou pas. Mais je devais me décider avant ses fiançailles, parce qu'après, il n'en serait plus question.

— Elle te l'a vraiment laissé entendre, ou c'est ton impression ?

— Elle me l'a offert pendant le souper.

— Pourquoi n'en as-tu pas parlé avant ? s'indigna Sylvie.

— Je ne vois pas ce que vous y auriez gagné, répondit Simon. Et puis, je n'en ai pas profité, alors pourquoi risquer de blesser Sébastien pour rien ?

— Tu ne comprends pas, ça change tout ! Ça veut dire que tu étais son premier choix, finalement. Elle ne s'était pas encore engagée à Seb, et elle te donnait la chance de lui faire changer d'idée.

— Non, elle l'aimait, lui. Si, comme tu le penses, elle se cherchait une porte de sortie, c'était par scrupule à s'engager avec un gars aussi jeune. Mais c'était lui qu'elle voulait, pas moi. Oui, elle m'aurait laissé faire si je l'avais prise au mot. Peut-être même qu'elle aurait répondu, comme au bon vieux temps. Mais j'aurais été chien de la prendre, parce que je savais qu'au fond, elle ne me voulait pas.

Sa voix s'était brisée sur ces derniers mots. Sylvie maudit tout bas la cruauté inconsciente d'Arianne.

— Je la comprends, tu sais, de l'avoir préféré, reprit Simon tout bas. Il est tout ce qu'elle en disait ; beau, fin, brillant, talentueux.

— Et handicapé, lui rappela Sylvie, doutant toujours des intentions réelles d'Arianne.

— Bof ! Etre amoureuse d'un handicapé autonome n'est pas pire que d'être amoureuse d'un prêtre catholique. Les options sont limitées dans les deux cas. Et lui, au moins, elle pouvait l'aimer sans qu'on cancane dans son dos.

— Tu parles ! C'est un gamin, Simon ! Il était quinze ans plus jeune qu'elle ! Rien que ça aurait alimenté les ragots de votre village pendant trois générations !

— Un point de plus en sa faveur, dit Simon en souriant.

Sylvie secoua la tête. La déclaration de Sébastien lui revint en mémoire. Arianne avait été très physique avec lui après ce souper. Par un désir accru de lui... ou parce que Simon n'avait pas répondu à ses avances ? Elle se tourna vers lui et lut le désir dans ses yeux.

— Oh ! Simon, je ne peux pas croire qu'elle ne voulait pas de toi.

— Elle était amoureuse d'un autre, fit Simon avec tristesse.

— Moi aussi, murmura Sylvie en baissant les yeux.

Puis elle se leva et informa le jeune prêtre que ce serait tout pour l'instant. Elle tendit la main pour l'aider à se lever, mais Simon secoua la tête. Elle pouvait retourner aux autres, il les rejoindrait dans un petit moment. Sylvie lui jeta un regard désolé, puis sortit côté jardin.

Profitant de ce que Johanne était à la salle de lavage, Daniel ressortit la photo d'Estéban et demanda à Sébastien où il l'avait vu..

— Je ne l'ai jamais vu. C'est lui, Estéban ? Beau gars, commenta l'adolescent avec un détachement feint.

— Ne me mens pas, fils. Je t'ai vu le reconnaître. Alors, vas-y, crache.

— Sur un site porno, avoua Sébastien. Des fois, quand je dors mal, j'en regarde. Tu ne le diras pas à ma mère, hein ?

— Si elle est le moindrement intelligente, elle doit s'en douter. Dans quelle sorte de site porno l'as-tu vu ? Des trucs entre gars ?

Sébastien secoua la tête. Les ébats homosexuels ne l'intéressaient pas. Il préférait les sites hétéros, du genre effeuillage, devant lesquels il s'offrait parfois une petite séance de masturbation. Il avait vu Estéban sur l'un d'eux, dans un flamenco érotique en duo. Sa partenaire était une fille à la devanture plutôt plate, mais une fille tout de même. Ce site n'avait cependant rien de secret, car il n'avait eu besoin d'aucun mot de passe pour y naviguer.

— Pourrais-tu le retrouver ?

— Peut-être. Veux-tu qu'on essaie ?

Daniel tendit l'oreille. La sécheuse s'était tue.

— Plus tard, souffla-t-il à Sébastien. Quand Johanne sera bien endormie.

— Pas de problème, dit l'adolescent en souriant. Tu as juste à me réveiller.

Daniel et Sébastien se rincèrent l'œil jusqu'aux premières lueurs de l'aube, mais ne retrouvèrent pas le site qui intéressait l'enquêteur.

— Ça change souvent, ces trucs-là, s'excusa le garçon.

— C'est correct. Il y a longtemps que tu l'as vu ?

— C'était à la fin de l'hiver ou au début du printemps dernier. Tu sais, si c'est la danse elle-même que tu veux, je l'ai encore.

— Comment ça ?

Sébastien avoua qu'il avait tellement apprécié cette exhibition qu'il l'avait copiée sur disque. Il la regardait souvent et c'était pourquoi il avait reconnu Estéban. L'identifier lui aurait été difficile s'il ne l'avait vu qu'une fois, étant donné qu'il prêtait peu attention au visage des personnages sur ces sites. Daniel sourit. Il aimait la candeur du garçon.

— Ce numéro-là avait un côté artistique qui me plaisait beaucoup, poursuivit Sébastien. Je ne sais pas si tu auras l'adresse, par exemple.

— J'aimerais le voir quand même. On va s'arranger pour que ta mère te l'apporte.

Sébastien fit la moue. Il n'aimait pas que sa mère fouillât dans ses effets personnels.

— On ne pourrait pas plutôt y aller pendant qu'elle n'est pas là ? suggéra-t-il. Elle travaille demain.

— Non, répondit fermement Daniel. Un voisin pourrait lui dire qu'il t'a vu, et je ne veux pas qu'elle pense qu'on joue dans son dos. Tu es un gars intelligent, tu l'as sûrement caché parmi d'autres disques. Tu n'as qu'à lui dire d'apporter tout le tas.

Ils décidèrent du moment et de l'endroit du rendez-vous, puis retournèrent se coucher.

Le dimanche, après avoir accompagné Roger et son épouse à l'aéroport, Daniel se rendit avec Sébastien au restaurant où ils devaient rencontrer madame Boyer.

— Arrête de te tripoter la lèvre, dit-il à Sébastien comme ils approchaient de leur destination. Elle va se remettre à saigner.

Sébastien se l'était fendue la veille en s'assommant contre le rebord de la piscine, alors qu'Olivier et lui se disputaient le haut de bikini qu'avait perdu Annie, et il craignait que l'enflure de sa lèvre n'énervât sa mère. Il ne voulait pas voir s'écourter son séjour chez Daniel.

— Tu n'es pas obligé de lui dire que tu as failli te noyer. Dis-lui que tu t'es cogné sur le bord de la piscine en te tiraillant.

Sébastien lui jeta un regard attristé et remarqua avec douceur que, mêmes vraies, ces excuses passaient moins bien lorsqu'on les avait utilisées des dizaines de fois après avoir été battu.

— Elle ne penserait pas ça ?

Madame Boyer les attendait à l'entrée du restaurant. Afin qu'elle vît bien qu'il ne craignait pas ce que Sébastien pourrait lui dire en son absence, Daniel les invita à aller tout de suite s'installer. Lui-même irait au dépanneur chercher des cigarettes et il les rejoindrait sous peu. Il prit exprès un peu plus de temps qu'il n'eût fallu, puis revint au restaurant. Lorsqu'il repéra leur table, madame Boyer tenait les mains de son fils et lui parlait avec animation. Voyant que Sébastien l'écoutait en souriant, Daniel répugna à interrompre leur échange. Mais il savait que le garçon refuserait qu'il mangeât tout seul dans son coin, aussi se dissimula-t-il à leur vue afin d'attendre un moment plus propice pour se manifester. Il l'obtint lorsqu'une serveuse passa les menus. Il entendit Sébastien lui en demander un troisième parce qu'ils attendaient quelqu'un d'autre. Ayant ainsi reçu le signal, Daniel fit son entrée.

— Ils ont mis une éternité à trouver ma sorte, s'excusa-t-il.

Madame Boyer l'interrogea aussitôt quant au testament. Était-ce bien vrai ?

— Oh oui ! Arianne avait pris une grosse assurance et l'a partagée entre diverses personnes, dont votre fils. Mais il va devoir attendre la fin de l'enquête pour toucher sa part, même si on le sait innocent. Ça évitera les problèmes avec les autres héritiers dans les parages.

— Oui, je comprends. Est-ce qu'elle avance, votre enquête ?

— Oui. Je ne peux pas vous dire pour combien de temps on en a encore, mais on arrive à un stade crucial.

Sébastien sourit. Daniel avait vu quelques bleus s'ajouter au cours de la fin de semaine. Johanne et Sébastien butaient contre lui « par hasard » à la minute où il laissait tomber la garde. Et cela se poursuivrait jusqu'au lendemain soir, il le savait. En fait, jambes dénudées, Daniel avait bien plus l'air d'être battu que Sébastien avec sa lèvre enflée.

— Si tu n'es pas revenu à la fin de la semaine prochaine, je pense que je vais aller voir ma sœur, ça va être moins « plate » que d'être toute seule à la maison.

— Pourquoi pas ? Profites-en, l'encouragea Sébastien. Tu peux m'appeler de là aussi.

Lorsqu'ils furent sur le point de se séparer de nouveau, Sébastien embrassa de lui-même sa mère, qui en rosit de plaisir. L'adolescent n'était habituellement pas très démonstratif avec elle.

— Tu as tes compacts ? s'assura Daniel. Parfait. Allons-y, on a encore du pain sur la planche.

Et Daniel retourna chez lui recueillir d'autres bleus.

Ce soir-là, Johanne décida qu'ils souperaient de brochettes de poulet à la tropicale. Lorsqu'il la vit sortir son ensemble de pics, Sébastien abandonna Daniel à ses manœuvres de fauteuil et rejoignit Johanne.

— Je peux t'aider ?

La jeune femme lui sourit.

— Tu aimes ça, hein, mon grand, faire « pique-pique » dans la viande ?

— C'est mon petit côté sadique, avoua Sébastien. J'ai déjà lu un polar où on avait usé d'une broche pointue pour tuer la victime, lança-t-il à Daniel. On la lui avait piqué dans l'oreille pour traverser le cerveau de bord en bord. Dans le livre, c'était une broche à tricoter, mais il me semble qu'un pic à brochette, ce serait encore plus efficace.

— Tu devrais lire des trucs moins morbides, grogna Daniel en fronçant les sourcils.

Ils n'avaient toujours pas trouvé l'arme du crime, mais cela avait été un instrument perçant et très mince. L'adolescent aurait-il inconsciemment frappé dans le mille ? Troublé, il se leva et alla s'enfermer dans son bureau, d'où il appela Richard Bélanger. Il s'excusa de le déranger le dimanche chez lui, mais il avait besoin de savoir. Arianne LeSieur pouvait-elle avoir été tuée avec un pic à brochette ? Le médecin légiste admit qu'un tel pic, s'il était plat et un peu plus large que la norme, pourrait concorder avec le type de blessure qu'elle avait, mais qu'il aurait fallu que l'assassin eût été très chanceux ou eût su exactement où frapper pour ne pas rencontrer de matière osseuse. Daniel le remercia et raccrocha. Puis, plus par besoin d'en parler qu'autre chose, il appela Sylvie.

Andréanne Lanctôt, l'*alter ego* de Sylvie, se présenta chez Élodie quelques minutes avant l'heure fixée pour son cours. « *Get out !* » entendit-elle son professeur hurler comme elle allait sonner.

Un Estéban hilare sortit, la heurtant presque. Il la détailla rapidement de la tête aux pieds, lui adressa un sourire ensorceleur, et s'effaça en disant :

— Entrez, Mademoiselle. Vous êtes attendue. Si vous décidez d'apprendre aussi le flamenco, voici ma carte. Bon cours !

Puis, il jeta un dernier regard ironique à Élodie et s'en fut.

— J'arrive à un mauvais moment, peut-être, dit Sylvie, feignant l'embarras.

Élodie força un sourire, lui assura que non, puis l'invita à passer dans la pièce voisine, qui était sa salle de cours.

— Si vous avez un collant d'exercice, mettez-le, je vous rejoins dans quelques minutes.

Sylvie entra dans la salle et l'examina tout en se changeant. L'un des murs s'ornait d'une fresque des Mille et Une Nuits, au centre de laquelle trônait Arianne en Schéhérazade. Sylvie y reconnut la qualité du trait de Sébastien, quoique l'essence fût un peu diluée sur tant d'espace. Arianne avait dû beaucoup aimer Élodie pour lui faire don d'une telle œuvre. En entendant son professeur arriver, Sylvie prit sur une étagère un ensemble de petits disques de métal qui se glissent aux doigts et tenta d'en jouer.

— Ça s'appelle des « zills », l'informa Élodie. Mais on ne va pas s'en servir tout de suite, c'est assez complexe à manipuler quand on n'y est pas habitué.

— Elle est magnifique, votre fresque ! la complimenta Sylvie. Connaissez-vous l'artiste ? J'aimerais lui en commander une. Avec un autre motif, bien sûr. L'exclusivité est importante.

Une ombre de tristesse passa sur le visage d'Élodie.

— Non, je ne le connais pas. C'était un ami de l'amie qui m'en a fait cadeau. Vous lui ressemblez d'ailleurs, dit-elle en la regardant plus attentivement. C'est quoi, votre nom, déjà ?

— Andréane Lanctôt.

— Andréane. Même vos noms se ressemblent, murmura Élodie.

Puis elle se ressaisit, sourit, et demanda à son élève si elle était prête. Cette dernière hocha la tête. Le cours commença.

Sitôt revenue chez elle, Sylvie appela Daniel et lui raconta, excitée, qu'elle avait rencontré Estéban et qu'il lui avait remis sa carte.

— « *Estéban Flamenco Studio. Danse traditionnelle ou alternative. Cours privé ou en couple* », lut-elle à son collègue. Je me demande ce que c'est, du flamenco alternatif ?

Daniel ricana et dit qu'il le lui montrerait le lendemain. Elle trouverait cela très éducatif.

— As-tu réussi à savoir où Sébastien l'avait vu ? demanda Sylvie.

— Sur un site porno.

— J'aurais dû y penser. Olivier aussi va en voir quand on ne le surveille pas.

— Mais pas Annie ? Je ne suis pas sûr, moi, que les filles sont plus vertueuses que nous. Je l'ai vue faire, la petite gueuse, avant-hier ! Elle a détaché deux de ses agrafes elle-même pour être sûre que son haut de bikini sauterait à un moment donné, et que Seb en aurait plein la vue.

— *T'es* pas sérieux ?

— Certain que je suis sérieux ! Simon l'a vue aussi, tu peux le lui demander si tu ne me crois pas. Ce n'est pas grave, remarque. C'était juste drôle de la voir aller. Mais ne viens pas me dire après ça qu'il y a juste les gars qui pensent au sexe.

— Je n'ai jamais dit ça. Mais vous y pensez plus que nous et vous vous excitez à bien moins. Il vous suffit de regarder une courbe pour avoir des idées. D'ailleurs, tu aurais dû voir comment il m'a regardée, le supposé *fif* ! Si je ne l'avais pas entendu le confirmer lui-même, je n'aurais jamais cru que ce gars-là était homo. Il pourrait faire une bête de sexe d'une sœur cloîtrée.

— À ce point-là ? s'alarma Daniel.

— Façon de parler, le rassura Sylvie. Ce que je veux dire, c'est qu'à moins de viser la sainteté, je ne vois pas une fille aussi sensuelle qu'Arianne rester chaste en se frottant à un hétéro aussi baisable. Et pédé ou pas, il devait trop plaire à Arianne au goût d'Élodie. Tu aurais dû voir comment elle regardait la porte après son départ ! Ça m'a étonnée qu'elle ne prenne pas en feu.

— Qu'est-ce qu'il faisait là ?

— Aucune idée. Avec la tête qu'elle faisait, je pouvais difficilement lui demander qui était ce charmant jeune homme. Si elle est de meilleure humeur au prochain cours, je prendrai des références sur le prof de flamenco.

— Sois prudente.

— Où en es-tu dans tes exercices ?

— Ça va bien. Je ne réagis même plus quand on me cogne. AAAAH!

— Dan ? Es-tu correct ?

— Le petit *crisse*! Il vient de renverser un pichet d'eau plein de glace sur moi !

— Je parie que tu as bondi de ta chaise, dit Sylvie en entendant rire Sébastien.

— Oh ! merde ! se découragea Daniel. Je ne serai jamais prêt demain !

— Trouve une excuse pour remettre le rendez-vous alors.

— Non, je ne peux pas. Ça va éveiller ses soupçons. Il faut que je me concentre. Je ne sens rien en bas de la ceinture. Et je peux bouger juste le haut du corps.

— Je te l'avais dit, triompha Sébastien. Ça aurait été plus simple de me *bugger*, moi.

— Non ! Oublie ça, fils, il n'en est pas question ! S'il t'arrivait quelque chose, on serait tous dans le trouble. Et je ne me le pardonnerais jamais.

— Mais vous le faites bien avec des délateurs !

— Tu n'es pas un délateur, tu es un honnête citoyen juvénile. Tu es assez intelligent pour comprendre ce que ça implique comme potentiel de trouble. Écoute, Sylvie, il va falloir que je te laisse, dit-il dans l'appareil. Comme tu peux t'en rendre compte, j'ai encore des petites choses à mettre au point. On se voit demain.

— « *Break a leg* », comme disent les anglais.

— Je devrais me briser les deux, ce serait plus simple, soupira Daniel. Bye !

— *Bye*, Sylvie ! lança Sébastien derrière lui.

Daniel raccrocha et se tourna vers l'adolescent.

— Bon, à nous deux, fiston ! Je veux que tu essaies tout ce qui te passe par la tête.

— Maintenant ? Mais tu vas être sur tes gardes !

— C'est ça l'idée, Seb. Tu peux être sûr que je vais être sur mes gardes avec lui aussi. Tu m'en as assez convaincu.

En son for intérieur, Daniel aurait bien voulu que son assurance soit égale à sa détermination. Contrairement à sa collègue, qui en avait tâté lors d'une assignation à la Moralité, lui-même en était à sa première infiltration et il n'était pas du tout certain d'être à la hauteur de sa tâche. S'il avait connu la véritable envergure de son adversaire, il aurait probablement reculé. Mais dans sa bienheureuse ignorance, cela ne lui vint même pas à l'idée. Il y arriverait. Il le fallait. Il y allait de l'avenir de Sébastien.

Table des matières

Dans la même collection

Achevé d'imprimer
sur les presses de AGMV-Marquis
en mars 2004